FORMATION
DE L'ORATEUR SACRÉ

DU MÊME AUTEUR

Chez Beauchesne, 117, rue de Rennes, Paris

Pratique des Vertus, 3 vol. de 600 p. (dernière édition).
Ouvrage honoré des plus hautes approbations.

Introduction à la Vie sacerdotale, 1 vol. de 600 p.

Retraite sacerdotale, etc., 1 vol. de 300 p. (2e édition).

L'Apostolat paroissial, 1 vol. de 200 p.
« Sa Sainteté (Léon XIII) s'est vivement réjouie de la manière opportune et pratique d'organisation paroissiale exposée par votre Révérence. » (*Lettre du card. Rampolla à l'auteur.*)

Cercles d'Apostolat social, œuvre fondée à Saint-Etienne (Loire) en 1903. Brochure.

Le Serviteur de Dieu Joseph-Marie Favre, maître et modèle des ouvriers apostoliques, 1 vol. in-8º de 600 p., 50 gravures.

Le Prieuré de Contamine-sur-Arve, près Genève, 1083-1848 (couronné par l'académie de Savoie), 1 vol.

Les Ruines de Faucigny, brochure.

Cantiques et Chants divers, paroles et musique, 1 vol. de 200 p.

Sous Presse :

Formation de l'Orateur sacré : THÈMES ORATOIRES ou Doctrine du Catéchisme du Concile de Trente disposée conformément à la méthode publiée par l'auteur.

FORMATION

DE

L'ORATEUR SACRÉ

SUIVI D'UNE

LETTRE DE S. ALPHONSE DE LIGUORI

SUR LA PRÉDICATION

PAR

le Père Fr. BOUCHAGE

> N'employons pas l'Evangile au triomphe de notre éloquence ; employons notre éloquence au triomphe de l'Evangile.
>
> L'AUTEUR

MÉTHODE

PARIS-LYON
EMMANUEL VITTE, LIBRAIRE-ÉDITEUR
1906

IMPRIMATUR

Lugduni, 21ᵃ februarii 1906.

A. Bonnardet,
v. g.

Lettre de Mgr BAURON

PROTONOTAIRE APOSTOLIQUE
CURÉ DE SAINT-EUCHER, A LYON (*)

PAROISSE   *Fête de S. Joseph, 19 Mars 1906.*

SAINT-EUCHER

LYON

MON RÉVÉREND PÈRE,

Vous avez l'aimable attention de soumettre à un ancien professeur de rhétorique et de philosophie les bonnes pages de votre nouveau livre : FORMATION DE L'ORATEUR SACRÉ.

J'en suis flatté, je l'avoue. Je vous en remercie pour l'honneur qui m'est fait et surtout pour la valeur de l'œuvre.

Il est toujours périlleux de juger un maître. Mais quand la matière est ferme, nettement définie et se montre sous un jour lumineux avec des contours précis, l'œil du critique s'y arrête avec complaisance. La formule de son appréciation, franche et loyale, paraît aisée. Il peut croire que l'avenir la ratifiera. N'est-ce pas mon cas, en face de votre livre ?

Je vous ai entendu aux beaux jours de vos grandes missions. Le peuple accourait au pied de votre chaire et se pressait dans l'enceinte de nos larges églises, devenues trop étroites. Des hommes, debout contre les piliers

---

(*) Mgr Bauron est l'auteur de plusieurs ouvrages estimés et couronnés, notamment d'une Etude, devenue classique, de la *Lettre sur les occupations de l'Académie française,* de Fénelon.

et jusque sur les marches de l'autel, attendaient longtemps d'avance l'arrivée du prédicateur. Votre parole enchaînait les esprits, touchait les cœurs, ébranlait les volontés les plus rebelles. Des ouvriers et des membres du Barreau, des négociants et des professeurs de l'Université, des prêtres et même des acteurs en renom, étaient également subjugués par le charme de vos discours ; les uns s'abandonnaient aux émotions que vous suscitiez dans leurs âmes ; les autres, les intellectuels, les savants, se demandaient quel était le secret de votre éloquence et de l'incroyable puissance que vous exerciez sur la foule.

Il y a donc, même pour moi, beaucoup d'attrait à apprendre de votre bouche, ou plutôt de votre plume, le principe et la nature de votre méthode. Je regrette une seule chose, c'est d'être trop vieux pour en profiter.

Comme le divin Maître, vous avez payé d'exemples avant de tracer des préceptes. Cœpit facere et docere. Vous avez expérimenté vous-même, et fait expérimenter par d'autres les leçons que vous exposez. On peut dire que leur importance capitale est le fruit d'une expérience consommée autant que celui de la raison. Souvent la théorie ne donne pas à l'art tout ce qu'elle promet, parce qu'on n'a pas tenu un compte suffisant des résistances que lui opposent les éléments divers auxquels elle s'applique. Il n'en est pas ainsi de la vôtre. Elle est en action dans vos œuvres oratoires. Elle les inspire d'une part ; elle en jaillit de l'autre, comme la beauté de l'Apollon du Belvédère jaillit du marbre qui l'incarne et dont elle a réglé pourtant le dessin et les formes.

Sans vous limiter aux trois parties classiques de la Rhétorique : invention, disposition, élocution, vous cherchez votre point de départ dans le libre exercice de nos facultés. Il vous paraît que l'éloquence doit prendre l'homme tout entier et que, pour le persuader, il faut auparavant l'intéresser, l'instruire, l'émouvoir. C'est ainsi que procède la nature. Il faut frapper l'imagination de l'auditeur pour l'attacher au sujet qu'on lui propose; montrer à son intelligence ce qu'il est et sur quel fond d'autorité ou de raison il s'appuie, émouvoir sa sensibilité jusqu'à le faire aimer ou haïr, enfin incliner sa volonté à le rechercher ou le fuir, suivant qu'il est utile ou nuisible à ses intérêts, conforme ou contraire à sa fin dernière.

Cette méthode, d'après vous, facilite l'essor du génie, équilibre le jeu des facultés et se trouve justifiée par la pratique et l'autorité des plus grands orateurs.

Elle n'a rien d'arbitraire, puisqu'elle est fondée sur l'étude des procédés suivis par tous ceux qui ont le talent naturel ou acquis de persuader. Elle s'appuie en outre sur l'observation des sentiments et des passions que la parole a mission de contenir ou de diriger. On peut même dire que telle est la marche usitée dans l'élaboration de tous les chefs-d'œuvres littéraires, épopée ou tragédie, satire ou page d'histoire.

N'est-ce pas ainsi que s'ouvre l'Iliade? Mon imagination est frappée par le tableau du marasme et du découragement qui règnent dans le camp des Grecs, depuis qu'Achille, irrité de l'enlèvement de sa captive Briséis, s'est retiré sur ses vaisseaux et refuse au roi de Mycènes le secours de sa vaillance.

Virgile, dans l'Enéide, ne débute pas autrement. Le héros troyen, depuis si longtemps ballotté sur les flots, vient encore de faire naufrage, sous les remparts de Carthage, dans une tempête suscitée par la rancune de la vindicative Junon.

L'attention de l'esprit ainsi provoquée veut être satisfaite, et l'explication des événements suit la mise en scène. Cette méthode, qu'exploitent tous les romanciers, doit aussi guider le prédicateur et déterminer l'exorde et le plan de son discours.

Des études préliminaires, dont vous indiquez la nature et le cadre, fourniront les preuves et les arguments nécessaires à l'appui de la proposition. On les dispose dans un ordre progressif. Les lumières qui éclairent l'esprit ne tarderont pas à échauffer le cœur. Car il est difficile de bien fixer son attention sur un objet sans s'éprendre pour lui d'amour ou de haine. Avec quelle connaissance du ressort des passions vous précisez les moyens les plus propres à les exciter. Toute cette partie de votre livre est neuve, originale, d'une grande profondeur. Aucun auteur n'a traité de l'usage des passions avec un sens plus pratique. Il en est de même des pages que vous consacrez à l'improvisation, dont vous établissez avec tant de compétence la source, les procédés et le véritable caractère.

Peut-être certains trouveront-ils que vous n'avez pas donné assez d'importance à l'action et au débit. Mais il est bon de remarquer que l'orateur sacré n'est pas un acteur qui cherche à ravir des suffrages par l'harmonie des phrases et la beauté du geste. Sa mission est plus haute. Sa voix doit être un écho de la parole de Dieu. Elle plaît surtout par l'accent de la conviction, de la foi et de la piété. Ce que vous dites de l'action me paraît suffisant. Elle est l'éloquence du corps. Vous voulez qu'elle soit naturelle, modeste et toujours soutenue d'une diction pure, claire, intelligible. N'est-ce pas l'essentiel et même le comble de l'art ? Dès que la recherche dans le débit se laisse apercevoir, elle nuit plus qu'elle ne sert à l'effet du discours.

En résumé, votre méthode est large et s'accommode sans effort à toutes les règles de la rhétorique. Elle permet d'aborder avec succès tous les sujets, même ceux qui en apparence sont les plus arides. Elle aide à saisir rapidement leurs points de contact avec nos facultés. Les préceptes sont toujours expliqués et justifiés par des exemples admirablement choisis.

Un jeune prêtre, d'une culture moyenne et d'une intelligence ordinaire qui s'inspirera des leçons de votre Traité, arrivera facilement à produire des instructions, des prônes et des sermons d'une valeur réelle et d'un intérêt soutenu.

Dès qu'il sera connu, votre livre franchira l'entrée des séminaires, s'imposera par son utilité pratique et deviendra le manuel des prédicateurs. Les thèmes oratoires promis pour le compléter leur rendront d'éminents services. Vous aurez, à l'avenir, autant de disciples que vous avez eu, dans le passé, d'auditeurs.

La composition d'un tel ouvrage demeurera votre gloire. Le bien qui en résultera pour le salut des âmes sera l'un de vos titres à une plus haute récompense.

P. BAURON,
Protonotaire apostolique.

Lettre de M. TIXERONT

DIRECTEUR AU SÉMINAIRE UNIVERSITAIRE DE LYON
DOYEN DE LA FACULTÉ DE THÉOLOGIE

SÉMINAIRE UNIVERSITAIRE
LYON

Le 21 mars 1906.

MON RÉVÉREND PÈRE,

Je ne suis guère qualifié pour apprécier le livre dont vous avez eu l'humilité de me soumettre les bonnes feuilles, et ce ne sont pas les quelques leçons d'Eloquence sacrée que j'ai données autrefois qui peuvent concilier à mon suffrage beaucoup d'autorité. Puisqu'il faut cependant dire mon sentiment, votre ouvrage m'a bien paru tel qu'on le devait attendre d'un **missionnaire expérimenté**, d'un **convertisseur de profession** dont toute l'attention est retenue par le but unique — spécial à la parole sainte — de ramener les âmes à Dieu, et de les faire avancer dans la connaissance et la pratique de leurs devoirs. Vous condamnez la rhétorique pure, à plus forte raison le procédé : mais vous maintenez avec raison la nécessité d'une préparation détaillée, d'une formation littéraire sérieuse, la nécessité du grand art et de l'action large et puissante, fruit de la réflexion patiente et de la continuité de l'effort oratoire. Tous ces conseils sont pris de la nature même, et vous les appuyez au besoin de la parole des plus grands maîtres. Ils ne pourront qu'être infiniment utiles aux prêtres du ministère que de plus gros volumes effraieraient, et qui cherchent avant tout un guide sûr, ayant pratiqué lui-même et d'abord excellemment ce qu'il recommande.

Veuillez agréer, Mon Révérend Père, avec mes félicitations, l'expression de mes bien respectueux sentiments.

J. TIXERONT, *Pr.*

Lettre de M. l'Abbé A. GAVARD

SUPÉRIEUR DU COLLÈGE D'ÉVIAN-LES-BAINS

Evian-les-Bains, 25 mars 1906.

Cher Père,

J'ai lu vos pages avec plaisir. Un vieux professeur de rhétorique y retrouve tellement ses idées, les principes de l'art classique, qu'il est heureux de vous voir, avec la compétence que chacun vous reconnaît, dire ces choses à tant de séminaristes, de jeunes prêtres, qui se figurent que les dissertations faites au collège, les analyses des discours de Bossuet, les principes de rhétorique puisés dans les bons auteurs, tout cela ne sert à rien à qui possède un d'Hauterive, ou est abonné à une Revue de Prédication.

Vous me faites grand plaisir, vraiment. Et, ce qui vaut mieux, vous ferez du bien à tous ceux qui vous liront, quels qu'ils soient.

Votre bien affectueusement dévoué en N.-S.

A. GAVARD.

AVANT-PROPOS

Certains professeurs de Rhétorique avouent n'avoir ni enseigné — ni appris — l'art de faire un discours éloquent. Rebelles aux théories précises et pratiques, ils n'offrent à leurs disciples que des indications générales, dont l'application doit varier, disent-ils, à l'infini, suivant la diversité des esprits et des tempéraments. Ils n'accordent aux traités de Rhétorique qu'une confiance douteuse. Peu s'en faut qu'ils ne les tiennent pour inutiles.

Nous ne relèverons point ici tout ce qu'un tel état d'esprit permettrait d'inférer de peu flatteur pour les braves gens attardés à composer encore des traités d'Éloquence.

La conviction expérimentale et raisonnée où nous sommes que cette mentalité n'est pas fondée en raison nous fait un devoir de la signaler comme dangereuse pour l'éducation du jeune Clergé. Comment nos Supérieurs formeront-

ils les élèves du Sanctuaire à l'art de prêcher éloquemment, s'ils ne croient pas eux-mêmes à cet art ? Et que deviendra la Prédication, privée des leçons propres à la diriger ? La réponse n'est que trop facile : de plus en plus dégoûtée d'une parole ennuyeuse, faute d'art, la masse du peuple cessera d'aller au sermon.

Il est vrai que les De Grenade, les François de Sales, les Fénelon, les Alphonse de Liguori, les Hamon, les Dupanloup, les Longhaye et les Monsabré — qui se sont appliqués, eux, à préciser les lois de la Prédication — demeurent debout, appuyés sur les invincibles raisons de leur enseignement ; il n'est pas moins certain que, pour avoir suivi ce même enseignement, les disciples de ces Maîtres immortels ont soutenu et soutiennent encore l'honneur de la Chaire Française, mais de quoi serviraient, à l'avenir, ces maîtres et leurs leçons, si le scepticisme en matière oratoire venait à prévaloir dans nos Séminaires ?

Qu'il nous soit donc permis d'opposer à cette défiance imméritée de la vraie Rhétorique, notre confiance entière en l'efficacité des Cours d'Eloquence bien compris, et donnés avec ampleur.

« *Il ne faut pas faire à l'éloquence le tort de penser qu'elle n'est qu'un art frivole. C'est un art très sérieux, qui est destiné à instruire, à réprimer les passions, à corriger les mœurs, à soutenir les lois, à diriger les délibérations publiques, à rendre les hommes bons et heureux.*

« *D'ordinaire, un déclamateur fleuri ne connaît point les principes d'une saine philosophie, ni ceux de la doctrine évangélique pour perfectionner les mœurs. Au contraire le véritable orateur remonte d'abord au premier principe sur la matière qu'il veut débrouiller ; il met ce principe dans son premier point de vue ; il le tourne et le retourne pour y accoutumer ses auditeurs les moins pénétrants ; il descend jusqu'aux dernières conséquences par un enchaînement court et sensible. Chaque vérité est mise en sa place par rapport au tout : elle prépare, elle amène, elle appuie une autre vérité qui a besoin de son secours.*

« *Quand l'ordre, la justesse, la force et la véhémence se trouvent réunis, le discours est parfait* (1). »

---

(1) FÉNELON. *Lettre sur les occupations de l'Académie française.*

A moins donc de tenir pour une utopie le travail d'esprit que nous indique ici Fénelon, et qui nous paraît être le fond de l'art oratoire, il faut convenir qu'un tel travail peut s'enseigner et s'apprendre : le but auquel la nature a conduit tant d'orateurs distingués, sinon célèbres, doit avoir des chemins tracés par la nature elle-même ; et puisque l'art oratoire revient à sentir et à rendre pleinement un sujet, nous hésitons d'autant moins à croire accessible cet art que nous avons l'humble conviction d'offrir ici-même une méthode naturelle et simple pour y parvenir.

INTRODUCTION

Simple énoncé de notre Méthode.

La méthode que nous proposons est caractérisée par une certaine manière de disposer et d'élaborer la matière d'un sermon.

Elle consiste essentiellement à présenter un enseignement, ou une proposition, aux quatre facultés de l'âme.

Le prédicateur a-t-il arrêté son sujet? trouvé un point de doctrine qu'il estime bon de prêcher? S'il veut parler en orateur, il devra chercher le moyen d'inculquer cette vérité à toute l'âme des auditeurs. Son art consistera dans l'habileté déployée pour saisir de son sujet la mémoire ou l'imagination; pour le découvrir et démontrer à l'intelligence; pour en pénétrer les cœurs et les remuer; enfin pour déterminer les volontés. Tout cela successivement, dans une juste proportion, et d'après les lois qui régissent l'homme intellectuel.

Ce rapide énoncé de notre méthode étonnera,

sans doute, par l'ordre apparemment arbitraire, presque automatique, dans lequel doivent être visées les facultés. Le mot *successivement*, surtout, semble tenir de la manie, devoir aboutir au cliché, et faire craindre que, rabaissant à un vulgaire procédé d'oléogravure l'art sublime des Cimabüe, nous n'en venions à remplacer par des pastiches de rhétorique l'inspiration libre, ailée et vibrante, du véritable orateur !

Pourquoi, dira-t-on peut-être, ériger en méthode, pour prêcher éloquemment, l'obligation d'abord de frapper l'imagination, puis d'éclairer l'intelligence, ensuite de toucher le cœur, enfin de décider la volonté ?

Que saint Augustin ait conseillé, *pro catechizandis rudibus*, un procédé similaire, passe (1) ! mais la variété, l'élévation, l'étendue des matières à traiter et, plus encore, l'incoercible originalité du génie propre à chaque prédicateur de

(1) Eligantur quædam mirabiliora quæ suavius audiuntur, atque in ipsis articulis constituta sunt, ut ea tanquam in involucris ostendere, statimque a conspectu abripere non oporteat, sed aliquantum immorando quasi resolvere atque expandere et inspicienda atque miranda offerre animis auditorum. Ita et illa quæ maxime commendari volumus magis eminent ; nec ad ea fatigatus pervenit quem narrando volumus excitare ; nec illius memoria confunditur quem docendo debemus instruere. (C. I.)

talent sauraient-elles jamais accepter de telles entraves ?

Du reste, quelle monotonie dans ce procédé :
1° Dieu présenté à l'imagination pour la saisir ;
2° Dieu montré à l'esprit pour le convaincre ;
3° Dieu rendu sensible au cœur pour le toucher ;
4° Dieu proposé à la volonté pour la persuader !

Je l'avoue, les mieux intentionnés des lecteurs pourraient, à première vue, éprouver des sentiments aussi défavorables à l'égard de cette méthode. Mais j'ai trop de confiance en l'équité des professeurs d'éloquence, pour craindre qu'ils s'arrêtent à cette première impression. Comme j'écris de bonne foi, ainsi eux-mêmes voudront-ils, de bonne foi, me lire avant de me juger.

J'espère donc qu'un examen tranquille et raisonné de la méthode que je conseille fera convenir aux plus difficiles non seulement que cette méthode est loin de conduire aux compositions mécaniques et sans art, mais que, au contraire, elle favorise l'originalité de l'auteur, dans la facture du sermon, et contient le secret d'une prédication naturelle et réellement efficace.

J'espère même que par l'étude sérieuse et l'expérimentation sincère de cette méthode, on s'accordera bientôt à voir dans son emploi, un moyen très opportun d'apprendre aussi bien que d'enseigner, l'art de prêcher en orateur.

Largeur de la Méthode.

Comprise avec l'élasticité nécessaire aux choses de l'âme, la préoccupation fondamentale de présenter le sujet du discours aux quatre facultés de l'âme nous paraît absolument fondée en psychologie.

Entendons-nous d'abord sur ces mots : élasticité nécessaire aux choses de l'âme, ou largeur voulue ; montrons ensuite jusqu'où peut s'étendre, sans sortir de la méthode, la libre interprétation et application de ses principes. On verra que si la méthode est une entrave, celle-ci est, du moins, très élastique.

Le solide et admirable prédicateur Bourdaloue, que sa supériorité seule éloigne des esprits superficiels, eut un jour à composer l'éloge funèbre du prince Louis de Bourbon. A coup sûr, aucun discours ne paraît moins embarrassé. C'est tout uniment l'histoire du prince, entremêlée de réflexions chétiennes. Et pourtant, un examen attentif, pénétrant, car les sentiers de la pensée sont difficiles à retrouver, peut très bien découvrir dans cette oraison la manière oratoire que nous proposons, mais entendue avec la largeur et l'élasticité nécessaires.

L'exorde est visiblement inspiré par un fait historique amenant le sujet : la mort d'Abner, les pleurs versés sur lui par le roi, attestant la haute valeur du héros. (II, Reg., c. iii.)

Le premier point vise l'intelligence. C'est une doctrine sur la solidité du cœur, habilement servie à propos de la vie du prince; le deuxième point traite de choses plutôt passionnantes : la droiture du cœur du prince malgré d'étonnants égarements; la dernière partie, destinée à persuader le bien, la conversion, envisage le cœur chrétien.

Voici l'analyse de cette oraison funèbre, empruntée à Mme de Sévigné :

« Je suis charmée et transportée de l'oraison funèbre de Monsieur le Prince, faite par le P. Bourdaloue. Il se surpassa lui-même, c'est beaucoup dire. Son texte fut : *Que le Roi l'avait pleuré* et dit à son peuple : « Nous avons perdu un prince qui était le soutien d'Israël ».

« Il était question de son cœur; car c'est son cœur qui est enterré aux Jésuites. Il en parla donc, et avec une grâce et une éloquence qui entraîne, ou qui enlève, comme vous voudrez. Il fit voir que son cœur était solide, droit et chrétien.

« *Solide*, parce que dans le haut de la plus glorieuse vie qui fut jamais, il avait été au-dessus des louanges ; et là il repassa en abrégé toutes ses victoires, et nous fit voir comme un prodige qu'un héros en cet état fût entièrement au-dessus de la vanité et de l'amour de soi-même. Cela fut traité divinement.

« *Un cœur droit*, et sur cela il se jeta sans balancer tout au travers de ses égarements, et de la guerre qu'il a faite au Roi. Cet endroit qui fait trembler, que tout le monde évite, qui fait qu'on tire les rideaux, qu'on passe des éponges, il s'y jeta, lui, à corps perdu, et fit voir par cinq ou six réflexions, dont l'une était le refus de la souveraineté de Cambrai, et l'offre qu'il avait faite de renoncer à tous ses intérêts, plutôt que d'empêcher la paix, et quelques autres encore, que son cœur, dans ces dérèglements, était droit, et qu'il était emporté par le malheur de sa destinée et par des raisons qui l'avaient comme entraîné à une guerre et à une séparation qu'il détestait intérieurement, et qu'il avait réparées de tout son pouvoir après son retour, soit par ses services comme Tolhuys, Senef, etc., soit par les infinies tendresses et le désir continuel de plaire au Roi et de réparer le passé. On ne saurait vous dire avec combien d'esprit tout cet endroit fut conduit, et quel éclat il donna à son héros, par cette peine intérieure qu'il nous peignit si bien et si vraisemblablement.

« *Un cœur chrétien*, parce que Monsieur le Prince a dit, dans ses derniers temps, que, malgré l'horreur de sa vie à l'égard de Dieu, il n'avait jamais senti la foi éteinte dans son cœur, qu'il en avait toujours conservé les principes ; et cela supposé, parce que le prince disait vrai, il rapporte à Dieu ses vertus même morales, et ses perfections héroïques qu'il avait consommées par la sainteté de sa mort. Il parla de son retour à Dieu depuis deux ans, qu'il fit voir noble, grand et sincère; et il nous peignit sa mort avec des couleurs ineffaçables dans mon esprit et dans celui de tout l'auditoire, qui paraissait pendu et suspendu à tout ce qu'il disait, d'une telle sorte que l'on ne respirait pas. De vous dire de quels traits tout cela était orné, il est impossible, et je gâte même cette pièce par la grossièreté dont je la croque. C'est comme si un barbouilleur voulait toucher à un tableau de Raphaël. » (1)

A quiconque aura considéré cet exemple nous croyons inutile de démontrer la suffisante étendue du champ que la méthode laisse libre. Observons seulement qu'il importait de souligner ce premier principe; d'autant plus que cette largeur d'application des règles s'entend de tout ce que renfermera notre livre.

Fondement de la Méthode.

Venons-en à montrer que notre méthode repose sur la nature même de l'homme.

Comment procède la nature ? — car, heureuse-

---

(1) Lettre au comte de Bussy-Rabutin, 25 avril 1687. — Voir pour la même application large de notre méthode, le sermon de Massillon sur la *Vérité de la Religion*.

ment, on n'a pas encore détrôné ses méthodes. Comment, disons-nous la nature arrive-t-elle à décider une volonté libre? C'est en lui proposant un bien accessible, et conforme à ses besoins. Voici, par exemple, un ouvrier dégoûté du travail, presque révolté contre cette loi. Vous lui dites que, s'il veut travailler pour votre compte, il recevra huit francs par jour. Que se passe-t-il dans l'âme de cet ouvrier découragé et de quelle façon la nature va-t-elle le persuader d'accepter votre proposition? D'abord, par l'imagination, il a vu et comme palpé d'avance la paie que vous lui promettez, et cet argent, métal agréable autant que nécessaire, le fait réfléchir. Il comprend l'obligation de travailler, s'il veut toucher ce salaire, car la pièce de cent sous est un fruit qui ne pousse qu'au soir d'une rude journée. Vient alors le sentiment. Sa femme sera mieux vêtue, ses enfants mieux nourris, le foyer plus éclairé, plus chaud, plus joyeux. Pour peu que vous mêliez à ce concert la voix grave de la foi et de la raison criant au fond de cette âme : le Christ a travaillé, il gagnait la vie de sa mère, et puis on a des bras pour cela, et c'est bien, et c'est bon, et c'est beau! où voulez-vous que se réfugie la paresse? Cet ouvrier travaillera pour vous.

Que nous apercevions, ou non, la suite de ces opérations mentales, elles sont là, réelles, reconnues, classées par la psychologie. Et une méthode qui procède à la façon de la nature peut bien avoir du bon !

Avantages de la Méthode.

Voyons ses deux principaux avantages : 1° Elle facilite, en l'ordonnant, l'essor du génie de chacun ; 2° elle *équilibre* le jeu des facultés.

Ceux qui restreignent le nombre des hommes de génie à celui des hommes chez qui toutes les facultés intellectuelles sont éminentes aussi bien dans leur portée que dans leur relation, feront bien de ne pas se ranger trop vite parmi ces privilégiés. Mais autre chose est l'homme de génie, autre chose est l'homme qui possède un certain génie, par exemple, le génie de la versification, ou des langues étrangères.

Dans ce dernier sens, le génie est simplement une sorte de talent inventif, une aptitude innée à tel ou tel travail de l'esprit. On dira d'un enfant qu'il a le génie du dessin, d'un autre, qu'il a le génie des mathématiques. Boileau écrivait :

> *Je sens que mon esprit travaille de génie.*
> (Satir., vii.)

Pour nous, entendant les choses dans leur état général, nous estimons que presque tous les prêtres ont le génie de l'utile prédication.

Notre méthode, avons-nous dit, facilite, en l'ordonnant, l'essor du génie oratoire propre à chacun. Elle aide l'esprit à produire des pensées, elle en provoque l'éclosion, elle en règle la disposition, elle en féconde l'expansion, tout cela en divisant le travail de la conception et en mettant l'esprit sur le chemin de l'éloquence. C'est, en somme, revenir à la maïeutique de Socrate. De ce chef, elle mériterait le nom d'émancipatrice du génie oratoire.

Qu'un professeur de rhétorique demande à ses élèves une dissertation sur cette proposition : La nature est pleine de leçons. Si, préalablement, il ne leur a donné et fait comprendre aucun principe générateur d'amplification, il y a fort à parier que la plupart se montreront improductifs. Leur impuissance prouvera-t-elle que leur esprit est stérile? Non pas, mais qu'il est empêché, ou endormi, ou désorienté et indécis comme un homme qui ne sait où aller, ni par quoi commencer. Pour le constater, le maître n'aura qu'à leur expliquer la phrase suivante : Développez les *tableaux* que la nature expose à nos regards, les *problèmes* qu'elle offre à nos méditations, les *impressions* ou sentiments qu'elle produit sur nos cœurs, les *raisons* qu'elle nous suggère d'éviter le mal et de faire le bien. Vous verrez chaque élève saisir aussitôt dans cette phrase-procédé, une foule de moyens émancipateurs de leur pensée. Et chaque élève travaillera personnellement, composera de génie.

C'est cela que nous voulons dire par ces mots : La méthode facilite, en l'ordonnant, l'essor du génie oratoire propre à chacun. La phrase écrite plus haut contient, en effet, l'essence de notre méthode. A propos d'une doctrine quelconque, elle sollicite l'imagination à chercher des tableaux qui saisiront l'attention, demande à l'esprit des arguments qui feront la lumière, provoque dans le cœur des émotions qui toucheront l'auditoire, exige enfin de la raison des motifs capables de persuader les plus fières volontés.

***

Le second avantage de cette méthode consiste à fondre dans un harmonieux accord le jeu multiple de nos principales facultés. Cela, bien entendu, à la condition d'être suivie intégralement, c'est-à-dire dans ses quatre éléments : imagination, intelligence, cœur et volonté.

Prenez garde à ces quatre éléments ou mieux aux règles qui les concernent. En négliger une seule détruirait aussitôt l'harmonie de votre discours. Pareil à un homme auquel on ôterait l'imagination, ou la mémoire, ou l'intelligence, ou le sentiment, ou la volonté, vous deviendriez fatalement incomplet. Vos compositions seraient boiteuses et difformes.

Bien plus, prenez la peine de faire toujours une juste part à chacune de ces facultés, sinon vous serez ou trop poétique, ou trop doctrinal, ou trop sentimental, ou trop donneur de conseils.

Pour avoir manqué de la formation que nous voudrions contribuer à vulgariser dans les grands séminaires, beaucoup de prédicateurs sont catéchistes sans poésie, ou littérateurs sans dogme, ou moralistes froids, ou impressionnistes sans effet réel et durable. En d'autres termes, l'absence de formation méthodique, rationnelle, n'a point mis l'équilibre dans l'emploi et dans les productions de leur esprit.

On compose et l'on prêche sans art, par deux défauts d'équilibre : le manque d'équilibre natif et celui causé par l'âge, les études, le milieu. Les hommes nés avec trop ou trop peu d'ardeur sont exposés à pécher par excès ou par manque de chaleur. Celui dont le génie est trop positif, ou pas assez, parlera trop ou pas assez à la volonté. L'esprit métaphysique risque de manquer du trait sensible et de surcharger son discours de raisonnements abstraits.

Le même danger, grave pour tout orateur, menace les esprits nativement équilibrés, si aucune méthode, rien de raisonné et d'organisé ne les aide à conserver dans leurs discours l'harmonie des facultés. A mesure que l'*équilibre* disparaîtra de leurs humeurs, ils descendront au même point, parfois plus bas, que les talents incomplets de naissance. Préoccupés et fatigués par des peines, ou par des travaux, qui varient avec l'âge et les circonstances, on les verra tomber peu à peu dans le genre sec, vaporeux, diffus, nul. Que de fois n'entend-on pas dire d'un prédicateur, autrefois goûté : *Quantùm mutatus ab illo!* Où est son entrain, sa poésie d'antan ? Quelle dessiccation ! Certains trouvent son raisonnement plus serré, mais adieu son éloquence !

Sont-ils rares les orateurs qui subissent prématurément les dépressions du tempérament et du caractère et qui en arrivent à débiter vieillement des pages vieillottes où passe toute leur fâcheuse humeur et d'où sont absentes, hélas ! toutes les fleurs de leur printemps ? — J'entends ! D'aucuns diront que, pour éviter ce désastre, ils s'en tiennent mot à mot à leurs compositions premières ? Mauvaise raison ! Les fleurs du jeune âge, comme celles de l'épousée, ne conviennent plus aux visages ridés. Il faudrait des fleurs d'automne, et l'on ne sait ni les semer ni les cueillir.

Encore une fois, l'intelligence de notre méthode, et surtout la fidélité à observer ses conseils, fait éviter ces décadences.

Autorité de la Méthode.

« Suivez cette marche tracée par la nature même, écrit le Père Longhaye : éclairez-moi, convainquez-moi, pénétrez-moi d'une chaleur constante et progressive, ébranlez-moi jusqu'au fond, avant d'essayer les grandes impulsions et de frapper les grands coups. A ce compte, vous aurez fait tout ce que peut la parole humaine. Que l'imagination m'aide à fixer le vrai dans les intelligences, à préparer le règne du bien dans les volontés. Or, la sensibilité mise en jeu fera plus encore pour ce résultat, pour ce dernier triomphe de la parole sacerdotale. Professeur de doctrine sacrée, mais avant tout et finalement apôtre, j'enseigne pour aboutir à entraîner les hommes dans la voie pratique du salut, et, leur nature étant ce qu'elle est, je risque trop d'échouer devant leur volonté si je n'ai pas su toucher leurs cœurs (1). »

« Il faut procéder avec méthode, ajouterons-nous avec saint François de Sales ; il n'y a rien

---

(1) *La Prédication*, p. 418-412.

qui aide plus le prédicateur, qui rende la prédication plus utile et qui plaise tant à l'auditeur… Après avoir proposé par une petite paraphrase l'histoire, on peut en tirer quelquefois trois ou quatre considérations, La première : que faut-il apprendre pour affermir notre foi ? La seconde : pour accroître notre espérance ? La troisième : pour enflammer notre charité ? La quatrième : pour imiter et exécuter (1) ? »

« On doit d'abord, dit Fénelon, *montrer en gros tout un sujet*, et prévenir favorablement l'auditeur par un début modeste et insinuant, par un air de probité et de candeur. *Ensuite, on établit les principes ;* puis on pose les faits d'une manière simple, claire et sensible, appuyant sur les circonstances dont on devra se servir bientôt après. Des principes, des faits on tire les conséquences ; et il faut disposer le raisonnement de manière que toutes les preuves s'entr'aident pour être facilement retenues. On doit faire en sorte que le discours aille toujours croissant et que l'auditeur sente de plus en plus le poids de la vérité : *alors il faut déployer les images*

---

(1) Lettre à Mgr Frémiot.

vives et les mouvements propres à exciter les passions. Pour cela, il faut connaître la liaison que les passions ont entre elles ; celles qu'on peut exciter d'abord plus facilement, et qui peuvent servir à émouvoir les autres ; celles enfin qui peuvent produire les plus grands effets, et par lesquelles il faut terminer le discours. *Il est souvent à propos de faire à la fin une récapitulation qui recueille en peu de mots toute la force de l'orateur et qui remette devant les yeux tout ce qu'il a dit de persuasif.* Au reste il ne faut pas garder scrupuleusement cet ordre d'une manière uniforme ; chaque sujet a ses exceptions et ses propriétés. Ajoutez que dans cet ordre même (qui nous est à peu près marqué par Cicéron) on peut trouver une variété presque infinie (1). »

L'autorité de Cicéron mérite d'être mise en relief. Voici l'un des passages où ce Maître d'éloquence livre ce que nous appellerions son secret. Pour autant que l'avocat païen peut servir de guide au prédicateur chrétien, Cicéron semble préluder ici à notre méthode.

(1) *Dialogues sur l'éloquence*, second dialogue.

« *Meæ totius orationis, tres sunt rationes, ut ante dixi ; una conciliandorum hominum, altera docendorum, tertia concitandorum.*

« *Harum trium partium prima lenitatem orationis, secunda acumen, tertia vim desiderat. Nam hoc necesse est, ut is, qui nobis causam adjudicaturus sit, aut inclinatione voluntatis propendeat in nos, aut defensionis argumentis adducatur, aut animi permotione cogatur* » (1).

* * *

Les autorités que nous venons de produire n'ont dans notre pensée, qu'un seul but : inspirer confiance à ceux qui voudraient suivre notre humble méthode. Elles suffisent, croyons-nous, sinon à convaincre les esprits pointilleux, du moins à faire voir la parenté très étroite de notre manière avec celle des meilleurs maîtres.

(1) *De Oratore*, l. II, 29.

PREMIÈRE PARTIE

Préparation du Discours.

FORMATION DE L'ORATEUR SACRÉ
MÉTHODE

PREMIÈRE PARTIE
Préparation du discours

CHAPITRE PREMIER
Préparation générale au ministère de la prédication.

Sommaire : Fonds abondant et personnel de connaissances. — Amour des âmes. — Saintes Lettres. — Analyse des chefs-d'œuvre. — Observations à faire.

La bouche parle de l'abondance du cœur. L'homme bon tire de son bon trésor des choses bonnes, et l'homme mauvais, d'un mauvais trésor tire des choses mauvaises (1). Cet axiome, prononcé par Notre-Seigneur Jésus-Christ, peut s'appliquer à l'éloquence et nous établir solidement sur cette vérité que, pour bien parler aux foules, bien prêcher, il est d'une importance capitale de se faire un trésor de connaissances oratoires, chrétiennes et sanctifiantes. *C'est pourquoi*, dit encore le Maître, *tout*

---

(1) Saint Math., c. XII.

scribe versé dans ce qui regarde le royaume des cieux, ressemble à un père de famille qui tire de son trésor, des choses nouvelles et des choses anciennes (1).

Devenir bon, se faire un trésor de doctrine oratoire excellente, où les données anciennes touchent les observations faites sur les hommes du temps où l'on vit, voilà donc la première condition à réaliser ; et c'est chose piquante qu'il faille rappeler sans cesse la nécessité, pour quiconque veut un ruisseau, de capter une source, ou de se construire un réservoir d'eau. La chose est si naturelle !

Etes-vous appelés à prêcher la parole de Dieu ?... Commencez votre formation par vous convaincre du besoin où vous êtes d'amasser un trésor de prédication : lisez, analysez, observez tout ce qui peut vous aider à trouver au moment voulu, les matériaux de la vraie prédication, à les disposer oratoirement, à les servir de victorieuse façon. Ne pensez point vous montrer spirituel en disant que ce conseil est banal, connu de tout le monde. Ayez le jugement assez ferme et assez droit pour vous mettre à la besogne : faites-vous un trésor. N'imitez pas les présomptueux. Ils croient savoir l'indispensable nécessité de cette préparation première, et si vous demandez à voir le fruit de leurs lectures dans la Bible et les Pères, les sermons qu'ils ont analysés, les observations qu'ils ont faites sur le maintien, l'action, la voix des prédicateurs qu'ils

---

(1) *Ibid.*, c. xiii.

ont entendus, tout se réduit à rien. Etonnez-vous ensuite si de tels esprits n'enfantent que de la fumée !

Jamais d'un fonds ingrat l'abondance ne sort,

dirions-nous volontiers.

Fénelon affirme de ces gens, que leurs discours paraissent toujours maigres et affamés. La raison qu'il en donne et la conclusion qu'il ajoute sont à retenir.

« Il n'est pas temps, dit-il, de se préparer trois mois avant de faire un discours public : ces préparations particulières, quelque pénibles qu'elles soient, sont nécessairement très imparfaites, et un habile homme en remarque bientôt le faible. *Il faut avoir passé plusieurs années à se faire un fonds abondant.* Après cette préparation générale, les préparations particulières coûtent peu : au lieu que quand on ne s'applique qu'à des actions détachées, on est réduit à payer de phrases et d'antithèses, on ne traite que des lieux communs, on ne dit rien que de vague, on coud des lambeaux qui ne sont pas faits les uns pour les autres : on ne montre point les vrais principes des choses ; on se borne à des raisons superficielles, et souvent fausses ; etc... Je voudrais qu'un orateur se préparât longtemps en général pour acquérir un fonds de connaissances et pour se rendre capable de faire de bons ouvrages. »

A cette autorité et à ces raisons de premier ordre un novice répondra, sans doute, que nous possédons maintenant des ouvrages spéciaux : *Trésors de prédication*, *Répertoires*, *Plans*, etc. Et que l'on peut grâce à Lohner, Houdry, d'Hauterive, s'épargner la peine de se faire un trésor personnel ? Cette objection est faible. Ce n'est pas d'aujourd'hui que les *Répertoires* existent. Les Maîtres ont eu leurs raisons pour ne pas s'en contenter. Pour nous, sans nier l'utilité de ces ouvrages, nous les jugeons impropres à former de vrais orateurs, parce que le vrai orateur est personnel, au lieu que les hommes qui se bornent aux compilateurs ne sont que des échos.

S'il nous était permis de donner un conseil aux Supérieurs qui dirigent l'éducation de nos jeunes séminaristes, nous leur dirions : Faites lire davantage le saint Evangile, les grandes homélies des Pères... donnez pour exercices à vos rhétoriciens l'analyse raisonnée des chefs-d'œuvre de la chaire chrétienne... rendez vos élèves attentifs au jeu des passions oratoires. Ne remettez pas à plus tard cette sorte d'ensemencement. Hélas ! à peine exige-t-on l'étude sérieuse de l'Histoire sainte !... Quelle aberration, je ne dis pas seulement dans l'ordre surnaturel, je dis dans l'ordre oratoire ! Est-ce que l'on procède ainsi pour former aux beaux-arts les élèves qui s'y destinent, et tarde-t-on à les fournir de *documents fondamentaux ?*

Mais voyons comment on peut se préparer soi-même à l'art éminent de la prédication.

Première règle à suivre pour préluder à sa formation oratoire : S'EMBRASER D'AMOUR POUR LES AMES.

Méditons fréquemment sur le prix des âmes, sur le misérable état des pécheurs, sur l'Œuvre adorable de la Rédemption. Comprenons le Très Saint Rédempteur, au point de pouvoir nous écrier comme lui : *Sitio !* J'ai soif de convertir et de sanctifier, de guérir et de sauver les âmes ! Communions et prions pour obtenir le feu sacré du zèle. Récitons le *Veni Creator*, efforçons-nous enfin de recevoir, par l'intercession de la Très Sainte Vierge, la flamme qui fit des apôtres les conquérants spirituels de l'Univers.

Quelque pauvre enfant dira, peut-être, que nous écrivons de l'ascétisme ! Certes, ce ne serait pas déplacé ! Comment former des prédicateurs sans pousser à la ferveur apostolique ? La première condition, pour bien dire et persuader, n'est-elle pas de vivre soi-même saintement ? Mais non, nous faisons du pur enseignement oratoire. Si quelqu'un est brûlé du désir de sauver les âmes, il prêchera comme les saints, la charité lui inspirera une façon ou plutôt cent manières de prendre les gens, de rendre intelligible la vérité, de la faire accepter et mettre en pratique. Animé par ce feu divin, on pourrait se passer de rhétorique. *Pectus est quod disertos facit*. Nous proposant d'expliquer en son temps ce premier moyen préparatoire à l'éloquence, nous passons au second.

Deuxième règle à suivre pour préluder à sa formation oratoire : Se familiariser avec les saintes lettres.

La deuxième pratique indispensable à quiconque veut prêcher éloquemment, c'est la lecture simple, attentive, assidue, de nos saintes Ecritures et des Pères qui les ont le plus oratoirement exposées.

Négliger ce moyen serait purement ridicule. Un prédicateur peu versé dans la Sainte Ecriture et les Pères ne saurait aucunement atteindre à la véritable éloquence sacrée. Tout au plus saura-t-il enseigner dignement au peuple les leçons de la théologie. La parole de Dieu est la parole de Dieu. Seule elle se dit elle-même. Si nous voulons la prêcher dans sa grandeur (ce qui est la vraie éloquence de la chaire) ne croyons pas superflus les éclairs, les profondeurs et les inimitables grâces dont elle est revêtue dans nos Livres Saints. Bossuet n'eût pas été Bossuet, s'il n'avait donné l'exemple de cette assiduité à lire la Sainte Ecriture, de cette humble et glorieuse fidélité à s'en inspirer, de cette sagesse à en faire le fond caché de ses plus beaux enseignements. Mieux que cela, nous croyons que ce grand homme a puisé son incomparable élévation de langage beaucoup plus dans la Bible et les Pères que dans les meilleurs maîtres de la littérature païenne.

Faites-vous une loi absolue de lire et de relire les saintes Lettres! Et si vous cherchez la raison de cette loi, sachez que cette lecture simple, attentive, est le moyen voulu par Dieu pour enrichir votre esprit des figures, sentences, traits et similitudes qui forment la base de la langue sacrée (1).

---

(1) La librairie Desclée a publié en 1904 la *Sainte Bible*, traduction d'après les textes originaux par l'abbé Crampon, chanoine d'Amiens. Un volume in-8° d'environ 1500 pages. Cette édition, revisée par des Pères de la Compagnie de Jésus avec la collaboration de professeurs de Saint-Sulpice, nous semble un manuel excellent pour faciliter cette lecture assidue.

Troisième règle à suivre pour préluder à sa formation oratoire : Analyser les œuvres de maitres.

Un autre moyen de préparation générale à la prédication consiste à analyser un certain nombre de sermons réputés excellents. Voici comment le P. Monsabré, maître en l'art de bien dire, expose l'emploi de cette industrie oratoire :

« Vous pouvez apprendre à faire le plan d'un discours, comme l'architecte apprend à faire le plan d'un palais ou d'une maison. L'architecte *étudie* et *raisonne* un monument, un édifice déjà construits. Etudiez et raisonnez des discours déjà faits, cherchez-y l'idée mère, les propositions qui en indiquent les principaux développements, les sous-propositions qui précisent les détails, et en tout cela, le but que se propose l'orateur. Rendez-vous compte de la valeur des preuves, de la justesse des raisonnements, des mouvements oratoires, de la légitimité et de la force des conclusions, de la manière dont elles s'imposent pratiquement à l'auditoire (1) »

M. l'abbé Verniolles cite à ce propos l'opinion de Rollin. « Quand les jeunes gens, dit ce grand homme, lisent un discours, il faut qu'ils se rendent surtout attentifs aux preuves et aux raisons ; qu'ils les séparent de tout l'éclat extérieur qui les environne et dont ils pourraient se laisser éblouir ; qu'ils les pèsent et les considèrent en elles-mêmes, qu'ils examinent si

---

(1) *La Prédication*, p. 201.

elles sont solides, si elles vont au sujet, si elles sont à leur place. »

Une étude ainsi raisonnée ressemble trop à une dissection pour ne pas éprouver un peu la patience d'un novice prédicateur, mais combien vous vous applaudirez dès vos premières compositions d'en avoir fait un certain nombre minutieusement ! Vous y apprendrez l'art de classifier vos matériaux et de les grouper habilement, l'art de disposer vos preuves, d'amener vos mouvements, d'imposer vos conclusions, sans déplaire et sans froisser. Ce travail vous facilitera donc la deuxième partie du discours ou l'*élocution*, de même que la lecture de l'Ecriture et des Pères vous en aura facilité la première ou l'*invention*. C'est presque toute la rhétorique.

Les analyses de sermons prédisposent à la prédication d'une autre manière encore. Par elles on se rend apte à imiter les maîtres, soit que dans le cadre d'un de leurs discours on veuille placer un sujet différent, soit que l'on se borne à improviser à sa façon leur propre sermon. Et, à ce point de vue, aucun prédicateur de métier ne nous contredira si nous affirmons qu'il serait bien utile de prescrire quelques analyses de sermons à nos jeunes séminaristes.

Faudra-t-il pour autant négliger l'étude littéraire des maîtres de notre langue et rejeter comme inutile la lecture même des poètes ? Non pas, et c'est le cas de dire que ceci, loin de tuer cela, ne fera que le fortifier. Mais l'éloquence reposant plus encore sur le fond des pensées que sur les formes du langage il faut préférer les analyses de fond, tout en lisant, et copiant au besoin, les chefs-d'œuvre de notre littérature.

Quatrième règle à suivre pour préluder à sa formation oratoire : Observer les prédicateurs.

Le dernier moyen général pour se disposer à la prédication est tout entier d'observation personnelle. Il se borne à discerner ce qui est bien, ou mal, et plutôt le bien que le mal, dans l'*action* des prédicateurs que nous voyons et entendons. L'examen de l'attitude de l'auditoire devrait accompagner l'observation du prédicateur, mais il n'est pas souvent facile de faire cet examen sans étonner et peut-être scandaliser les fidèles.

Contentez-vous de regarder l'orateur, cherchez à lire sur sa face les mouvements que l'émotion y produits, dans ses gestes ce qu'il y a d'heureux ou de maladroit, et demandez-vous s'il parle trop vite ou trop uniformément ou sur un ton excessif? En un mot, rendez-vous compte de sa tenue et de son débit. Ensuite, faites part, charitablement, à un homme éclairé sur l'art oratoire, des jugements que vous aurez portés. Si vous les modifiez docilement suivant l'avis de vos maîtres, ces jugements vous serviront beaucoup à avancer dans l'art de bien prêcher.

En terminant ce chapitre, nous ferons observer qu'il prélude à toute la Rhétorique sacrée et que le professeur d'éloquence ne saurait trop engager ses élèves à mettre en pratique ses moindres conseils.

CHAPITRE II

Comment on prépare un sermon éloquent.

SOMMAIRE : Parole réelle. — Etude et délimitation du sujet. — But pratique. — Exemple de Cicéron.

JE ne sais plus où j'ai lu que Massillon employait trois mois à la préparation d'un seul sermon. Ce serait peu pratique pour un prédicateur ordinaire. Du moins faut-il retenir de ce fait que la composition d'un sermon est un travail important et qui ne saurait être bien exécuté s'il est précipité.

« Hâtez-vous lentement et, sans perdre courage,
« Vingt fois sur le métier remettez votre ouvrage. »

Ajoutons qu'un bon sermon rend assez de services et produit d'assez beaux fruits pour mériter qu'on y prenne un peu de peine. C'est un instrument de salut éternel.

Première règle à suivre pour préparer un sermon : SE RECUEILLIR DEVANT DIEU, PRÉCISER DANS SON ESPRIT LE SUJET QUE L'ON VEUT TRAITER, VOIR A QUEL BUT ON DÉSIRE AMENER L'AUDITOIRE, LES EMPÊCHEMENTS QUI S'Y OPPOSENT, ET SURTOUT PAR QUELLES RAISONS L'ON CROIT Y ARRIVER. SANS CETTE PREMIÈRE OPÉRATION, POINT DE PAROLE RÉELLE.

La règle de préparation que l'on vient de lire paraît vague et vieillotte, naïve même. Elle n'en est pas moins la règle capitale et l'âme de toute composition vraiment oratoire ou éloquente. Entendons-nous.

Si vous n'examinez pas, devant Dieu et votre auditoire, l'effet que vous voulez produire, comment obtiendrez-vous cet effet? Peut-on atteindre un but que l'on ne regarde pas ou que l'on ne voit point? Vous parlerez donc en l'air. Votre parole manquera de *réalité*, comme votre volonté de but à atteindre.

Pour faire un discours éloquent il faut, sans aucun doute, parler agréablement, lumineusement, onctueusement, avec persuasion, mais plus encore faut-il parler réellement.

Porter en chaire une parole réelle ! A première vue, ce mot ne dit pas grand'chose. Creusons-le : il se fait profond. En vérité, il contient la condition essentielle de toute l'éloquence, le germe caché de toute méthode oratoire. N'a-t-on pas coutume de dire : quand un prédicateur parle, tout le monde en parle ? Et que veut-on signifier par ce dicton ? Serait-ce qu'un tel prédicateur débite avec aisance des phrases correctes ? qu'il expose exactement une doctrine solide et pratique ? qu'il a de la littérature, des gestes, de l'impétuosité, ou même un ton de voix qui approche le naturel ? Non. Ces qualités peignent un homme qui prêche ; et vous dites du vôtre qu'il *parle*, qu'il *parle aux âmes*. Voyons donc ce que c'est que de parler vraiment et réellement à quelqu'un.

Un homme parle, il cesse de déclamer, quand son

âme s'abouche avec une autre âme, la saisit, se communique à elle, lui transmet son esprit et ses affections. De même, un homme vous écoute ou vous entend lorsque, s'ouvrant à l'influence de votre parole, il s'en laisse et pénétrer et travailler. Et donc, en disant de l'orateur que vraiment il parle à son auditoire, vous voulez dire que, tout épris d'une doctrine, il extériorise de telle sorte son état d'âme que l'auditeur saisi se livre au charme de sa parole et que, bientôt, vibrant de sa propre émotion, il lui donne sur son esprit et sur sa volonté tout l'empire auquel il prétend. Certes, voilà qui n'est pas assez commun pour être banal. Voilà le propre de la vraie éloquence. Et voilà aussi la réalité de la parole.

Or, il est impossible de s'exprimer ainsi à moins de savoir ce que l'on veut dire, à qui on veut le dire et pourquoi on veut le dire, impossible, dis-je, de parler réellement si l'on ne veut agir ou peser sur l'auditoire, le gagner, l'entraîner, le convertir et le sanctifier. Rien ne remplace les inspirations qui naissent de la vérité des choses, ni cette manière de sentir et de s'exprimer propre à l'âme qui veut réellement sauver son auditoire.

Cicéron n'est pas tendre envers les faux orateurs : *Latrant, non loquuntur*.

« Que font donc, écrit un auteur solide, ces prédicateurs qui roulent toujours sur l'universel ? Ils parlent, mais à qui parlent-ils ? Qu'on vienne les entendre ; je défie l'auditeur le mieux intentionné de les écouter l'espace d'un quart d'heure, et ne pas tomber dans l'ennui, et ne pas sentir peu à peu son attention se refroidir, se perdre, s'anéantir. D'où vient cet ennui ? C'est que le prédicateur qui parle en général ne parle à personne ; et il est naturel de s'ennuyer bientôt d'entendre une voix qui n'est qu'une voix, d'entendre un homme qui parle et qui ne nous dit rien » (1).

Usons d'une similitude. Je récite mon *Pater*, machinalement, pour le réciter, et sans penser à en impressionner Dieu, sans vouloir d'un vouloir actuel le décider à m'accorder ce que je lui demande ; ma prière est-elle réelle, est-elle un discours fait à Dieu, une prière éloquente, une vraie parole ? S. Cyprien ne croit point qu'une telle prière ait le don de toucher Dieu : *Quomodo exaudiet te Deus si te non audis ?* Ainsi est-il de première nécessité que nous portions en chaire une parole réelle.

C'est pour toutes ces raisons que j'interpellerais en ces termes quiconque se dispose à composer un sermon : Voyons ! mon ami, voulez-vous faire ce sermon pour faire un sermon, ou pour montrer vos talents de parole, ou simplement pour vous acquitter de votre devoir? Dans ce cas, je n'ai rien à vous dire et vous ne sauriez rien entendre à l'éloquence. Mais si, convaincu de la puissance accordée par Dieu à la parole de ceux qui cherchent à le faire aimer, et vivement désireux de toucher vos auditeurs, vous demandez par où il faut commencer votre

---

(1) Le P. Gisbert, s. J. *L'éloquence chrétienne*, p. 228.

composition, je vous répéterai la règle donnée plus haut : Vous voulez, en effet, parler pour agir, saisir votre auditoire, instruire, plaider et gagner votre cause ou mieux la cause de Jésus Christ, toutes choses qui font prêcher en orateur.

Et ce nous paraîtrait puéril d'objecter que tous les sujets ne comportent pas un but pratique immédiat, qu'il faut savoir enseigner pour instruire non moins qu'éclairer pour convertir. Ce principe exact n'est en rien contredit par cet autre non moins certain que, pour préparer un discours quelconque, il faut avant tout se rendre compte du chemin que prendront nos pensées, du but où nous tendrons, du point où nous aboutirons. Même un conférencier est obligé, avant d'établir sa thèse, de voir fixement en quoi consiste cette thèse, ce qui en fait le fond ; à moins de vouloir prêcher comme les enfants bâtissent une maison de dominos : sans autre souci que de les mettre les uns sur les autres à l'avenant, en rectangle, en losange, en carré, à deux, trois ou quatre étages, n'importe et pourvu que cela tienne à peu près.

Il y a pourtant un point obscur et qu'il faut éclaircir tout de suite, afin de ne laisser aucune hésitation au sujet de ces principes. Je suppose un prêtre qui s'est engagé à prêcher un sermon de circonstance : réunion de patrons chrétiens, bénédiction de drapeaux, mariage, etc. Lui demander de préciser avant tout sa proposition, n'est-ce pas lui demander l'impossible ? Laissez-le réfléchir, lire, chercher, consulter ; peu à peu le jour se fera dans son esprit, et son dessein apparaîtra. Mais ne lui demandez pas de commencer par savoir ce qu'il veut prêcher, et surtout l'effet qu'il veut produire. Ceci viendra après cela. — Très bien, et nous ajoutons que cela n'est point du tout préparation, mais conception ; et qu'il faudra toujours, avant d'amasser les matériaux d'un sermon, avoir vu et arrêté ce que l'on veut y inculquer et pourquoi l'on veut le prêcher ; tout ainsi que, avant de choisir les matériaux d'une maison, il sera toujours nécessaire d'en avoir arrêté la forme générale, le but pratique et les principales dimensions. Comment parler réellement sans vouloir influencer son auditoire et comment vouloir cet effet sans l'avoir bien conçu.

Quant à la raison pour laquelle cette disposition fondamentale doit nécessairement précéder la recherche des matériaux, c'est que celle-ci dépend de celle-là. Pour choisir heureusement les considérations propres à gagner une cause, notre esprit a besoin d'une sorte d'instinct qui dirige ses recherches et fixe ses préférences. Suivant que je veux faire un pieu ou un manche de cognée ou une arbalète, je prendrai de l'érable, du frêne, ou du sarment de vigne. Un orateur laissera souvent telle pensée, tel développement, qu'un rhéteur eût cependant préféré : celui-ci visant plus à paraître qu'à produire, celui-là subordonnant son effet de paroles à la noble fin de conquérir les âmes.

Donc celui qui veut préparer un sermon, doit avant

tout, ranimer son zèle, épurer son intention, vouloir ardemment agir en toute réalité sur l'âme des auditeurs et l'embraser d'amour pour les choses de Dieu. Cette disposition vive et constamment réveillée, voilà le sens supérieur, l'instinct particulier, l'esprit chrétien, en un mot, le principe de toute composition sacrée digne d'un orateur.

Il doit ensuite *noter* en un mot le résultat qu'il veut obtenir, *s'imposant toujours d'aboutir à quelque fin pratique*. Méditons là-dessus la bonne page qui suit.

« On n'est pas orateur chrétien précisément pour exposer les vérités chrétiennes ; il faut savoir les représenter d'une manière qui mène et qui porte à l'action. Dans toutes nos vérités chrétiennes, il y a de quoi mouvoir l'auditeur. Cela est vrai, mais c'est à vous à faire en sorte qu'actuellement elles le meuvent, qu'actuellement elles le portent au bien.

« Ne perdez jamais de vue la fin de votre ministère, et je vous garantis que vous prêcherez toujours très pratiquement. Toute *proposition* qui ne portera pas votre auditeur à faire une démarche vers le bien, ne vous paraîtra pas digne d'entrer dans votre discours. En effet, que doit être un discours chrétien ? Rien autre chose qu'une suite de vérités que la religion nous fournit, proposées à l'auditeur comme autant de motifs de bien faire ; c'est à quoi l'éloquence doit s'attacher, c'est là le beau champ où elle doit triompher ; et non pas à étaler de longs et froids raisonnements, à ajuster des périodes pompeuses et agréables à l'oreille, à orner, à embellir quelques petits portraits, etc.

« Les portraits eux-mêmes que l'éloquence reconnaît comme siens, doivent être pratiques ; c'est-à-dire faits de manière qu'ils portent directement l'auditeur à fuir le vice ou à embrasser la vertu, dont ils sont les portraits.

« Démosthène dans ses harangues n'a jamais parlé aux Athéniens que d'une manière pratique ; parce qu'il était convaincu que c'est la seule manière de parvenir à la fin de l'éloquence, qui est la persuasion (1). »

Après avoir trouvé et arrêté la proposition (2) il

---

(1) GISBERT, *Eloquence chrétienne*.
(2) *Sujets ou propositions que prêchent de préférence les hommes apostoliques.*

Première série :

1. L'homme est fait pour connaître, aimer et servir Dieu en ce monde et pour jouir éternellement de lui, en l'autre.
2. Rien n'importe autant que le salut.
3. Le pécheur est un bourreau de Dieu dans son âme.
4. L'impiété rend l'homme semblable aux démons.
5. Rien ne ressemble plus à un damné que l'impudique, lorsqu'il prétend justifier son péché.
6. Le sage est toujours prêt à mourir.
7. Préférer au tribunal de la pénitence le tribunal de la justice de Dieu est le fait d'un esprit aveuglé
8. Le dernier jour du monde rendra justice à Dieu, aux anges et aux hommes.
9. Seul un inconscient peut se moquer de l'enfer.
10. Les tourments du damné dépassent toute imagination.
11. Refuser de se confesser, c'est se vouer à la damnation
12. Nulle conversion n'est vraie quand on refuse de rompre avec l'occasion prochaine du péché.
13. Pas d'observation du dimanche, pas de religion.
14. Le mariage chrétien est un grand sacrement.
15. Remettre à la mort le soin de servir Dieu c'est vouloir perdre son âme.
16. Enfant de Marie, enfant de paradis.
17. La prière est le grand moyen du salut.
18. Sans la persévérance, impossible d'assurer son salut.
19 L'éducation chrétienne des enfants est la plus grande œuvre sociale qui soit au monde.

Deuxième série :

1. Les cieux et la terre sont pleins de la majesté de Dieu.
2. Le catholicisme n'est attaqué que par des hommes vicieux, trompés ou vendus.

faut se demander ce qu'il manque aux auditeurs pour qu'ils pratiquent ce que l'on veut leur persuader

3. Celui qui comprendrait la reconnaissance que mérite le divin Rédempteur n'aurait plus le courage de l'offenser.
4. Les chrétiens qui se livrent tout entiers aux affaires du monde ne font presque rien pour leur salut.
5. On a beau soigner sa santé, un jour vient où il faut mourir.
6. Comment douter de notre religion quand on a saisi la démonstration de la résurrection du Christ ?
7. L'ascension de Notre-Seigneur est un motif et un modèle de l'espérance chrétienne.
8. La descente du Saint-Esprit est la preuve que Dieu sauve l'Eglise.
9. Etre un vrai disciple de Jésus-Christ, voilà la seule gloire enviable en ce monde.
10. La foi assainit la raison, affermit le cœur et parfait l'honnêteté de l'homme.
11. Le Calvaire est le chemin droit du paradis
12. Se confesser sans vouloir se convertir, c'est abuser du sang d'un Dieu.
13 Ce n'est rien entendre aux choses de Dieu que d'avoir peu de dévotion à l'Eucharistie.
14. Le monde a peur d'entendre parler des jugements de Dieu, mais cela seul peut le défendre du vice.
15. L'esprit de foi pratique à la Providence est le meilleur moyen d'être heureux en ce monde.
16. Qui n'aime pas le Pape ne saurait aimer Dieu.
17. La plupart des hommes se perdent parce qu'ils ne veulent pas étudier la religion.
18. Toute piété est fausse qui ne nous fait pas grandir en dévouement pour le prochain.
19. Le genre humain est un corps dont l'Eglise seule peut être l'âme.
20. La cupidité est le grand chemin de l'enfer.

Troisième série :

1. La vie n'est que d'un jour et notre éternité en dépend.
2. La connaissance approfondie de Notre-Seigneur est la meilleure des sciences.
3. La grâce de Dieu est la seule vie à laquelle il faille s'attacher sans mesure.
4. Le scandaleux de profession est comme un démon échappé de l'enfer.
5. Pas de religion pas de bonheur.
6. L'homme ne vaut que par ses relations avec Dieu.
7. L'incrédulité est le délire de ceux qui n'espèrent plus le ciel.

d'accomplir ou d'observer. Cette étude est de toute nécessité.

N'imitons pas ces médecins qui, par crainte de la peine que demande un diagnostic bien fait, se contentent de prescrire des remèdes généraux. Allons au cœur de l'auditoire, auscultons ce malade que Dieu confie à nos soins. Cherchons à deviner la vraie cause de son mal, et *notons* en quelque mots les remèdes que nous pouvons lui donner.

Ce fut la pratique de Cicéron : « Quum aggredior ancipitem causam et gravem, ad animos judicum pertractandos, omni mente in eâ cogitatione curaque versor, ut odorer, quam sagacissime possim, quid sentiant, quid existiment, quid exspectent, quid velint, quo deduci oratione facillime posse videantur » (1).

---

8. L'indifférence en matière de religion est la honte de l'esprit humain.
9. En dehors de Jésus-Christ et de son Eglise l'homme est sans appui.
10. L'âme humaine réfléchit, donc elle est immortelle.
11. Le Rosaire est un évangile toujours ouvert.
12. Le purgatoire est une école de sainteté.
13. L'amour de Jésus-Christ demande qu'on prie pour les âmes du purgatoire.
14. La sainte messe délivre les âmes du purgatoire.
15. Moins on craint le péché véniel plus on fera de purgatoire.
16. Il faudrait assister à la sainte messe avec les dispositions des saints qui virent crucifier Notre-Seigneur.
17. Pour communier avec un très grand fruit il faut vouloir ce que Dieu veut en nous donnant son corps.
18. L'adoration perpétuelle est une fête du ciel.
19. La cloche est un infatigable prédicateur.
20. Le temps est un trésor incompris et gaspillé que les damnés regretteront toujours.
21. Le bonheur du ciel est incompréhensible comme Dieu.
22. Rien ne doit décourager un homme de bonne volonté.

(1) *De Orat.*, 1. II, 44.

Celui qui aurait pratiqué les conseils préliminaires donnés au chapitre premier de cet ouvrage trouverait déjà bien des matériaux dans ses souvenirs ou dans ses cahiers de notes. Il devrait alors signaler ces matériaux, surtout les pensées que l'examen de son auditoire lui suggérerait. D'autant plus qu'ici, comme dans la méditation, les lumières qui viennent à chacun et de son propre fonds sont les plus profitables. « Si une personne appliquée à la contemplation et attachée au fond de la vérité historique, parvient, en raisonnant et en réfléchissant par elle-même, à découvrir quelque chose qui lui fasse un peu plus connaître et goûter son sujet, soit par le raisonnement propre, soit par la lumière divine qui éclaire son entendement, elle y trouvera plus de goût et plus de fruit spirituel, que si celui qui donne les exercices lui eût développé fort au long tout ce que renfermait le sujet de sa méditation. Car ce n'est pas l'abondance de la science qui rassasie l'âme et la satisfait : c'est le sentiment et le goût intérieur des vérités qu'elle médite (1). »

Cette observation mérite considération non moins au point de vue oratoire qu'à l'égard de la vie spirituelle. Nous ne craignons pas de dire aux prédicateurs et touchant l'art oratoire, la même chose que le maître des Exercices nous dit de la contemplation. Le moyen de composer éloquemment n'est pas tant d'imiter un sermon déjà tout développé que de médi-

---

(1) *Exercices de S. Ignace*, Annot. 2e.

ter soi-même un sujet, ou un plan bien conçu, de l'étudier en vue d'un auditoire connu et de le nourrir des réflexions et des sentiments personnels que cette méditation et la lumière divine fournissent toujours à un prédicateur zélé. Tout cela, sans préjudice de l'étude théologique du sujet et de la documentation dont nous parlerons plus loin.

Cherchez ainsi à connaître les notions, les sentiments, les entraînements dont pour suivre vos avis votre auditoire aurait besoin.

Voyez dans votre connaissance du cœur humain ce qui l'empêche de pratiquer la vertu que vous allez lui prêcher, et aussi les raisons, les motifs, les exemples qui l'y décideront le plus efficacement. Demandez-vous, enfin, ce que votre auditoire attend de vous, les enseignements qu'il désire le plus connaître, approfondir, se rappeler et sentir. Notez tout cela brièvement et avec précision (1). C'est ce qui vous guidera le plus sûrement.

---

(1) Il faut excepter les aperçus frappants ou les tournures plus heureuses qui nous viendraient comme par inspiration. Ces idées lumineuses, il est bon de les écrire tout au long, dès qu'elles se présentent et telles qu'elles se présentent.

CHAPITRE III

Préparation d'un sermon (*suite*).

Sommaire : Suivre son idée. — Discernement des matériaux. — Ecriture sainte. — Préférence due en général aux sentiments des Pères. — Conseils de saint François de Sales et de saint François Xavier.

Une supposition. J'ai réfléchi durant une demi-heure sur le sermon que je veux faire pour l'*ouverture d'un Carême*. Mes notes d'*autoconsultation* sont rédigées comme suit :

But : amener aux sermons. *Obstacles* : Les affaires, plaisirs...; l'idée où l'on est, que les sermons sont pour les femmes..., qu'on n'y apprend rien de neuf, que ça ne fait pas gagner sa vie, qu'il n'y a aucune obligation d'y assister. *Moyens* : Inculquer la nécessité de la foi vive pour aller au ciel... et le misérable état de la foi chez les hommes qui n'entendent plus la parole de Dieu. Mettre le sermon à l'heure où la plupart peuvent le mieux y assister, faciliter l'auditoire par la disposition de bancs ou chaises gratuits, attirer par des chants et une parole populaires.

Que vais-je faire maintenant ? Je vais arrêter le texte de ma proposition, et j'écris : *La foi chrétienne dans l'âme des fidèles qui négligent l'audition de la parole divine, est si malade qu'elle les met en péril de damnation.* En attendant une rédaction définitive, je me contente de celle-là, pour le bon motif qu'elle exprime bien ma pensée et conduit droit à mon but.

Et après ? Je me reporte à la règle suivante :

Deuxième règle à suivre pour préparer un sermon : INVARIABLEMENT ORIENTÉ VERS LA PROPOSITION OU LE SUJET DU DISCOURS, CHOISIR LES TABLEAUX, ALLÉGORIES, SENTENCES BIBLIQUES OU PATRISTIQUES, SIMILITUDES, PREUVES D'AUTORITÉ ET DE RAISON, TRAITS OU EXEMPLES QUI REVIENNENT LE MIEUX A CE SUJET.

Entendons d'abord ces paroles : invariablement orienté vers la proposition ou le sujet du discours.

Il se peut que, parcourant nos livres de théologie ou quelque bon sermonnaire, nous nous persuadions de nous être trompés sur l'un ou l'autre point de notre méditation préalable, et d'avoir, à tort, écrit une ou deux notes erronées. Nous pourrions alors être tentés d'abandonner notre projet, pour suivre le plan d'un auteur éprouvé. Ce serait pusillanimité. Corrigeons ce qui est fautif, et poursuivons notre but invariablement.

L'*Imitation* parlant des choses du monde nous donne ce conseil : *Sint res sub te et non te sub eis.* Appliquons ce très sage avis à notre présent travail : que la cueillette de matériaux que nous allons entreprendre dépende de notre dessein personnel et non notre dessein de cette cueillette. Et donc tenons-nous ferme à notre proposition, subordonnant tout le reste du discours à cette pensée-mère et pratique. Ne la perdons pas de vue. C'est là une loi rigoureuse et dont un orateur ne s'écartera jamais, quitte à l'entendre, comme toute règle d'art, avec la juste largeur dont nous avons parlé dans l'*Introduction*.

« Après avoir formé et entrepris de prouver une proposition (l'idée générale), il faut, dit Abelly, la poursuivre dans toute sa formalité, c'est-à-dire dans le sens le plus exact et le plus formel, selon qu'on se l'est proposé, et prendre garde de ne s'en écarter jamais, soit dans l'exorde, soit dans la division, soit dans les preuves, soit dans la péroraison ; mais que l'on voie partout que l'orateur demeure dans le même genre de discours et qu'il n'a qu'un seul but.

Je ne dis pas qu'il faille scrupuleusement s'abstenir de tout ce qui approcherait de la preuve d'une autre proposition, car il se peut faire qu'il soit aussi fort utile à la vôtre ; mais je dis que votre choix doit être si droit, que vous n'admettiez rien que ce qui vient directement à votre sujet, et que vous évitiez avec soin la manière de quelques jeunes prédicateurs, qui, épouvantés par les difficultés, et par la défiance qu'ils ont de leur propres forces, amassent tout ce qu'ils peuvent recueillir d'à peu près conforme au sujet de leur proposition, et qui arrangent tout, sans prendre garde qu'ils ont entrepris de n'en traiter qu'une modification (1). »

La raison de cet enseignement saute aux yeux. Puisque c'est la fin qui dirige le choix des moyens, il faut, sous peine d'assembler des matériaux incohérents, se tenir, en les cueillant, invariablement orienté vers la proposition ou la fin du discours.

(1) Vétu, *Les vrais principes de la prédication*, t. III, p. 607.

S'il vous fallait bâtir une église, réuniriez-vous des matériaux quelconques ? Non, vous choisiriez les plus convenables pour la forme et le genre de l'église à bâtir. Et n'est-ce pas la vue constante du plan de cette église qui dirigerait votre choix ? Ainsi doit-on, sous peine de faire un discours quelconque, c'est-à-dire insignifiant, *choisir* les matériaux les plus conformes au but que l'on poursuit, et ne jamais perdre de vue ce but.

« Les discours de la plupart de nos prédicateurs sont trop unis, et par là ennuyants. Pourquoi ? C'est qu'ils veulent tirer *tout* ce qu'ils disent, de leur propre fonds : ils veulent que ce soit l'ouvrage de leur méditation : en un mot, ils veulent créer. Il n'y a peut-être pas d'abus plus dangereux dans l'éloquence ; tout orateur, et le chrétien encore plus que le profane, est inventeur, et non pas créateur.

« L'invention est une des parties essentielles de l'éloquence, nullement la création : on doit chercher ce qu'il y a dans le sujet ; on doit le trouver ; on doit le dire. Voilà le rôle de l'orateur. Que fait-on ? on laisse là le sujet, et l'on s'obstine à vouloir arracher de son esprit *tout* ce qu'on a à dire. Ignore-t-on *ce que c'est qu'un discours chrétien ?* A le bien définir, c'est un discours où les principes de la Religion avec leurs conséquences sont exposés aux yeux du peuple selon les règles de l'art de bien dire ; le tout fondé sur l'Ecriture, sur les Pères, sur les Conciles (1). »

Arrivons à la désignation des principales espèces de matériaux qui doivent entrer dans un ser-

---

(1) GISBERT, *Eloquence chrétienne*, p. 161.

mon, et que la rhétorique sacrée indique sous le nom de *lieux communs extrinsèques*. C'est de quoi nous voulons parler quand nous disons qu'il faut avec discernement, amasser ou plutôt choisir les tableaux, allégories, sentences bibliques ou patristiques, similitudes, preuves d'autorité et de raison, traits ou exemples qui reviennent le mieux à notre sujet.

« Ordinairement parlant, écrit S. Alphonse M. de Liguori, ce sont ces *lieux communs* qui servent à composer tous les sermons (1) ». Mais, par ce temps de témérité générale, on rencontre facilement des prédicateurs dédaigneux de ces moyens élémentaires. Paraboles, sentences, traits ou exemples, n'ont, selon ces inconsidérés, rien à voir avec la vraie éloquence. Eux, ils préfèrent tirer des entrailles du sujet toute la substance de leurs discours. Habiles à exploiter les sources oratoires classées sous le nom : *lieux communs intrinsèques*, ils se bornent à définir, opposer, énumérer, rapprocher les mots, les genres, les espèces, et à faire voir de toute chose les effets, les antécédents et les suites, les circonstances et les causes.

Quis ? quid ? ubi ? quâ vi ? quoties ? cur ? quomodo ? quando ? Tout cela, « on le saupoudre d'Ecriture sainte » et l'on possède, disent-ils, un vrai sermon neuf, expurgé de toute vieillerie, et intéressant.

Ici, je crois entendre saint Paul et les Pères répon-

---

(1) *La Prédication*, c. VII.

dre à ces présomptueux : *Sine nobis regnatis ? et utinam regnetis !* On a vite fait de croire intéressante une œuvre différente des œuvres d'antan. Les rapins disent : à quoi bon faire du Léonard de Vinci ? Et que nous veut-on avec les Giotto ou les Fra Angelico ? Leur idéalisme dépare la nature ! Là-dessus, on barbouille ; et, autant on peint, autant presque il faut détruire.

Faute de quelques passages bibliques heureusement choisis et développés, ou encore, manque de ces *autorités* qui appuient et font briller les écrits de nos vrais orateurs, ces prétentieux restent ternes, froids, ou deviennent romantiques, j'allais dire inconvenants. Le pire est qu'ils tombent dans un philosophisme douteux et inférieur, qui n'est plus du tout la parole de Dieu. *Adulterantes verbum Domini.* Où serait, en effet, la parole de Dieu, dans ce prédicateur qui ne se sert des Ecritures que pour le remplissage ? Qui donc l'assure que son auditoire est comme lui, dédaigneux des doctrines antiques, indifférent au génie des Pères, ou simplement aux récits qui bercèrent la foi de nos aïeux ? Quelle preuve a-t-il de saisir, mieux que les Pères, le vrai sens de l'Evangile ? Je dis : quelle preuve probante, concluante, et qui ne soit point elle-même dix fois plus sujette à caution que la science et le sens chrétien des Docteurs de l'Eglise ?

Pour faire grand, suffit-il d'innover ? Bossuet eut tout ensemble plus d'esprit et moins de suffisance. Même dans ses voyages, il emportait son Tertullien et son saint Augustin. La Sainte Ecriture et les Pères lui sont familiers, il utilise la *Cité de Dieu*, la *Somme*, les *Annales* de *Baronius*, au point de laisser croire que, sans ces ouvrages, il n'aurait pu écrire ni son *Discours*, ni ses *Elévations*, ni les *Variations*. A la vérité, Bossuet travaillait beaucoup et ce *menu détail* n'est pas le fait de tout le monde.

Je ne conteste ni la possibilité du progrès, ni la nécessité d'être de son temps; mais je crois que pour être de son temps, pas n'est besoin d'abaisser la majesté des lettres chrétiennes et que le progrès, quand il existe, est dû à ceux qui, sans pour cela jurer aveuglément *in verba magistri*, cultivent le plus les anciens.

« La prédication primitive des prophètes, dit excellemment le P. Longhaye, faite par des hommes et pour des hommes, touche toutes les cordes de l'âme humaine, mais d'une touche souvent quelque peu rude et fière, parce qu'elle s'adresse à un peuple grossier, charnel, idolâtre d'inclination et d'instinct. A cela près, l'éloquence prophétique demeure pour nous un merveilleux répertoire de pensées, d'images, de sentiments. Elle est le premier fonds de notre trésor apostolique et oratoire. Dieu nous préserve de n'en user qu'à demi (1) ! »

Segneri, le Bourdaloue de l'Italie, pose en principe la règle suivante : Le prédicateur doit s'efforcer de ne rien avancer qu'il n'appuie à l'autorité de l'Ecriture.

---

(1) Conclusion de l'étude de cet auteur sur l'éloquence des prophètes. Voir son livre : *La Prédication*.

La raison donnée par le célèbre orateur est formulée en ces termes : Si les légistes disent : rougissons de parler sans la loi, le prédicateur doit rougir bien davantage de discourir longtemps sans citer la Sainte Ecriture (1).

Saint Jean Chrysostôme est du même avis : « Si un prédicateur avance quelque chose sans l'appuyer au témoignage de l'Ecriture, les esprits de ses auditeurs hésitent, et ils sont incertains de ce qu'ils doivent en croire, étant dans la pensée tantôt de le rejeter, comme une chose frivole, et tantôt de le recevoir comme une chose probable. Mais du moment que l'autorité de l'Ecriture prévaut, alors l'esprit et du prédicateur et de l'auditeur ne demeure plus dans le doute, mais se trouve affermi solidement dans la vérité (2). »

A son tour, saint Alphonse de Liguori, qui place l'Ecriture Sainte au premier rang des sources oratoires, exprime le même sentiment. « L'Ecriture Sainte, dit-il, est la source où le prédicateur puise les arguments les plus forts et les plus en rapport avec le salut éternel, ainsi qu'ont fait tous les Pères et Jésus-Christ lui-même, lorsqu'il prêchait. Saint Jérôme dit qu'il n'y a pas de prédicateur plus indigne que celui qui ne forme pas ses sermons sur les divines Ecritures (3). »

Saint Thomas d'Aquin aurait pu, semble-t-il, négli-

---

(1) *Dell'arte di predicar bene.*
(2) *Hom. in Psalm.*
(3) *Rhétorique sacrée.*

ger cette règle. Ce n'est ni la fécondité, ni la profondeur, ni même la poésie, qui manquaient à son surhumain génie. Il s'en garda bien. Ses plans de sermons sont pleins de textes et d'autorités. Jusque dans sa Somme théologique, il se fait une loi de citer l'Ecriture, les Pères, les Conciles et même les Ascètes.

« Un prêtre et un évêque, écrivait le Pape Clément XIV, se faisaient autrefois un devoir de lire les Pères de l'Eglise, comme de lire leur bréviaire ; et aujourd'hui, on ne les connaît pour ainsi dire que de nom. » Ailleurs il dit encore : « On me ravirait les trois quarts de mon existence, si l'on m'ôtait la consolation de m'entretenir avec les Saints Pères. »

Dans son *Oraison funèbre de Henriette de France*, Bossuet cite, une ou plusieurs fois, saint Augustin, Salvien, Tertullien, saint Grégoire. Or, c'est un des discours où la Patrologie aurait semblé devoir tenir le moins de place.

Bourdaloue, dans son sermon *pour la Cérémonie des Cendres*, fait parler, une ou plusieurs fois, saint Augustin, saint Grégoire de Nysse, saint Jean Chrysostôme, Tertullien, saint Jérôme, saint Pierre Damien, saint Ambroise, Théodoret, saint Grégoire, pape.

Je crois superflu de souligner la valeur de ces exemples, et moins nécessaire encore de dire qu'on les trouve par centaines.

Notons, en passant, que les encycliques des Papes, surtout les plus récentes, sont une source de premier ordre pour quiconque a le très louable souci de prêcher sur les besoins actuels de l'Eglise.

Il faut donc, avant toute rédaction de sermon, faire une recherche judicieuse plus encore qu'abondante des matériaux désignés en tête de ce chapitre. Nous ne saurions mieux confirmer et expliquer cette règle, qu'en mettant sous les yeux du lecteur les avis de saint François de Sales à son sujet.

« La première partie de la matière d'un sermon ce sont les passages de l'Ecriture, lesquels, à la vérité, tiennent le premier rang et sont le fondement de l'édifice : car enfin nous prêchons *la parole*, et notre doctrine gît en l'autorité. « C'est le Seigneur même qui a parlé. Voici ce que dit le Seigneur », disaient tous les prophètes ; et Notre-Seigneur même : « Ma doctrine n'est point de moi, mais la doctrine de celui qui m'a envoyé (1). »

« Mais il faut, tant qu'il en sera possible, que les passages soient naïvement et bien clairement exposés. Pour le regard du sens littéral, il doit se puiser dans les commentaires des Docteurs. C'est tout ce qu'on peut dire ; mais c'est au prédicateur de le faire valoir, de peser les mots, leur propriété, leur emphase.

« Après les sentences de l'Ecriture, les sentences des Pères et des Conciles tiennent le second rang. Et, pour ce qui regarde celles-ci, je dis seulement que, si ce n'est bien rarement, il faut les choisir courtes, précises et fortes. Les sentences courtes et fortes sont comme

---

(1) Sur cette manière *simpliste* de prouver, ne nous trompons pas. Loin d'écouter ceux qui prétendraient que dans un temps de doute, de scepticisme, de criticisme effréné, comme est le nôtre, il vaut mieux démontrer qu'affirmer au nom de Dieu, tenons pour certain que l'affirmation calme, réitérée et fière de la parole éternelle fera plus, pour la foi et pour le salut, que toutes les démonstrations philosophiques : Non erubesco Evangelium, disait saint Paul.

celles-ci de saint Augustin : « Celui qui vous a fait sans vous, ne vous sauvera pas sans vous » ; et, « Celui qui a promis le pardon aux pénitents, n'a pas promis aux pécheurs le temps de faire pénitence » ; et semblables. En saint Bernard, il y en a une infinité ; mais il faut, les ayant citées en latin, les dire en français avec efficace, et les faire valoir, les paraphrasant vivement.

« Suivent les raisons, qu'une belle nature et un bon esprit peuvent fort bien employer ; et pour celles-ci elles se trouvent chez les Docteurs, et chez saint Thomas plus aisément qu'ailleurs. Etant bien déduites, elles font une fort bonne matière. Voulez-vous parler de quelque vertu ? Allez à la Table de saint Thomas ; regardez ce qu'il dit, vous trouverez plusieurs raisons qui vous serviront de matière ; mais au bout de là, il ne faut pas employer cette matière sinon qu'on puisse fort clairement se faire entendre, pour le moins aux médiocres auditeurs.

« Les exemples ont une merveilleuse force et donnent un grand goût au sermon : il faut seulement qu'ils soient propres, bien proposés et mieux appliqués (1). »

L'aimable docteur qui nous donne ces conseils m'en voudra-t-il d'ajouter celui-ci : Ne manquez pas de cueillir, en passant, *l'une ou l'autre jolie fleur* que vous placerez habilement dans votre sermon ; de même *un trait ou exemple agréable à entendre ?* Certes, saint François de Sales a trop bien pratiqué cet *art de plaire* pour en vouloir détourner ceux qui, à son exemple et avec sa discrétion, s'en serviraient à faire mieux accepter les choses pénibles de la religion. Et s'il est juste de soutenir, comme il le fait dans

(1) Lettre à Mgr Frémiot, archev. de Bourges.

sa lettre à Mgr Frémiot, que le prédicateur ne doit pas s'appliquer à plaire, pour plaire, il ne l'est pas moins de prétendre, avec un judicieux et très érudit Sulpicien, que le prédicateur doit : « en vue de convertir, embellir la parole sainte des charmes de la vraie et solide éloquence, de manière qu'elle plaise aux auditeurs (1). »

« Il est donc de la dernière conséquence, ajouterons-nous avec le P. Gisbert, de se faire un amas choisi d'érudition sacrée. Si le prédicateur veut s'en tenir aux sentiments et aux pensées que le sujet lui-même peut lui fournir, son discours peut être juste, vrai, simple, naturel ; mais il ne sera ni assez nourri, ni assez varié, ni assez chrétien. Quelque attentive et pénétrante que soit la méditation du sujet, il faut la soutenir par *la lecture* : c'est elle qui donne mille vues différentes, soit en représentant les pensées de l'auteur qu'on lit, soit en réveillant des idées auxquelles peut-être n'aurait-on jamais fait aucune attention. La religion chrétienne que nous prêchons n'est pas un système de pure spéculation et de pur raisonnement ; mais d'autorité et de révélation. La rêverie la plus heureuse ne suffit pas à un orateur chrétien ; j'admirerai la justesse, la fécondité, la pénétration de votre génie ; mais je chercherai en vous, et dans vos discours, l'esprit du christianisme et le fonds de ma religion (2). »

L'auteur de cette piquante remarque a l'ironie

---

(1) Hamon. *Traité de la Prédication*, p. 136.
(2) *L'éloquence chrétienne.*

cruelle. D'un prédicateur qui manquera du fonds même de la religion et de l'esprit du christianisme, il admirera le génie ! Profitons de ce trait pour ne jamais prêcher sans avoir étudié notre matière dans la Somme de saint Thomas, ou dans notre Manuel de Séminaire, ou dans le Catéchisme Romain, et sans avoir fait notre cueillette de matériaux d'après les lumières de ces auteurs. Car — et ceci est une *observation à retenir* — la théologie seule peut guider sûrement l'invention oratoire (1).

« Ne nous attardons pas, dit le P. Monsabré, à des questions sociales, politiques, économiques, scientifiques, artistiques, plutôt profanes que religieuses, qui peuvent flatter la curiosité de certains auditoires, sans aucun profit pour la foi. Vous devez borner votre ambition au bon, chrétien et classique sermon. La *Circulaire* de la Congrégation des Evêques et Réguliers vous en indique la matière en ces termes : Le Symbole, le Décalogue, les Commandements de l'Eglise, les Sacrements, les Vertus et les Vices, les devoirs propres de diverses classes de personnes, les fins dernières de l'homme et autres vérités éternelles

---

(1) Parmi les sources à consulter, il faut mettre, et au tout premier rang, le Catéchisme du Concile de Trente avec les *Trésors de la prédication* qui en est l'explication d'après les Saints Pères. Ce dernier ouvrage est de M. l'abbé Pioger, il comprend 4 vol. in-8°. — L'Ecriture, les Pères, la Somme de saint Thomas et sa Chaîne d'or, les Œuvres de Grenade, Lejeune, saint Alphonse, Bossuet, Segneri, Bourdaloue, Massillon, Brydaine, Mac Carthy, Billot, Monsabré et un Dictionnaire de la prédication, genre : d'Hauterive, telles sont, avec les encycliques du Pape, les sources plus sûres, plus pures et aussi plus fécondes, auxquelles nous devrions puiser je ne dis pas exclusivement, mais principalement.

semblables, doivent être la matière ordinaire de la prédication sacrée (1). »

Par ce temps d'*infiltrations protestantes*, selon le mot d'un auteur justement apprécié (le P. Fontaine, s. J.) et dont les *Prônes apologétiques* sont pleins d'indications utiles, il se rencontrera plus d'un esprit pour s'étonner que nous ne recommandions pas de prêcher l'Evangile tout cru. Luther et Calvin prétendirent le prêcher ainsi, et ils le faussèrent indignement. Nous avons, nous, le Catéchisme du Concile de Trente dont un auteur célèbre (Bellarino) a écrit qu'il a « pour fin, de conserver dans l'Eglise la pureté de la Doctrine Evangélique » et encore : que son autorité l'emporte sur celle de n'importe quel Docteur « sive Divus Augustinus, sive D. Hieronymus, sive D. Thomas (2). »

Pour achever la présente leçon, citons le passage connu, mais trop oublié, où saint François Xavier traite de la connaissance du monde. Ce sera compléter nos vues sur les sources oratoires.

« Partout où vous aurez à exercer les fonctions du ministère, n'y fussiez vous même qu'en passant, et pour un peu de temps, interrogez avec soin des hommes de bien et qui aient l'expérience de la vie que mènent communément les gens du pays ; appliquez-vous à apprendre d'eux, le plus exactement que vous pourrez, non seulement les crimes qui se commettent dans le pays, les fourberies, les divers artifices dont on se sert pour

---

(1) *La Prédication.*
(2) Doctrina S. Concilii Tridentini et Catechismi Romani : *introductio.*

faire des injustices et pour tromper dans le négoce, mais aussi les usages reçus parmi le peuple, les opinions généralement répandues, les goûts de la nation, les coutumes particulières de la religion, la forme du gouvernement, le style du barreau, la marche des procédures, les chicanes des hommes de loi et des plaideurs, en un mot, tout ce qui se passe dans la société civile, et la manière dont les hommes ont coutume d'agir entre eux.

« Croyez-en mon expérience, il n'est point de connaissance plus utile pour le médecin des âmes ; il apprend par là à connaître les maladies, il sait mieux employer les remèdes propres à guérir les blessures, et il se ménage les moyens d'avoir toujours entre les mains des spécifiques adaptés à tous les maux qu'il rencontre.

« C'est par là que vous saurez sur quoi il faut insister le plus fréquemment, dans vos prédications. Cette connaissance vous servira beaucoup aussi dans les conversations que vous aurez avec les hommes ; elle fera que vous ne serez étonné de rien, et que vous ne serez jamais pris à l'improviste ; elle vous donnera une admirable présence d'esprit dans la variété des cas de conscience qui vous seront présentés, une prudente dextérité pour manier les esprits dans les rapports multiples que vous aurez avec plusieurs, et une grande autorité à l'égard de tous. Les hommes du siècle méprisent souvent les avertissements qu'ils reçoivent de nous, par la pensée que nous ne connaissons pas ce qui se passe dans le monde, et qu'ainsi nous ne sommes pas en état d'en bien juger ; mais, quand ils connaissent par expérience que quelqu'un d'entre nous est aussi versé et aussi rompu qu'eux dans les usages de la vie civile, ils l'admirent, ils se livrent à lui avec confiance, ils n'hésitent pas à se faire violence pour déférer à ses avis, et ils exécutent volontiers ce qu'il leur conseille même de plus dur à la nature.

« Vous voyez le fruit immense de cette *science du monde*. Persuadez-vous donc bien que vous devez mettre autant de soin à l'acquérir, que vous en avez mis autrefois, dans les classes, à apprendre la philosophie ou la théologie. Au reste, ce n'est pas dans les livres morts, écrits sur le papier ou sur le parchemin, que vous devez la puiser, mais dans les livres vivants, c'est-à-dire dans vos conversations avec des hommes au fait des affaires et qui connaissent bien les usages du peuple. A l'aide de cette science, vous ferez des discours plus utiles que si vous débitiez au peuple des bibliothèques entières de raisonnements spéculatifs.

« Je ne vous défends pas, cependant, la lecture des livres morts. Au contraire, je vous recommande d'employer une partie de votre temps à consulter soigneusement la Sainte Ecriture, les Pères de l'Eglise, les saints canons, les livres de piété et les traités de morale. Car on en tire des remèdes contre les tentations, et des preuves solides pour établir les vérités chrétiennes. Les grands exemples que nous offrent les Actes des saints ont une force particulière pour inspirer des sentiments héroïques, et les louanges qu'on leur donne font la matière d'instructions très utiles ; mais tout cela est froid et ne produit guère de fruit, si les auditeurs n'ont pas l'esprit et le cœur ouverts pour laisser pénétrer profondément cette semence de salut ; or, un habile prédicateur se sert de la clef propre à les ouvrir, lorsque, connaissant bien le cœur humain, et étant parfaitement au fait des mœurs de ceux à qui il parle, il représente l'état intérieur de chacun, et met leur conscience comme à nu devant leurs propres yeux (1). »

(1) Lettre au P. G. Barzée, mars 1549.

CHAPITRE IV

Classification des matériaux selon notre méthode.

Sommaire : Confection d'un plan. — Conseil pratique pour mettre en ordre les matériaux. — Etude amoureuse du sujet. — Nécessité de se donner de la peine.

Au chapitre précédent, j'ai mis sous les yeux du lecteur un commencement de composition, puis nous avons étudié la nécessité d'amasser des matériaux. Depuis, j'ai cherché mes matériaux, et, si vous trouvez quelque intérêt à voir comment on peut procéder pour classifier ses matériaux, je vais exposer en peu de mots ce que j'ai fait. J'avais à démontrer cette proposition : La foi des chrétiens qui négligent la Parole de Dieu est dans un état si misérable, qu'elle les met en danger de damnation.

Ouvrant à la table générale du quatrième volume, l'ouvrage intitulé : *Trésors de la prédication,* etc., par M. l'abbé Pioger, j'ai trouvé au mot *Foi*, tout un traité sur cette vertu, notamment cette idée : la foi condamnera ceux qui vivent mal. Comme il me sembla que cette pensée répondait à mon sujet, je me reportai au volume et à la page où elle est expliquée, c'est-à-dire au vol. IIIe, p. 150. Tout d'abord, cette page, détachée d'une longue homélie de saint Jean Chrysostôme me déconcerta. Mais, habitué à ne pas trouver les perles sans travail et sans peine, j'essayai de la relire. Et il me vint en l'esprit que le serviteur dont le saint Docteur parle en cette page, pouvait me servir de point de départ. En effet, l'Evangile selon saint Luc (chap. XII, versets 35 à 48) contient un passage intéressant et qui peut revenir à mon dessein. Je notai donc cette page d'Evangile, avec l'espoir d'en faire l'exorde du sermon.

Retournant à saint Jean Chrysostôme, je trouvai un passage très éloquent où est exposée cette vérité : malgré sa foi de chrétien, on vit en païen, parce que la semence divine est étouffée, et celle-ci est étouffée parce que l'on ne s'applique pas aux divins oracles : la parole de Dieu. Je crus bon de noter cette remarque.

En ce faisant, j'eus cette pensée : Une foi assez mal éclairée pour laisser vivre en païen expose certainement à la damnation. Or, telle est la foi des chrétiens qui négligent la parole de Dieu. Et puisque c'est la négligence des oracles divins qui stérilise ainsi la foi de ces malheureux, il faut, s'ils veulent se sauver, qu'ils reviennent à la méditation de ces oracles. Cela fut un commencement d'argumentation où s'ébauchait tout mon sermon.

Revenant encore à mon auteur, je vois en note, que Bourdaloue a traité le sujet dont je m'occupe. C'est une bonne fortune. Et mon plan est assuré comme suit :

Exorde : Voir saint Luc, XII, 35-48.

1er point : Etablir en doctrine que nous serons condamnés si, ayant connu la volonté de Dieu, nous avons négligé de l'observer, ce qui est le fait des déserteurs de la chaire chrétienne.

2ᵉ point : Peindre la déception de ces faux chrétiens, lorsque Jésus-Christ les jugera, et faire craindre à mes auditeurs de tomber dans cet abîme de désolation.

3ᵉ point : Montrer combien l'audition ou du moins la lecture de la parole de Dieu est nécessaire, efficace, facile, à tout homme de bonne volonté.

Pour finir, balayer avec finesse les prétextes d'affaires ou autres, derrière lesquels s'abrite la passion, chez ceux qui refusent d'aller assidûment au sermon ; et demander à Notre-Seigneur de toucher leurs cœurs.

Voilà comment s'est formé cet embryon de sermon. Il y a eu, sommairement, une classification de matériaux, suivant une règle que nous allons expliquer maintenant et qui achèvera notre étude sur la préparation du discours.

Troisième règle à suivre pour préparer un sermon : Étudier complaisamment le sujet. Cela fait, prendre une double feuille de papier cloche, la plier sur le côté, de manière a y faire des marges comprenant le tiers de la feuille. En tête de la première page, écrire la proposition ou le sujet du sermon, et, dans la marge de cette page, noter le tableau, le fait historique ou les éléments d'exorde, que l'on trouve capables de préluder a la proposition. La marge de la page 2 recevra les textes, autorités, arguments, propres a éclaircir, développer et démontrer la proposition. À la marge

DE LA 3ᵉ PAGE, VIENNENT LES RÉFLEXIONS DESTINÉES A ÉMOUVOIR. ENFIN, METTRE A LA 4ᵉ PAGE, TOUJOURS EN MARGE, LES RAISONS, EXEMPLES, MOTIFS ET MOYENS, PAR LESQUELS ON ESPÈRE DÉCIDER LA VOLONTÉ DES AUDITEURS.

Cette règle ainsi exprimée a quelque chose d'étroit. Mais, si nous faisons attention à sa première et fondamentale idée : l'*étude complaisante* du sujet, nous la trouverons large et solide, en même temps que pratique.

Il faut commencer par étudier le sujet que l'on veut traiter : lire les principaux auteurs qui s'en sont occupés, chercher à en saisir le fond, à en voir l'étendue, à en noter les aspects différents. On dit des peintures de grands maîtres qu'elles ont été faites *con amore;* si vous étudiez de même votre sujet, vous saurez cueillir les matériaux propres à le mettre en valeur.

Evitez la manie de ceux qui cherchent non tant des idées que des paragraphes; et plutôt des pages éloquentes, bien écrites, que des pensées fécondes et à développer. S'il vous suffit de coudre ensemble des morceaux de sermons, vous n'êtes qu'un déclamateur. Voyez donc dans vos livres, cahiers, souvenirs et observations, quels matériaux conviennent réellement à votre sujet, ou parce qu'ils peuvent le faire sentir et le rendre impressionnant, ou parce qu'ils sont de nature à le faire admettre des esprits les moins crédules, ou parce qu'ils détermineront à le mettre en pratique, ou enfin parce qu'ils serviront à le présenter vivement aux auditeurs. Et, quand même ces pensées, images, traits ou arguments, seraient exprimés en peu de lignes, en quelques mots profonds, empressez-vous de transporter chacun d'eux à la marge qui lui est réservée d'après la règle ci-dessus énoncée. L'essentiel n'est pas de copier des passages étendus mais de choisir des *germes féconds :* une belle parabole, une sentence ou un argument sans réplique, un sentiment juste et poignant, une raison décisive et prenante. Le plus petit gland peut donner un chêne. Vous arriverez toujours à développer vos pensées de fonds, si vous les avez choisies justes, profondes, et surtout bien en rapport avec votre proposition.

Nous n'étonnerons personne, si nous disons que par ce procédé le prédicateur peut facilement savoir s'il a, oui ou non, recueilli les vrais matériaux de son discours. Avec un peu de sens oratoire, on a vite vu si un argument porte d'aplomb, si un mouvement va au fond de l'âme, etc. ; or, cette vue préalable est de toute nécessité. Rendons-nous certains que la marge, 1re page, contient les germes d'un exorde saisissant, la 2e les éléments d'un enseignement solide, la 3e le fond d'un développement ému, la 4e le sommaire des raisons décisives qui gagneront l'auditeur à notre cause. Et si nous sentons l'un ou l'autre de ces quatre points faiblir, soutenir mal le poids de notre examen, ne passons pas outre, ne continuons pas notre travail avant d'avoir donné à ce point la documentation qui lui manque.

« Tout discours chrétien qui n'est pas tissu de raisonnements justes, exacts, vrais, lumineux, véhéments, allant tous avec rapidité vers le même but, et qui, se succédant les uns aux autres, se trouvent tous liés ensemble par une chaîne *presque invisible*, est un mauvais sermon. Voulez-vous donc vous assurer de la bonté de votre discours? Ayez soin vous-même d'en faire une analyse exacte ; examinez-en toutes les parties ; voyez la liaison et la dépendance qu'elles ont entre elles ; séparez les choses des paroles qui les enveloppent, et considérez-les dépouillées de tous leurs ornements. Si, après cette séparation, vous n'y découvrez pas cette suite de raisonnements dont nous venons de parler, n'attendez pas le jugement du public, jugez vous-même et prononcez que c'est là un mauvais discours (1). »

« Saint Chrysostôme comprenant toute l'importance et toute la grandeur du ministère évangélique, exige des prédicateurs un grand et assidu travail à préparer les discours qu'ils ont à débiter au peuple, parce que *de ce travail dépend la conversion* de plusieurs. Avec ce travail, vous parviendrez à dire ce qu'il faut pour faire impression : sans ce travail, vous n'y parviendrez jamais. Les auditeurs ne viennent pas à nos sermons comme des disciples dociles et soumis, prêts à recevoir avec respect, et avec une confiance aveugle, tout ce qui sort de la bouche d'un maître ; mais comme des spectateurs froids et tranquilles, ou comme des juges et des censeurs sévères, souvent plus disposés à blâmer qu'à approuver, à censurer qu'à applaudir. Il faut animer le froid et l'indolence des uns, imposer silence à la secrète malignité des autres. Qu'on m'apprenne comment cela se peut faire, sans les charmes victorieux et dominants d'un discours bien préparé et bien médité !

---

(1) Gisbert, *L'Eloquence chrétienne*, p. 147.

« Et ne vous flattez pas qu'il vous soit permis de vous dispenser du pénible travail de la composition, sous ce beau prétexte que le ciel vous a pourvu d'un génie heureux et facile ; car, quelque génie que vous puissiez avoir, si le travail ne le soutient, vous risquez de n'aller jamais au delà du médiocre, lorsque vous auriez pu voler au sublime.

« Mais si, manquant de génie, vous manquiez aussi de travail, quel personnage feriez-vous en chaire (1) ? »

Qui ascendit sine labore, descendit sine honore.

(1) *L'éloquence chrétienne*, p. 262-263.

DEUXIÈME PARTIE

Composition du Discours.

FORMATION DE L'ORATEUR SACRÉ

MÉTHODE

DEUXIÈME PARTIE

Composition du discours.

CHAPITRE PREMIER

Comment on choisit un exorde.

Sommaire : Eloquence profane et éloquence chrétienne. — Qualités premières d'un bon exorde. — Modèles.

Certains prédicateurs se croient obligés, chaque fois qu'ils montent en chaire, d'acheter, à force de compliments et de protestations délicates, la bienveillance des auditeurs, j'allais dire la faveur des juges. C'est oublier la différence notable qui règne entre la rhétorique sacrée et la rhétorique profane.

« L'éloquence de la chaire a ceci de particulier qu'elle parle aux hommes pour combattre et dompter leurs passions : c'est tout l'opposé de l'éloquence profane, qui ne parle que pour les émouvoir. Or, les mêmes préceptes peuvent-ils convenir à des orateurs qui tendent à des buts si différents ? Non, sans doute ; et cependant tous les rhéteurs modernes ont voulu les soumettre aux mêmes lois... L'éloquence profane, même dans sa forme la plus pure, n'est jamais dépouillée de tout artifice. Il lui faut des tours ingénieux, des préparations habiles, des concessions plus ou moins timides, toutes choses qui montrent assez qu'elle se défie de sa puissance, et que la parole humaine n'a pas en elle tout ce qu'il faut pour dompter les passions des peuples. L'éloquence chrétienne ne connaît pas cette défiance, parce qu'elle a sa force ailleurs que dans le génie de l'homme. C'est donc ici surtout que la vérité doit être l'unique fondement de l'éloquence (1). »

Le P. Segneri estime essentielle la différence qu'il y a entre l'éloquence chrétienne et l'éloquence profane : 1° la fin poursuivie par l'orateur profane est seulement d'émouvoir, au lieu que le prédicateur est tenu d'instruire ; 2° l'orateur profane traite un sujet actuel, le prédicateur au contraire doit toujours en revenir à l'Evangile ; 3° l'orateur s'appuie sur les lois humaines, le prédicateur, sur celles de Dieu ; 4° l'orateur parle à des égaux sinon à des maîtres qu'il doit se rendre favorables par sa manière obséquieuse de parler, le prédicateur parle à des disciples, et, au nom de Dieu, etc., et le distingué maître conclut de tout cela, que le prédicateur doit observer des règles différentes de celles de l'art purement civil (2).

Dès l'exorde du sermon, il y a lieu de noter la différence de procédés du rhéteur profane d'avec le prédicateur. Celui-là doit attirer l'attention, inspirer de l'estime pour sa personne, et faire entendre qu'il saura plaire, intéresser, parler de choses

---

(1) Em. LEFRANC, *Traité de Littérature*.
(2) *Arte di predicar bene* (l. I, c. v.)

sérieuses de telle manière que, d'écouter et de suivre son discours, ce sera plutôt un spectacle qu'une leçon, un profit qu'une fatigue.

Autres sont les qualités personnelles que le prédicateur doit faire pressentir, différente aussi est sa préoccupation première. Placé entre Dieu et l'auditoire, le prédicateur doit s'effacer, s'oublier, ne songer qu'à remplir au profit de la religion et des âmes, son rôle vraiment sacré. Toutefois, cette unique et surnaturelle préoccupation ne saurait le dispenser 1° d'éviter tout ce qui, dans sa personne, pourrait choquer justement ; 2° d'employer les moyens nobles de faire agréer son ministère. L'Apôtre ne disait-il pas : *Sed et supportate me ?*

L'archange Gabriel annonçant à Marie le mystère de l'Incarnation, et, en général, tous les prophètes ou ambassadeurs de Dieu peuvent servir de modèles aux prédicateurs qui demandent comment ils doivent se présenter devant un auditoire. Ayons l'humilité, le zèle, la dignité douce et incorruptible de ces esprits inspirés, nous saurons reproduire leur céleste ministère. Composons nos sermons avec le double sentiment de la présence de Dieu et des besoins de l'auditoire, ne perdons jamais de vue Jésus-Christ cherchant à sauver des âmes, n'oublions que notre méprisable personne, et les qualités oratoires pousseront chez nous comme l'herbe dans les prés : Témoin le Bienheureux curé d'Ars.

Ce principe fondamental ne saurait être enfoncé trop avant dans l'esprit des jeunes prédicateurs.

Qu'on lise à cet effet, les pages superbes de vérité où Bossuet nous trace, dans son *Panégyrique* de saint Paul, le véritable portrait de l'éloquence chrétienne.

Ces conseils sont vieux, dira quelque esprit oublieux des conditions sans lesquelles aucune prédication n'est éloquente ; mais, répondrons-nous, la vérité est plus ancienne encore et elle est toujours la vérité. Cependant il ne suffit point à un prédicateur d'oublier la vanité, l'intérêt, le *moi*, il lui faut suivre les règles techniques ou du métier.

Première règle à suivre pour choisir un exorde : SE PRÉOCCUPER DE CAPTER NON PAS TANT LA BIENVEILLANCE DE L'AUDITEUR POUR L'ORATEUR QUE SON ATTENTION POUR LE SUJET QUI VA ÊTRE TRAITÉ.

Et c'est ce qu'il faut comprendre à fond.

De quoi, en effet, se compose l'auditoire ordinaire d'un prédicateur ? De gens habitués au tracas des affaires, préoccupés de soucis matériels, dissipés et terrestres, quoique plus ou moins doués de bonne volonté. Comment ces gens s'appliqueraient-ils tout d'un coup et sans y être fortement aidés par le prédicateur, à entendre, à goûter la doctrine immatérielle et divine du saint Evangile ? Et s'ils ne s'y appliquent pas, comment la comprendraient-ils ? L'Esprit-Saint déclare que, si nous entreprenons sans préparation de converser avec Dieu, c'est une témérité qui l'offense (1) ; or, est-ce une imprudence moindre ou plus

---

(1) Ante orationem præpara animam tuam et noli esse quasi homo qui tentat Deum. (*Eccli*, XVIII).

excusable d'entreprendre l'enseignement, l'édification ou la conversion d'un auditoire, avant de l'avoir préparé et prédisposé à cet effet, avant même d'avoir essayé de saisir fortement son attention ?

Bourdaloue était bien convaincu du contraire. Il ne manque jamais de débuter par des considérations *recueillantes*, il dit fréquemment à ses auditeurs : soyez attentifs ! Il prie le Saint-Esprit de disposer lui-même les cœurs. Bossuet n'est pas moins judicieux et les longueurs, réputées excessives, qui forment souvent son entrée en matière, semblent, plutôt qu'un défaut, une qualité maîtresse, par la raison qu'il les employait à préparer l'auditoire et à capter sa complète attention. Après avoir cité l'exorde du grand évêque sur la royauté de Jésus-Christ, Mgr Freppel écrit : « Voici, Messieurs, une entrée en matière qu'affectionne Bossuet. Dès l'exorde, dès la première phrase, vous voyez un homme qui, tout éloigné qu'il est du ton emphatique, des termes sonores, des grands mots, aime néanmoins la pompe du langage, qui se plaît dans l'appareil et dans la mise en scène. Son génie est en action comme son sujet. Il s'attache, dès le début, à saisir fortement l'imagination de l'auditoire, il le jette dans l'étonnement par le tour singulier qu'il prête à sa proposition. Il traitera « d'un différend mémorable entre Dieu et le pécheur », ou bien il fera « l'histoire de notre paix » ; sans courir le moins du monde au paradoxe, il excite l'attention par le talent qu'il possède d'agrandir son sujet, de l'élargir, de le présenter sous une forme qui, de prime abord, paraît étrange, inouïe (1). »

Ce portrait des exordes chers à Bossuet nous paraît un chef-d'œuvre d'enseignement. Remarquons-y non seulement la confirmation de notre pensée sur la nécessité de commencer le sermon par un morceau saisissant, mais encore le moyen de produire ces sortes d'entrée.

Étendons-nous un peu là-dessus.

Ne trouvez-vous pas que pour saisir un auditoire, fixer son attention, il est nécessaire de frapper d'abord à la porte de son intelligence : à ses sens et à son imagination ? Ne faut-il pas piquer sa curiosité et éveiller par là son meilleur intérêt ? Sans doute ! Et quoi de plus apte à cet effet que le récit d'une histoire, l'exposé d'une allégorie, un tableau dramatisé, une série de propositions interrogatives, alertes, curieuses, etc ? Ne dit-on pas de Démosthène qu'un jour, pour capter l'attention, il commença le récit d'un ânier à l'ombre de son âne ? Et n'est-ce pas le conseil exprès de saint Augustin : *Eligantur quædam mirabiliora ?*

Le P. Longhaye aussi bien que Mgr Freppel relève la qualité saisissante des exordes de Bossuet.

« Nous sommes dans la chapelle royale du Louvre, le premier dimanche de l'Avent 1665. La station va s'ouvrir par un sujet tout moral et pratique : la nécessité de travailler à son salut, et d'y travailler sans retard.

(1) *Cours d'éloquence sacrée.*

L'épître du jour a fourni le texte : *Hora est jam nos de somno surgere*, texte d'ailleurs en parfaite harmonie avec l'Evangile, qui nous parle du réveil suprême, du jugement universel.

« Bossuet aime à saisir promptement et vivement son auditoire ; parfois même il ne lui déplaît pas de l'étonner. Ce n'est pas affectation, encore moins ce qu'il faudrait nommer charlatanisme ; c'est l'expérience de l'homme ; c'est conscience d'avoir de quoi soutenir par la suite les promesses du début. Au reste s'il étonne un moment l'esprit, c'est à charge de s'expliquer et de le satisfaire.

« Il commence, cette fois, par déclarer que tout dort en ce monde et même à la cour, dans cet ardent foyer de l'activité humaine. En effet, devant la raison chrétienne, ceux-là seuls qui veillent sont attentifs à leur salut. Dès lors, n'y a-t-il pas au pied de cette chaire, bien des endormis que ce discours ne réveillera point peut-être ? Et cependant l'Eglise ne s'y épargne pas. Elle fait retentir à nos oreilles le fracas de la nuit dernière du monde, « lorsque la nature étonnée de la majesté de Jésus-Christ rompra tout le cours de ses mouvements ». Puis, voici le grand Paul qui, devançant la trompette de l'ange, « mêle sa voix au bruit confus de l'univers, et nous dit d'un ton éclatant : O fidèles ! l'heure est venue de nous réveiller : *Hora est jam nos de somno surgere* (1). »

Si nous faisons attention que le P. Longhaye place cette observation au début de son étude : *Un sermon-type*, il faudra convenir que la première qualité d'un bon exorde est l'intérêt, la vivacité, le saisissant.

---

(1) *La Prédication*, Bossuet.

Le moyen de rendre tels nos exordes? Vous en avez deux principaux. Choisir un texte, une pensée allégorique, un tableau, une parabole ou même un fait étonnant, et entrer directement en communication avec votre auditoire.

N'allons pas croire, avec certains jeunes littérateurs, que tous les exordes doivent commencer par : Celui qui règne dans les cieux, etc... Bien que là-même, Bossuet peigne un tableau de maître et qu'il s'en fasse un moyen d'entrer tout de suite en communication avec ses auditeurs, il existe, Dieu merci, cent manières plus faciles et non moins oratoires de bien ouvrir un sermon. Ne croyons pas non plus qu'il soit indispensable de bâtir tous nos discours sur une parabole. Ce dernier moyen, quoique fondamental et toujours plus populaire, peut être suppléé par des manières de parler moins récitatives. Il sera bon même de déguiser parfois un récit dans une série d'observations vivantes et propres à lier conversation.

Bossuet commence ses sermons avec une liberté digne de son génie. Tout en suivant la méthode ici exposée, il nous montre comment et dans quelle largeur, il faut l'employer. Sur la *Divinité de la religion*, il débute par le récit ; sur la *Nécessité de la pénitence*, il déclare aussitôt l'espèce d'impossibilité de toucher les pécheurs, et, là-dessus, il « fait paraître à la cour, le prédicateur du désert ». Dans son premier sermon de Carême, prêché à la cour, sur la *Providence*, il « médite d'imiter le roi de Samarie »,

il se propose l'exemple d'une entreprise militaire :
« Assemblons-nous, chrétiens, pour combattre les
ennemis du Dieu vivant ; renversons les remparts
superbes de ces nouveaux Samaritains ».

Etudiez de près quelques exordes composés par
ce maître orateur, vous y apprendrez plus vite et
mieux que dans ces faibles pages, l'art de saisir un
auditoire, de captiver son attention, comme aussi le
moyen de mêler, dès l'abord, vos pensées aux siennes
et ses mouvements aux sentiments de votre cœur.

Un exorde suggestif entre beaucoup, c'est celui qui
a pour texte : *Domine, veni et vide; Seigneur,
venez et voyez.* (*Joan.*, XI.) Voici les premières
phrases :

« Me sera-t-il permis aujourd'hui d'ouvrir un tombeau devant la cour, et des yeux si délicats ne seront-ils point offensés par un objet si funèbre? Je ne pense pas, Messieurs, que les chrétiens doivent refuser d'assister à ce spectacle avec Jésus-Christ. C'est à lui que l'on dit, dans notre Evangile : Seigneur, venez et voyez où l'on a déposé le corps de Lazare ; c'est lui qui ordonne qu'on lève la pierre et qui semble nous dire à son tour : Venez et voyez vous-mêmes. Jésus ne refuse pas de voir ce corps mort, comme un objet de pitié et un sujet de miracle ; mais c'est nous, mortels misérables, qui refusons de voir ce triste spectacle comme la conviction de nos erreurs. Allons et voyons avec Jésus-Christ, et désabusons-nous éternellement de tous les biens que la mort enlève (1). »

---

(1) Sermon pour le vendredi de la IVe sem. de Carême, prêché devant le roi, sur la mort.

Le premier but d'un exorde étant d'éveiller l'attention et de provoquer l'application de l'auditoire, imitons les maîtres écrivains. Ils emploient, pour atteindre ce but, comme pour soutenir leur action, les plus abondantes ressources de l'imagination et du style, les tours les plus variés, souvent les plus hardis. Récits majestueux, apostrophes bienveillantes mais vives, descriptions brillantes, mises en scène où l'on croit avoir son rôle : partout c'est un ensemble qui fait dire : voyons cela !

Aucun livre n'est aussi propre que la Bible à nous former à cet art supérieur, parce que aucun n'est aussi riche de fond et de forme. C'est pour l'avoir étudiée et méditée avec une inlassable prédilection que Bossuet trouva tant d'images grandioses, de traits pénétrants, de victorieuse argumentation. Son imagination « toute pleine d'images et de visions bibliques », selon l'expression d'un universitaire, devient créatrice de chefs-d'œuvre.

« Ce que ses yeux ne voient pas, ce dont son expérience ne lui fournit pas les formes, les prophètes et les évangélistes lui en donnent les images (1). »

Fénelon apparaît ici comme un digne émule de Bossuet. Faites attention à sa manière de développer un texte d'Ecriture sainte, de saisir par un tableau l'attention des auditeurs, de provoquer l'intérêt pour les choses qu'il annonce.

---

(1) LANSON, *Histoire de la Littérature française*.

Exorde *du sermon pour l'Epiphanie.*

Texte : *Surge, illuminare, Jerusalem, quia venit lumen tuum, et gloria Domini super te orta est.* (Isai, lx.)

« Béni soit Dieu, mes frères, puisqu'il met aujourd'hui sa parole dans ma bouche pour louer l'œuvre qu'il accomplit par cette maison ! (Séminaire des Missions étrangères).— Je souhaitais, il y a longtemps, je l'avoue, d'épancher mon cœur devant ces autels, et de dire à la louange de la grâce tout ce qu'elle opère dans ces hommes apostoliques pour illuminer l'Orient. C'est donc dans un transport de joie que je parle aujourd'hui de la vocation des Gentils, dans cette maison d'où sortent les hommes par qui les restes de la gentilité entendent l'heureuse nouvelle.

« A peine Jésus, l'attente et le désiré des nations, est né ; et voici les Mages, dignes prémices des Gentils, qui, conduits par l'étoile, viennent le reconnaître. Bientôt les nations ébranlées viendront en foule après eux ; les idoles seront brisées, et la connaissance du vrai Dieu sera abondante comme les eaux de la mer qui couvrent la terre. Je vois les peuples, je vois les princes qui adorent dans la suite des siècles celui que les Mages viennent adorer aujourd'hui.

« Nations de l'Orient, vous y viendrez à votre tour ; une lumière, dont celle de l'étoile n'est qu'une ombre, frappera vos yeux et dissipera vos ténèbres. Venez, venez, hâtez-vous de venir à la maison du Dieu de Jacob. O Eglise ! O Jérusalem ! réjouissez-vous, poussez des cris de joie. Vous qui étiez stérile dans ces régions, vous qui n'enfantiez pas, vous aurez dans cette extrémité de l'univers des enfants innombrables. Que votre fécondité vous étonne : levez les yeux tout autour de vous, et voyez ; rassasiez vos yeux de votre gloire ; que votre cœur admire et s'épanche ; la multitude des peuples se tourne vers vous, les îles viennent, la force des nations vous est donnée : de nouveaux Mages qui ont vu l'étoile du Christ en Orient viennent du fond des Indes pour le chercher. Levez-vous, ô Jérusalem !

« *Surge, illuminare...* » etc.

« Mais je sens mon cœur ému au dedans de moi-même ; il est partagé entre la joie et la douleur. Le ministère des hommes apostoliques, et la vocation de ces peuples, est le triomphe de la religion ; mais c'est peut-être aussi l'effet d'une secrète réprobation qui pend sur nos têtes. Peut-être sera-ce sur nos ruines que ces peuples s'élèveront, comme les gentils s'élevèrent sur celles des juifs, à la naissance de l'Eglise. »

La suite de ce magistral exorde, aussi bien que tout le reste du discours, est un de ces chefs-d'œuvre que, malgré les réserves de la critique, les plus grands orateurs sont contraints d'admirer. Nous en conseillons la méditation à tous ceux qui veulent devenir maîtres à leur tour.

CHAPITRE II

Nécessité de présenter son exorde avec art.

Sommaire : Relation profonde que doit avoir l'exorde avec le sujet du discours. — Comment il faut s'y appliquer à disposer les auditeurs. — Pourquoi nous recommandons surtout les exordes allégoriques.

SI un exorde était oratoire ou éloquent à la seule condition de frapper l'imagination, de captiver l'attention et d'engager entre l'orateur et ses auditeurs une sorte de conversation élevée, le prédicateur pourrait peut-être commencer son discours sur un thème quelconque. Il n'en va pas du tout de la sorte.

Deuxième règle à suivre pour composer l'exorde : Composer son exorde de telle façon qu'il amène la proposition naturellement et qu'il la mette bien en vue.

Ce n'est pas tout : il faut non seulement faire pressentir le sujet, mais le faire agréer, mais disposer l'auditoire à l'entendre avec de saintes dispositions. L'exorde suivant, que nous empruntons à Bourdaloue, montrera comment on fait droit à cette nécessité. Le célèbre prédicateur, obligé, par les circonstances, de placer à l'ouverture de son Carême l'éloge de l'évêque récemment défunt, n'eut garde d'omettre un tel devoir. Mais il n'omit pas davantage d'appeler l'attention sur le sujet qu'il allait exposer, donnant ainsi à comprendre que l'exorde, après avoir fait la part des circonstances de temps, de lieu, ou de personnes, doit invariablement amener à écouter avec foi le sermon qui va suivre.

Memento, homo, quia pulvis es, et in pulverem reverteris. Souvenez-vous, homme, que vous êtes poussière, et que vous retournerez en poussière. Ce sont les paroles de l'église dans la cérémonie de ce jour.

Il serait difficile de ne pas s'en souvenir, chrétiens, lorsque la Providence nous en donne une preuve si récente, mais si douloureuse pour nous et si sensible. Cette église où nous sommes assemblés et que nous vîmes il n'y a que trois jours occupée à pleurer la perte de son aimable prélat (1), et à lui rendre les devoirs funèbres, nous prêche bien mieux par son deuil cette vérité, que je ne le puis faire par toutes mes paroles. Elle regrette un pasteur qu'elle avait reçu du ciel comme un don précieux, mais que la mort, par une loi commune à tous les hommes, vient de lui ravir... Vous, Messieurs, qui composez ce corps vénérable dont il était le digne chef; vous qui, par un droit naturellement acquis, êtes maintenant les dépositaires de sa puissance spirituelle et que nous reconnaissons à sa place comme autant de Pères et de Pasteurs..., vous n'avez pas oublié les témoignages de bonté, d'estime et de confiance que vous donna cet illustre mort, et qui redoublent d'autant plus votre douleur.....

« Cependant, après nous être acquittés de ce qu'exigeaient de nous la piété et la reconnaissance, il est juste, mes chers auditeurs, que nous fassions un retour sur nous-mêmes ; et que pour profiter d'une mort si chrétienne et si sainte, nous joignions la cendre de son tom-

---

(1) Mgr de Péréfixe, archevêqne de Paris.

beau à celle que nous présente aujourd'hui l'Eglise, et nous tirions de l'une et de l'autre une importante instruction. Car telle est notre destinée temporelle. Voilà le terme où doivent aboutir tous les desseins des hommes et toutes les grandeurs du monde ; voilà l'unique et solide pensée qui doit partout et en tout temps nous occuper : *Memento, homo, quia pulvis es, et in pulverem reverteris ;* souvenez-vous, qui que vous soyez, riches ou pauvres, grands ou petits, monarques ou sujets; en un mot, hommes, tous en général, chacun en particulier, souvenez-vous que vous n'êtes que poudre, et que vous retournerez en poudre. Ce souvenir ne vous plaira pas ; cette pensée vous blessera, vous affligera ; mais en vous blessant elle vous guérira ; en vous troublant et affligeant elle vous sera salutaire ; et peut-être comme salutaire vous deviendra-t-elle enfin non seulement supportable mais consolante et agréable. Quoi qu'il en soit je veux vous en faire voir les avantages, et c'est par là que je commence le cours de mes prédications. »

A regret, nous cessons de transcrire un début si bien fait pour servir de modèle. La raison qui nous empêche de continuer, c'est que tous nos lecteurs ont la facilité de lire complètement dans l'auteur lui-même ce beau morceau d'éloquence chrétienne.

Qu'on y fasse attention, néanmoins, cet exorde formé de diverses considérations très générales, est loin d'approcher le genre allégorique, autant que pourrait le permettre notre méthode. Il amène au sujet, mais sans le contenir tout entier comme un germe. Or, cette dernière qualité, lorsqu'on peut la rencontrer, ne fait qu'augmenter la valeur oratoire du sermon. L'exorde, en effet, sera d'autant plus parfait qu'il contiendra plus complètement la substance de tout le discours, et qu'il sera en quelque sorte le sujet lui-même présenté en substance à l'imagination ou à la mémoire. En un mot, un exorde parfaitement conforme à notre méthode serait celui qui, sans rien tirer par les cheveux, s'adapterait complètement aux autres parties du sermon, qui en serait comme l'image réduite et à expliquer. Telles sont les homélies de quelques saints Pères.

L'essentiel sera de composer son exorde en vue du sujet, mettant en saillie les détails porteurs de l'idée du sermon, effaçant les autres dans une juste pénombre et fuyant le tapage des mots inutiles.

A quoi bon frapper l'imagination, si l'image qu'on lui présente ne doit point servir à ouvrir l'intelligence, à rendre sensible et plus compréhensible la doctrine qui va suivre? Autant une comparaison juste est capable d'éclairer un enseignement, autant une maladroite peut embrouiller l'esprit. Et puisque notre méthode consiste à harmoniser le jeu des facultés, loin d'impressionner l'imagination d'une manière quelconque, il faut la saisir de telle façon que ce saisissement facilite à l'intelligence sa propre opération. A cette condition seulement nos facultés, s'entr'aidant, produiront un effet pleinement oratoire.

Un exemple : voulant établir que Notre-Seigneur Jésus-Christ est tout à la fois la lumière, la chaleur, la vie, la joie, le Dieu de nos cœurs, j'essaie de présenter cette vérité à l'imagination ou aux sens d'abord, afin de préparer l'esprit à la saisir plus amplement. Pour ce faire, j'imagine de préluder par une description du soleil et de ses effets. Me voilà en train d'expliquer combien cet astre est nécessaire à la terre, à la germination des plantes, à la vie des animaux, à la beauté de la nature. Puis, ne pensant plus à ma proposition, perdant de vue le sujet auquel je dois amener l'auditeur, je me laisse aller à décrire la richesse du rayon solaire, l'éclat des couleurs de l'arc-en-ciel ; du bleu au vert, du rouge au jaune, j'épuise ma palette à peindre ce phénomène, enfin je m'écrie : ainsi est Notre-Seigneur ! — Pour le moins on sera déconcerté.

Au contraire, si j'ai décrit le soleil comme un foyer de *lumière* qui atteint du plus petit grain de sable jusqu'au sommet des plus hautes montagnes, fait resplendir la mer et verdoyer les prairies ; si, de ce foyer éblouissant j'ai montré la *chaleur* douce, vivifiante, qui ranime la nature engourdie par l'hiver, couvre de fleurs et charge de fruits les arbres de nos vergers, fait éclore les papillons, bourdonner les abeilles et chanter les oiseaux du ciel ; si mon développement s'étend à la germination universelle qui fait se remuer dans le sillon le froment impatient de voir le jour ; enfin si, dans ce concert, j'ai montré l'homme tellement émerveillé des bienfaits du soleil, qu'il salue en lui le dieu de la nature, sans doute il me sera permis d'aboutir à cette pensée qui est la proposition de mon discours : ainsi, et mille fois mieux, Notre-Seigneur est la lumière, la chaleur, la vie, la joie, le Dieu de nos cœurs !

Hâtons-nous de le dire, cet exemple n'est point un modèle. Trop de dissemblance existe entre le thème du tableau, ou de l'exorde, et le sujet doctrinal du sermon. Bien meilleure eût été notre esquisse, si nous l'eussions tirée de la vie de Moïse, du héros que fut pour Israël ce libérateur admirable. Par contre, cet exemple fait assez voir le danger à éviter dans les exordes et qui est de les composer trop peu conformes au sujet.

Est-ce à dire maintenant qu'un exorde saisissant, qui amène bien la proposition sera, pour autant, un exorde achevé ? Pas encore.

Troisième règle à suivre pour composer l'exorde : EN QUELQUE MOTS AFFABLES ET ENCOURAGEANTS FAIRE AGRÉER LE SUJET, PROVOQUER UN CERTAIN GOUT A L'ENTENDRE, ET DEMANDER A DIEU DE DISPOSER LES AUDITEURS A PROFITER DU SERMON.

Le tableau initial de l'exorde, en effet, peut bien par lui-même préparer l'intelligence à saisir le sujet mais encore faut-il s'expliquer avec l'auditoire, obtenir de lui qu'il écoute avec d'heureuses dispositions. Qu'importent les théories qui condamnent les exordes apparemment interminables de Bourdaloue ! Quelqu'un a-t-il mieux prêché ? A l'imiter, nous avons plus à gagner qu'à perdre. Rien n'édifie davantage que le souci de voir l'auditeur tirer profit du discours et que les précautions prises dans ce but. Ces préambules, où l'orateur prend pied et asseoit ses batteries, sont autrement naturels que nos exordes écourtés et de pure parade. Les anciens, dit-on, étaient démesurément longs! — J'en conviens..., mais faut-il, pour éviter ce défaut devenir démesurément courts ? L'effet premier de tout exorde doit être de disposer le mieux possible l'auditoire à entendre, à comprendre, à goûter et à mettre en pratique le sermon. Faisons le nécessaire pour cela. A tout prendre nous estimons plus conformes à l' « utilité des enfants de Dieu, » comme disait Bossuet, les exordes où l'on s'attarde à préparer les esprits, à exciter et disposer les cœurs, par quelques pages bien écrites, que ceux où l'on se borne ,somme toute, à débiter un texte quelconque et des généralités vagues.

Quoi qu'il en soit, ceux qui voudraient se former ou former les autres d'après notre méthode, doivent tenir la main à ce que l'exorde du discours soit choisi et développé avec le plus grand soin, comme une pièce capitale.

Il y aurait fort à écrire si nous voulions mettre en lumière les profondeurs du seul exorde de Bossuet sur l'Unité de l'Eglise, et personne plus que nous ne serait au comble de l'étonnement si c'étaient les exordes de cette nature qu'a visés le P. Longhaye en écrivant cette ligne : « Disons net que nous ne regrettons point la perte de cet usage (1). » Qu'on essaie de produire par d'autres moyens un effet comparable ? Aussi l'auteur que nous venons de citer rend-il hommage à l'habileté de Bossuet qui, sans s'écarter de la

---

(1) *La Prédication* : un sermon-type.

tradition, donnait vite le branle, c'est-à-dire faisait le nécessaire pour disposer son auditoire, mais le faisait rapidement.

A moins d'illusion, nous croyons que les Pères et Bossuet lui-même, loin de mépriser les exordes construits sur un tableau historique, une allégorie ou une parabole des Saints Livres, n'abandonnaient cette ressource que faute de pouvoir y recourir. De là notre préférence pour ce genre d'exordes-tableaux, où le sermon est contenu comme un chêne dans un gland.

Et puisque nous parlons de tableaux, empruntons à l'art des peintres une similitude. Dans un tableau bien peint, on voit des finesses et des vigueurs de tons que les débutants ne parviennent pas à obtenir, quelle que soit la qualité ou la quantité des couleurs qu'ils emploient : ces vigueurs et ces transparences tenant aux couches de dessous. De même, à entendre ou à lire les vrais orateurs, on éprouve des vigueurs, des finesses d'émotion et de persuasion qui viennent de certaines considérations préparatoires que rien autre ne peut produire.

Vous voulez, je suppose, faire mieux comprendre, plus vivement sentir, plus efficacement éviter, l'éloignement de Dieu que produit le péché mortel ? Montrez d'abord l'enfant prodigue transporté sous un ciel étranger à celui de ses pères... *in regionem longinquam*, loin de toute connaissance et de tout ami véritable, au milieu de gens perfides et habiles à exploiter l'étranger, faites-le voir en proie à l'abattement qui s'empare toujours des âmes désorientées. Ce malheureux s'abandonne à ses plus viles passions, il s'y épuise corps et biens, il en vient à sentir l'aiguillon du besoin. Bientôt voici l'horrible famine ! la faim le prend. Et personne ne veut le recevoir, ni le nourrir... etc... Quand vous aurez produit dans l'auditoire la sensation de cet éloignement et des privations qui l'accompagnent, quand on aura, en quelque sorte, mesuré l'étendue de ce désert moral, commencez sur ce thème votre exposé de doctrine, vos applications et exhortations ; pour peu que vous le fassiez avec discernement, vos paroles s'éclaireront au souvenir du tableau d'entrée et prendront une couleur saisissante qui forcera les cœurs. Cela, parce que nous sommes ainsi faits que les images sensibles font pénétrer jusqu'au fond les vérités qu'elles éclairent.

Un très estimable auteur (1) écrit à ce sujet que le prédicateur « peut imiter les paraboles du Sauveur ou du moins rappeler celles qu'il a faites, et les expliquer au peuple. Rien, dit-il, n'instruit mieux que cette méthode. Le missionnaire Bridaine savait l'employer avec beaucoup de succès. Le même auteur conseille aussi les suppositions... et donne pour preuve de leur effet la fameuse page de Massillon : « Je suppose que c'est ici votre dernière heure et la fin de l'Univers » (Petit nombre des élus). Nous avons connu un missionnaire, qui usait avec avantage de cette habileté oratoire (2). Prêchant une retraite ecclésiastique,

---

(1) Vètu, *Des vrais principes sur la prédication*, c. VII, nos 38 et 39.
(2) Le P. Griffaut, rédemptoriste.

il s'écria un jour : Je crois le voir encore ce jeune prêtre monter pour la première fois au saint autel. Oh ! qu'il était proche de son Dieu, combien respectueusement il le pressait dans ses mains, le portait sur son cœur, et comme le Dieu de sa ferveur sacerdotale l'enveloppait amoureusement dans son sein. Mais, depuis, le pauvre enfant a péché, imitant le prodigue il a quitté son père… *abiit* ! Et où est-il donc allé ? *In regionem longinquam*… loin, oh ! si loin ! dans un horrible et honteux désert, le désert où paissent les pourceaux. Et jusqu'où s'étend ce désert, quelle distance met-il entre ce prêtre coupable et son Dieu délaissé ? Ah ! demandez-le à Celui qui, à la seule prévision d'une telle ingratitude, agonisait et suait du sang au jardin des Olives ! Interrogez l'Eglise inconsolable de la perte de son fils ! écoutez les cris indignés des âmes scandalisées ! etc.

Ce simple exemple peut vous faire entrevoir la force de persuasion, les ressources d'amplification ou d'argumentation que produit un tableau, une parabole, une similitude bien mis en œuvre.

Rendez-vous compte aussi du procédé employé par Nathan pour briser de repentir le cœur de David (II Reg., c. XII) ; voyez l'effet foudroyant de ce mot : *tu es ille vir !* demandez-vous d'où il tire une telle force et par quelle voie il a pénétré si avant.

CHAPITRE III

Développement, ornement, achèvement de l'exorde.

Sommaire : Nécessité d'examiner les moindres détails. — Conseils pour narrer et décrire éloquemment. — La note personnelle. — Division du sermon et son énoncé.

La plupart des jeunes prédicateurs ont peine à rédiger leurs exordes, faute de savoir développer, adapter, orner une pensée. Ils ne manquent pas d'idées qui leur semblent convenir à leur dessein, mais parce que, souvent, ce n'est qu'un fait exprimé en quelques mots, une sentence, un germe serré et lié dans une expression froide, ils n'osent entreprendre de développer ce fait, d'amplifier cette sentence, de mettre en œuvre ce germe. Le présent chapitre est pour apprendre d'abord à surmonter cette difficulté, ensuite pour rappeler quelques règles de narration et de style.

1. — EXAMEN DES DÉTAILS

Vous aurez, je le suppose, observé que l'état de Lazare au tombeau est une image de celui du pécheur devant Dieu. Vous voulez décrire ce dernier d'après le premier : mais, dites-vous, comment m'y prendre ? Lisez bien votre Evangile, vous y verrez que Lazare étendu au fond d'un morne et froid sépulcre, avait les pieds et les mains liés de bandelettes et le visage enveloppé d'un suaire ; qu'on l'avait recouvert d'une pierre énorme ; que, au bout de quelques jours seulement, il répandait une odeur infecte ; que sa sœur hésitait à le laisser découvrir ; que Jésus, le voyant couché là, ne put s'empêcher de frémir et de pleurer ; et qu'enfin, ce divin ami daigna lui faire entendre ce mot de résurrection : Lazare, viens dehors ! Continuez votre étude : voyez la tristesse des sœurs de Lazare et de toute sa maison, considérez les paroles de Notre-Seigneur, figurez-vous l'étonnement, la joie des spectateurs, de Lazare surtout. Ajoutez à ces détails les sentiments des apôtres avant, pendant, après ce miracle. Bientôt vous serez en présence d'un drame qui vous émouvra, vous le premier. Arrangez alors la narration de ce fait d'après l'enseignement que vous voulez donner. Par exemple, si vous voulez prêcher les effets du péché pour l'homme et pour Dieu, commencez par peindre les liens et la fétidité de Lazare, le frémissement et les larmes de Jésus. Ajoutez la tristesse et la joie des assistants. Terminez par le mot tout-puissant du Christ rappelant à la vie. Votre tableau s'esquissera bien vite, votre proposition sortira toute seule et votre sermon se dessinera aussitôt dans ses principales parties ; en un mot, vous serez en présence du sujet suivant : Le péché détruit toute la beauté de l'homme, et renouvelle toutes les douleurs de Jésus dans sa passion ; mais on peut en sortir, et Dieu n'attend qu'un mot pour nous rendre à la vie.

Considérons comment Fléchier a su, d'un texte apparemment peu fécond, tirer un de ses plus brillants exordes.

Texte : *Fleverunt eum omnis populus Israel planctu magno, et lugebant dies multos, et dixerunt : Quomodo cecidit potens, qui salvum faciebat populum Israel.*

« Je ne puis, Messieurs, vous donner une plus haute idée du triste sujet dont je viens vous entretenir (la mort de Turenne), qu'en recueillant ces termes nobles et expressifs dont l'Ecriture se sert pour louer la vie et déplorer la mort du sage et vaillant Machabée.....

« Cet homme qui défendait les villes de Juda, qui domptait l'orgueil des enfants d'Ammon et d'Esaü, qui revenait chargé des dépouilles de Samarie, après avoir brûlé sur leurs propres autels les dieux des nations étrangères ; cet homme que Dieu avait mis autour d'Israël comme un mur d'airain où se brisèrent tant de fois toutes les forces de l'Asie, et qui, après avoir défait de nombreuses armées, déconcerté les plus fiers et les plus habiles généraux des rois de Syrie, venait tous les ans, comme le moindre des Israélites, réparer avec ses mains triomphantes les ruines du sanctuaire, et ne voulait d'autre récompense des services qu'il rendait à sa patrie que l'honneur de l'avoir servie ;

« Ce vaillant homme, poussant enfin avec un courage invincible les ennemis qu'il avait réduits à une fuite honteuse, reçut le coup mortel, et demeura comme enseveli dans son triomphe.

« Au premier bruit de ce funeste accident, toutes les villes de Judée furent émues ; des ruisseaux de larmes coulèrent des yeux de tous leurs habitants. Ils furent quelque temps saisis, muets, immobiles. Un effort de douleur rompant enfin ce long et morne silence, d'une voix entrecoupée de sanglots que formaient dans leurs cœurs la tristesse, la pitié, la crainte, ils s'écrièrent : *Comment est mort cet homme puissant qui sauvait le peuple d'Israël ?* A ces cris, Jérusalem redoubla ses pleurs ; les voûtes du temple s'ébranlèrent ; le Jourdain se troubla, et tous ses rivages retentirent du son de ces lugubres paroles : *Comment est mort cet homme puissant qui sauvait le peuple d'Israël ?* »

Ces exemples font comprendre que pour transformer en exorde un fait, il faut l'étudier dans ses détails, le placer dans son cadre, le voir où il s'est passé, au milieu de ses acteurs ou de ses témoins, ne rien négliger enfin de ce qui peut l'adapter à un enseignement utile et oratoire.

A ceux qui trouveraient aride notre méthode et qui voudraient composer des sermons sans creuser et méditer à fond leur sujet, nous rappellerons ce mot plus vrai encore que connu :

> Travaillez, prenez de la peine :
> C'est le fond qui manque le moins.

2. 3. — NARRATION ET DESCRIPTION ORATOIRES

Quant à l'art de *narrer* et de *décrire* oratoirement, nous ne ferons qu'en toucher un mot, de crainte d'allonger outre mesure notre élémentaire traité.

Cicéron veut que l'orateur expose les faits clairement, brièvement, agréablement (1).

---

(1) DE COLONIA, *De arte rhetoricâ, elementa rhetoricœ*, c. II.

Pour être *claire*, une narration doit exposer les faits dans l'ordre où ils se sont produits, avec la suite ininterrompue de leurs détails et en des termes connus de tous les auditeurs.

Pour être *brève*, la narration doit ne contenir que les circonstances difficiles à deviner et qui ajoutent à l'explication du fait.

Pour être *agréable*, le récit doit exprimer, en termes harmonieux et avec des tours variés, les faits qui se recommandent par leur beauté, leur ingéniosité et surtout leur utilité morale.

La description oratoire ou peinture littéraire est peut-être plus difficile, mais l'éloquence ne saurait se passer de ses charmes. En voici le portrait, de la main de Fénelon :

« Peindre, c'est non seulement décrire les choses, mais en représenter les circonstances d'une manière si vive et si sensible, que l'auditeur s'imagine presque les voir. Par exemple, un froid historien qui raconterait la mort de Didon se contenterait de dire : Elle fut si accablée de douleur, après le départ d'Enée, qu'elle ne put supporter la vie : elle monta en haut de son palais, elle se mit sur le bûcher, et se tua elle-même. En écoutant ces paroles, vous apprenez le fait, mais vous ne le voyez pas. Ecoutez Virgile, il le mettra devant vos yeux. N'est-il pas vrai que quand il ramasse toutes les circonstances de ce désespoir, qu'il vous montre Didon furieuse, avec un visage où la mort est déjà peinte, qu'il la fait parler à la vue de ce portrait et de cette épée, votre imagination vous transporte à Carthage ; vous croyez voir la flotte des Troyens qui fuit le rivage, et la reine que rien n'est capable de consoler ; vous entrez dans tous les sentiments qu'eurent alors les véritables spectateurs! Ce n'est plus Virgile que vous écoutez ; vous êtes trop attentif aux dernières paroles de la malheureuse Didon pour penser à lui. Le poète disparaît; on ne voit plus que ce qu'il fait voir, on n'entend plus que ceux qu'il fait parler (1).

« Voilà la force de l'imitation et de la peinture. De là vient qu'un peintre et un poète ont tant de rapport : l'un peint pour les yeux, l'autre pour les oreilles ; l'un et l'autre doivent porter les objets dans l'imagination des hommes.

« Je vous ai cité un exemple tiré d'un poète, pour vous faire mieux entendre la chose : car la peinture est encore plus vive et plus forte dans les poètes que dans les orateurs. La poésie ne diffère de la simple éloquence, qu'en ce qu'elle peint avec plus d'enthousiasme et par des traits plus hardis. La prose a ses peintures, quoique plus modérées ; sans ces peintures, on ne peut échauffer l'imagination de l'auditeur, ni exciter ses passions. Un simple récit ne peut émouvoir; il faut non seulement instruire les auditeurs, des faits,

---

(1) Dissimulare etiam sperasti, perfide, tantum
Posse nefas, tacitusque meâ discedere terrâ...
I, sequere Italiam ventis, pete regna per undas...
..... Sequar atris ignibus absens,
Et cùm frigida mors animâ seduxerit artus,
Omnibus umbrâ locis adero...
At trepida et cœptis immànibus effera Dido
Sanguineam volvens aciem, maculisque trementes
Interfusa genas...
Dulces exuviæ dum fata Deusque sinebant,
Accipite hanc animam, meque his exsolvite curis :
Vixi ....
    Moriemur inultæ ?
Sed moriamur, ait : sic, sic juvat ire sub umbras...
Ter sese attollens, cubitoque innixa levavit :
Ter revoluta toro est; oculisque errantibus alto
Quæsivit cœlo lucem, ingemuitque repertâ.
        (*Æneid.*, lib. IV).

mais les leur rendre sensibles, et frapper leurs sens par une représentation parfaite de la manière touchante dont ils sont arrivés (1). »

4. — NOTE PERSONNELLE

Nous compléterons la série des moyens que nous venons de rappeler : examen des détails, narration littéraire, description oratoire, par un quatrième, très nécessaire et qui consiste à mettre en tout cela la *note personnelle*. Si faible que soit notre propre inspiration, laissons-la se traduire, notons et exprimons notre manière de voir et de sentir les choses communes. Je ne dis pas : ayons des opinions particulières, mais : donnons, sur le thème invariable de l'enseignement commun, nos sentiments et nos aperçus, à nous, et que nous voyons être conformes à cet enseignement. Plaçons nos observations parmi celles des maîtres, cela sans orgueil et sans fausse timidité.

On rapporte d'Alcuin, maître de Charlemagne, cette parole : Si vous avez parmi vos serviteurs un homme audacieux et qui ne doute pas de lui-même, corrigez-le de ce défaut, à moins cependant que vous destiniez ce serviteur à parler aux masses ; dans ce cas, en effet, ce défaut serait sa principale qualité. Prise avec un grain de sel, cette boutade est excellente. Arrière les esprits étroits qui, à force de supprimer le *moi*, que saint Paul ne trouve pas toujours haïs-

---

(1) Dialogue (second) sur l'Eloquence.

sable, empêchent les hommes d'agir en hommes, et voudraient les réduire au rôle automatique de vivants phonographes !

« Je pense qu'à la fin du monde, la Sainte Vierge sera bien tranquille, mais tant que le monde dure, on la tire de tous les côtés. »

De qui cette pensée ? Du Bienheureux curé d'Ars. Il disait encore :

« Oh ! que j'aime ces petites mortifications qui ne sont vues de personne, comme de se lever un petit moment, pour prier, la nuit !

« Je n'aime pas, quand on vient de la sainte table, qu'on se mette tout de suite à lire. Il faut écouter ce que le bon Dieu dit à notre cœur.

« Mes enfants, je pense souvent que le plus grand nombre des chrétiens qui se damnent, se damnent faute d'instruction (1) » — N'eût-ce pas été grand dommage que le saint curé nous eût privés de ces aveux touchants et bien personnels ?

Ainsi, tout en évitant le travers odieux et ridicule de nous donner nous-mêmes en spectacle ou comme modèle, ne craignons pas de produire nos pensées et de parler librement. Ceci nous rappelle un trait de la vie de saint Alphonse, alors qu'il rédigeait sa *Théologie morale*. Comme il se contentait, sans dire son opinion, de citer celle de ses auteurs préférés, un jésuite, de ses amis, lui fit cette sortie : Savez-vous Monseigneur, que la lecture de vos cahiers me paraît

---

(1) *Pensées choisies.*

fastidieuse ? Je les parcours exprès pour connaître votre pensée à vous ; et toujours c'est Laymann, Suarez, de Lugo, et jamais ce n'est Liguori. Le saint comprit : il fit violence à sa trop grande modestie. Dès lors, on eut son jugement personnel ; et qui pourrait s'en plaindre ? — Sachons donc penser et parler bien personnellement.

5. — DIVISION DU DISCOURS

Que faut-il penser de la *division* du discours ? Nous laissons la réponse à un auteur justement réputé : le P. Gisbert.

Après avoir nettement fait le départ entre la division artificielle, marquée ou sensible, et la division naturelle, indiquée par la matière seulement, l'auteur s'exprime en ces termes : « On peut quelquefois mettre en usage la division expresse ou sensible. Les plus grands maîtres de l'éloquence l'ont fait ; mais rarement : de cinquante-six harangues qui nous restent de Cicéron, il ne s'en trouve que huit où il l'ait employée. Démosthène ne s'en est presque jamais servi. Et on dirait, à lire les discours des plus éloquents Pères de l'Eglise, qu'elle leur a été tout à fait inconnue.

« Mais quand, cette espèce de division doit-elle être employée ? Lorsque le sujet la présente de lui-même, et que ce serait aller contre la nature des choses que de la rejeter.

« Il en est de la division en fait d'éloquence,

comme en matière de physique : elle ne fait pas les parties de l'objet qu'elle divise, elle les suppose. Ce n'est pas à votre esprit à la faire ; c'est à votre sujet à vous la fournir.

« Il est donc contre la nature de se faire une loi inviolable de partager constamment quelque sujet que ce soit en deux ou trois parties. C'est se connaître très mal en bonne éloquence : et je ne fais pas difficulté de dire qu'il n'est peut-être rien de si opposé au bon goût, que cette sorte de divisions toujours fixes et réglées.

« L'orateur s'étant lié et enchaîné lui-même dès l'entrée de son discours, quel essor peut-il se donner ? Il ne peut aller au delà des bornes qu'il s'est prescrites. Il faut qu'il traîne partout ces chaînes qu'il a forgées, et qu'il gémisse souvent sous le joug qu'il s'est imposé lui-même.

« Ces divisions ne détruisent-elles pas l'unité ? Il me serait aisé de le faire voir par l'analyse des sermons où on les voit étalées en tant de manières : car au lieu d'un discours, j'en trouverais deux, j'en trouverais trois. Chaque partie de la division fait son discours à part, chacune a son exorde, chacune sa proposition ; la division même n'y manque pas. La confirmation, la péroraison n'y sont pas oubliées.

« Mais à la faveur de ces divisions, comment le prédicateur traite-t-il son sujet ? Le montre-t-il par toutes ses faces ? l'épuise-t-il ? point du tout. Il l'étrangle, il l'estropie : je veux dire qu'il ne le traite qu'imparfaitement, qu'à demi, parce que ne pouvant réduire à deux ou trois points déterminés tout ce qu'il y a dans le sujet, il se voit contraint de l'abandonner ; et souvent ce qu'il abandonne est le meilleur.

« Mais la division n'est-elle pas une partie essentielle du discours ? La division expresse et sensible ? Non : la division insensible et cachée ? Oui. Celle-ci seulement est essentielle à l'éloquence, puisqu'elle n'est autre chose que la distribution du sujet en toutes ses parties, selon l'ordre naturel qu'elles ont entre elles, comme nous l'avons déjà dit. Les anciens orateurs n'ont jamais manqué de s'en servir dans leurs discours. Il est vrai que ceux qui ne sont pas accoutumés à cette espèce de division fine et délicate, ont de la peine à l'y reconnaître. Les discours de ces premiers maîtres de l'éloquence leur paraissent sans ordre et sans arrangement ; mais s'ils veulent les regarder de près et avec quelque attention, ils y découvriront un ordre merveilleux ; c'est-à-dire une suite naturelle de vérités et de raisons, que ces grands maîtres développent, passant de l'une à l'autre par des tours et par des liaisons presque insensibles.

« Quand l'esprit a une fois goûté cet ordre, si propre à cacher l'art, il a de la peine à s'accommoder de ces transitions vulgaires d'un point à l'autre, où *tout le feu que le prédicateur avait excité tombe et se ralentit* (1). »

---

(1) *Eloquence chrétienne*, chap. VI.

L'ordre naturel, que suit notre méthode, amenant presque nécessairement les divisions recommandées ici, nous n'insistons pas.

6. — ÉNONCÉ DE LA DIVISION

Un mot sur *l'ampleur qu'il convient de donner à l'énoncé de la proposition et de la division*.

Quoique secondaire, ce point ne manque nullement d'importance. La Bruyère a bien fait de ridiculiser les « énormes partitions », par lesquelles certains prédicateurs annoncent leur sujet ; nous ne prétendons point réhabiliter les divisions à trois, quatre et plus de membres, et nous estimons qu'il faut s'abstenir de cet abus. Mais, précisant ici ce que nous avons dit au sujet des exordes *interminables*, nous faisons observer à l'élève prédicateur que, pour vouloir éviter un abus, il ne faut pas se jeter dans un autre.

Saint Jean Chrysostôme a remarqué dans la sainte Ecriture que les écrivains sacrés répètent leurs enseignements dans la mesure où ils tiennent à les inculquer, et suivant leur plus ou moins grande importance. Le P. Rodriguez excelle à mettre à profit ce moyen de bien écrire ; il arrive ainsi à graver plus profondément dans les esprits les enseignements qu'il leur donne.

Annonçons donc notre sujet avec une juste ampleur, et répétons, en des termes différents, chaque partie de nos divisions, de telle manière que les auditeurs à qui un mot aurait échappé puissent nous ressaisir sur un autre.

L'exemple de Bossuet fera toucher du doigt la sagesse de cet avis. L'incomparable auteur énonce avec l'ampleur qu'on va voir la proposition et la division de son fameux panégyrique : *Depositum custodi*.

Il a dit que Dieu avait confié à saint Joseph trois dépôts : la virginité de Marie, la personne de Jésus-Christ et le secret de son incarnation. A ce triple dépôt, ajoute l'orateur, Joseph répondra par trois grandes vertus : la pureté, la fidélité, l'humilité.

Va-t-il se contenter de cet énoncé, déjà convenable ? Non. Laissons-lui la parole :

« Après avoir vu les dépôts, après avoir vu les vertus, considérons le rapport des uns et des autres, et faisons le partage de tout ce discours.

« Pour garder la virginité de Marie sous le voile du mariage, quelle vertu est nécessaire à Joseph ? Une pureté angélique, qui puisse en quelque sorte répondre à la pureté de son épouse. Pour conserver le Sauveur Jésus parmi tant de persécutions qui l'attaquent dès son enfance, quelle vertu demanderons-nous ? Une fidélité inviolable, qui ne puisse être ébranlée par aucuns périls. Enfin, pour garder le secret qui lui a été confié, quelle vertu emploiera-t-il, sinon cette humilité admirable, qui appréhende les yeux des hommes, qui ne veut pas se montrer au monde, mais qui aime à se cacher avec Jésus-Christ ? *Depositum custodi* : O Joseph ! gardez le dépôt ; gardez la virginité de Marie ; et pour la garder dans le mariage, joignez-y votre pureté. Gardez cette vie précieuse, de laquelle dépend le salut des hommes ; et employez à la conserver, parmi tant de difficultés, la fidélité de vos soins. Gardez le secret du Père éternel : il veut que son Fils soit caché au monde; servez-lui d'un voile sacré, et enveloppez-vous avec lui dans l'obscurité qui le couvre, par l'amour de la vie cachée. C'est ce que je me propose de vous expliquer, avec le secours de la grâce. »

Le lecteur aura été frappé comme nous de l'habile insistance que met Bossuet dans cet énoncé de division. Mais aussi, quelle lumière pour toute la suite ! — Sachons, dans un si riche exemple, puiser une utile et permanente leçon.

Nota. — Ceux de nos lecteurs qui voudraient apprendre à composer un exorde d'après les règles données plus haut, n'auraient qu'à essayer d'amener l'auditoire à cette proposition : il faut aimer l'Eglise telle qu'elle est, parce que Dieu l'a faite admirable en tous points. — Ils prendraient pour thème ou point de départ l'histoire de Balaam bénissant Israël (Num., XXIII). Une fois leur exorde ébauché (1), ils le compareraient avec celui de Bossuet dans son sermon sur l'Unité de l'Eglise. Nous donnons ce sujet d'exercice comme très apte à faire comprendre entièrement les leçons précédentes.

(1) Nous disons *ébauché* et non *rédigé*, parce que c'est peine perdue de vouloir polir des phrases avant d'avoir construit l'ensemble du morceau. Il faut commencer par rassembler les éléments de sa pièce, puis garder toute son habileté pour *composer l'ensemble*. Le reste ne se fera que mieux, quand tout le sermon sera ainsi ébauché en gros.

CHAPITRE IV

Nécessité et moyen de bien nourrir l'intelligence des auditeurs.

Sommaire : Doctrine qui convient à la chaire. — Science théologique. — Mot de l'abbé Combalot. — Sentiment de Bossuet. — Nécessité d'instruire et de se faire comprendre.

La deuxième condition pour prêcher éloquemment, c'est de faire à l'intelligence des auditeurs une part importante et qui égale ses besoins.

Première règle pour bien nourrir l'intelligence : Lui servir un enseignement surnaturel, solide et facile.

Cette règle a été la principale ligne de conduite du grand prédicateur et orateur Segneri. Lui-même le déclare au commencement de la préface de son immortel Carême : « Je me suis proposé, dit-il, de prouver dans chaque sermon une vérité chrétienne, pratique et poussée à fond. »

Inutile de dire pourquoi la deuxième partie du sermon doit s'adresser plus spécialement à l'intelligence. Puisque dans la première partie (l'exorde), on a présenté le sujet à l'imagination, et disposé l'auditoire à goûter ce sujet, il l'attend ; et ce ne serait pas habile de le lui faire attendre plus longtemps. Autre raison : si la partie instructive était reléguée vers la fin, elle courrait le risque de n'être pas comprise ; les esprits étant plus fatigués et moins appliqués à la fin du discours qu'au commencement. Enfin, la morale découle du dogme, elle doit donc suivre et non précéder son exposition.

Nous disons que le prédicateur qui veut être éloquent est obligé de bien nourrir l'intelligence de ses auditeurs. Certes il serait facile de convaincre d'impiété celui qui, au point de vue pastoral, douterait de la réalité, de la perpétuité du devoir d'instruire ; aussi n'est ce pas à ce point de vue que nous voulons établir la justesse de notre proposition. C'est au point de vue oratoire.

Au dire d'Aristote, un discours pourrait se passer d'exorde et de péroraison, mais non de doctrine et de démonstration. C'est pourquoi les maîtres, Segneri entre autres, regardent la partie instructive du discours comme la plus essentielle, celle qui doit commander tout le reste, y compris la péroraison. *Euntes ergo, docete*, a dit Notre-Seigneur. Et quoique l'on doive instruire, non pour instruire seulement, mais pour édifier, convertir, sanctifier, il n'en reste pas moins vrai que la partie enseignement et dogme, est la base de toute prédication éloquente.

« Aussi, est-ce dans la région sublime des *Mystères*, que l'on a vu planer les aigles de la chaire. C'est dans ces vastes réservoirs qu'ils ont puisé les eaux abondantes de l'éloquence sacrée ; c'est en entrant, comme le grand-prêtre, dans le Saint des Saints, qu'ils en rapportaient des oracles. Bossuet n'est jamais plus admirable, même comme orateur, que quand il s'enfonce dans les profondeurs dogmatiques..... C'est donc pour avoir abandonné la partie doctrinale et mystérieuse, et s'être trop attachés à la partie morale et humaine, que quelques prédicateurs modernes n'ont pas moins trahi leurs propres intérêts que ceux de leurs auditeurs. Ils ont payé une espèce de tribut au genre de leur siècle, en substituant aux magnificences de la révélation les *pompons* de leur rhétorique : par là, ils ont manqué le vrai but de l'instruction chrétienne, celui d'enrichir la morale par le dogme et le dogme par la morale ; et, se privant ainsi de la force de leurs sujets, ils ont perdu ou affaibli celle de leurs talents (1). »

Etudions donc avec attention la règle donnée en tête du présent chapitre, à savoir que pour nourrir convenablement, oratoirement, l'esprit des auditeurs, nous sommes tenus de leur servir un enseignement surnaturel d'abord, ensuite solide, et enfin facile.

Pour bien nourrir un corps, n'est-il pas nécessaire de lui faire absorber des aliments sains, substantiels, et faciles à digérer ? Comment donc un esprit chrétien serait-il bien nourri si nous manquions de lui servir une doctrine surnaturelle ou chrétienne, une doctrine solide et bien appuyée, une doctrine facile et exempte de subtilités ?

Voyons, l'une après l'autre, ces fondamentales qualités de l'enseignement chrétien, voyons-les, dis-je, en tant que matière obligatoire à l'éloquence de la chaire.

---

(1) Vétu, *Vrais principes de la prédication* (tome I., c. v).

De prime abord, un rhéteur croira pouvoir, sur n'importe quel sujet, fût-ce une vérité toute païenne, atteindre à la vraie éloquence de la *chaire*. Il se fiera peut-être à ses conceptions frappantes, à ses raisonnements philosophiques, à la vivacité de ses passions et à la science de persuasion que lui donne la morale ? Il en sera pour sa présomption.

Jamais homme, surpassât-il en éloquence Bossuet ou Cicéron, ne fera un *sermon* éloquent, s'il ne travaille pas sur une doctrine théologique, sur un enseignement révélé, surnaturel, divin. Non que cet homme ne puisse faire un beau *discours*, mais parce que le plus humble sermon, le dernier prône du dernier vicaire ou curé, doit être meilleure chose, et plus haute, et plus grande, qu'un beau discours, mais parce que l'éloquence humaine ne peut s'élever à la hauteur du sermon que portée sur les ailes de la doctrine évangélique.

Voulons-nous une règle qui nous serve de pierre de touche pour distinguer un bon sermon d'un mauvais? Voici cette règle, telle que nous la donne un auteur de rhétorique sacrée : « Après avoir lu ou entendu un discours, êtes-vous devenu meilleur ? le discours est bon. Au contraire, vous a-t-il laissé tel ? le discours est mauvais. Oui, mauvais ; oui, malgré la pureté de son langage, en dépit de ses splendeurs extérieures, ce discours est mauvais. La raison en est claire : une chose est mauvaise, quoique excellente sous certains rapports, toutes les fois qu'elle s'écarte de sa fin essentielle ; donc un sermon est mauvais, s'il est impropre à guérir les âmes, à rectifier les mœurs, ce qui est l'unique fin, ce qui constitue la substance de l'éloquence chrétienne (1). »

Saint François de Sales définit la prédication : « Déclaration de la volonté de Dieu faite aux hommes par celui qui est légitimement envoyé, afin de les instruire et de les émouvoir à servir sa divine majesté en ce monde, pour être sauvés dans l'autre (2). » Or, chaque mot de cette définition suppose un enseignement surnaturel, et l'exercice de la foi.

Si nous faisons abstraction du surnaturel révélé, des enseignements de l'Eglise, où puiserons-nous une sûre connaissance des volontés de Dieu, de ses commandements, de ses desseins, de ses désirs ? Et pour un homme purement naturel, rationaliste, païen, que veut dire cette *légitime mission* de prêcher ? De même, ces deux axes ou règles de tout sermon : *instruire les hommes à servir Dieu, les émouvoir à servir sa divine majesté*, comment les réaliser par des discours seulement humains ? Enfin, sans le surnaturel et sans l'esprit de foi vive, quel moyen d'amener nos semblables à cette fin sublime, unique, d'où le sermon tire son incomparable utilité : le salut éternel, la béatifique vision de Dieu ?

Qui a donné au monde ce prodige d'éloquence que saint Chrysostôme émerveillé appelait le grand Paul ? La foi ardente en Jésus-Christ, la foi convaincue en l'efficacité de la parole de Dieu, cette foi qui le

---

(1) Audisio, *Leçons d'éloquence sacrée*, tome I, p. 69
(2) Lettre à Mgr Frémiot.

faisait prêcher *non in persuasibilibus humanæ sapientiæ verbis, ut non evacuetur virtus Christi.* Ah! cette vertu du Christ, voilà bien la grande force de la prédication! Et l'on penserait à prêcher éloquemment sans parler surnaturellement!

Ceci nous rappelle un mot édifiant du célèbre abbé Combalot. « Je médite longuement, puis je prie beaucoup, disait-il un jour à un jeune prêtre qui lui demandait le secret de sa méthode, et, quand j'ai beaucoup prié, je me mets résolument en face de mes auditeurs, et je leur jette mon âme tout entière (1). »

Je ne saurais négliger ici l'opinion de Bossuet. La voici toute, dans un passage de son oraison funèbre du P. Bourgoing.

« La grande part qu'il a eue à fonder une institution si véritablement ecclésiastique (l'Oratoire), vous doit faire voir, chrétiens, combien ce grand homme était animé de l'esprit de l'Eglise et du sacerdoce. Mais venons aux exercices particuliers.

« Les ministres de Jésus-Christ ont deux principales fonctions : ils doivent parler à Dieu, ils doivent parler aux peuples; parler à Dieu par l'oraison, parler aux peuples par la prédication de l'Evangile.

« Voulez-vous voir, chrétiens, quel était l'esprit d'oraison de ce fidèle serviteur de Dieu? Lisez ses méditations, toutes pleines de lumières et de grâces, etc.

« Je ne m'étonne donc plus s'il prêchait si saintement au peuple fidèle le mystère de Jésus-Christ qu'il avait si bien médité. O Dieu vivant et éternel! quel zèle!

---

(1) *Vie*, par Mgr Ricard.

quelle onction! quelle douceur! quelle force! quelle simplicité! et quelle éloquence! O qu'il était éloigné de ces *prédicateurs infidèles*, qui ravilissent leur dignité jusqu'à faire servir au désir de plaire le ministère d'instruire ; qui ne rougissent pas d'acheter des acclamations par des instructions; des paroles de flatterie par la parole de vérité ; des louanges, vains aliments d'un esprit léger, par la nourriture solide et substantielle que Dieu a préparée à ses enfants! Quel désordre! quelle indignité! Est-ce ainsi qu'on fait parler Jésus-Christ?

« Savez-vous, ô prédicateurs, que ce divin conquérant veut régner sur les cœurs par votre parole? Mais ces cœurs seront retranchés contre lui ; et pour les abattre à ses pieds, pour les forcer invinciblement au milieu de leurs défenses, que ne faut-il pas entreprendre? Quels obstacles ne faut-il pas surmonter? Ecoutez l'apotre saint Paul : « Il faut renverser les remparts des mauvaises habitudes, il faut détruire les conseils profonds d'une malice invétérée, il faut abattre toutes les hauteurs qu'un orgueil indompté et opiniâtre élève contre la science de Dieu, il faut captiver tout entendement sous l'obéissance à la foi. » (II Cor., x.)

« Que ferez-vous ici, faibles discoureurs? Détruirez-vous ces remparts en jetant des fleurs ? Dissiperez-vous ces conseils cachés, en chatouillant les oreilles? Croyez-vous que ces superbes hauteurs tombent au bruit de vos périodes mesurées? Et pour captiver les esprits, est-ce assez de les charmer un moment par la surprise d'un plaisir qui passe? Non, non, ne nous trompons pas : pour renverser tant de remparts et vaincre tant de résistance ; et nos mouvements affectés, et nos paroles arrangées, et nos figures artificielles, sont des machines trop faibles.

« Il faut prendre des armes plus puissantes, plus efficaces, celles qu'employait le saint prêtre dont nous parlons : la parole de l'Evangile sortait de sa bouche, vive, pénétrante, animée, toute pleine d'esprit et de feu. »

Ainsi devait parler le maître que nous venons de lire. Or, je veux appliquer sa propre doctrine à ce grand homme, et je vous ferai une question.

Est-ce que, à tout instant, l'Aigle de Meaux ne se casserait pas les deux ailes, s'il n'était soutenu dans son vol magnifique par cette foi, ardente et ferme à confesser le Christ, que nos universitaires ne se lassent plus d'admirer? Otez-lui cette foi, ce choix des doctrines révélées, qui confondent l'orgueil de notre raison ; qu'il prêche en philosophe qui n'ose rien affirmer sur la seule parole du maître, qu'il ait la sottise de montrer qu'il croit par pure science, et je vous défie de retrouver en cet orateur effondré, le digne élève de saint Paul.

Demandons à Notre-Seigneur pour quelle fin il a institué les apôtres, les prédicateurs, il répondra par les mots mêmes de cette institution : *Euntes ergo, docete eos servare quæcumque mandavi.* Interrogeons les auditeurs, même incroyants : nous venons au sermon pour entendre la parole de Dieu et nulle autre ! Je ne sais plus quel académicien écrivait qu'un jour, las d'entendre des prédicateurs qui ne disaient rien, il s'était transporté dans une église de campagne et que, là, il avait échappé aux phrases et trouvé la parole cherchée. Consultons enfin le bon sens. Il nous montrera, clair comme le jour, qu'un sermon non surnaturel est un contresens, puisque le prédicateur y prétend, par des moyens naturels, amener l'auditeur à des vertus plus hautes que la nature.

Vous qui voulez prêcher éloquemment, prêchez donc la parole de Dieu, bon teint. Rien, sinon cette parole, n'a la puissance de convertir les pécheurs, de persuader les incrédules, de consoler les affligés, d'affermir les hésitants, de retenir les déserteurs, et de sanctifier les fidèles ; parce que, seule, cette parole a le souffle de la vie éternelle.

Du reste,

« N'imitez pas ces prédicateurs qui n'osent approcher de l'exposé profond de nos mystères, qui prennent le parti de laisser à l'écart ces abîmes sacrés, aimant mieux s'attacher à quelque point de morale, souvent amené de loin. S'ils se flattent de satisfaire à leur devoir, et à l'attente du public, ils se trompent. Vous devez au peuple l'exposition de nos mystères : non pas une exposition qui sente la gêne, le froid et la sécheresse de l'école ; mais la liberté, le feu et l'embonpoint, si j'ose ainsi parler, de la chaire. Sachez distinguer en bon théologien, ce qui est de la foi, de ce qui n'en est pas ; gardez-vous bien de mêler et de confondre le sûr et l'infaillible avec l'incertain et le douteux. Il ne faut au peuple que ce que la foi nous apprend. Mais de ce que la Révélation nous découvre, étudions-nous à déduire toutes les conséquences qui vont ou à régler les mœurs ou à faire connaître les devoirs essentiels de la religion. Le P. Bourdaloue est un des grands modèles en ce point, dans ses inimitables sermons sur les mystères [1]. »

---

[1] Gisbert, *Eloquence chrétienne*, p. 156.

Double écueil à éviter : Croire instruits les auditeurs, ou s'imaginer les instruire, sans posséder soi-même une bonne dose de lumière sur le sujet que l'on expose.

« Il ne faut pas, écrit La Bruyère, supposer, ce qui est faux, que le grand et beau monde sait sa religion ou ses devoirs, il ne faut point appréhender de faire ou à ces bonnes têtes, ou à ces esprits si raffinés, des catéchismes. »

Quant à nous, sommes-nous suffisamment théologiens ? Plus la science athée s'étend comme la nuit sur nos pauvres populations, et plus nous sommes tenus par notre charge de pasteurs, de posséder, pour dissiper ces ténèbres, les profondeurs et la pureté de la science divine. Comparons la doctrine des Louis de Grenade, des Bourdaloue, des Lejeune et des Monsabré, à nos petites instructions littéraires. Nous verrons peut-être une des raisons pour lesquelles l'ignorance religieuse — vrai déluge d'enfer — fait de si tristes progrès. Entendons là-dessus notre Saint-Père Pie X.

« Quiconque est zélé pour la gloire divine, cherche les causes de cette crise que subit la religion. Chacun apporte la sienne et chacun aussi, à son gré, emploie son moyen pour défendre et restaurer le règne de Dieu sur cette terre. Pour nous, sans nier les autres causes, nous nous rallions de préférence au sentiment de ceux qui voient dans l'ignorance des choses divines la cause de l'affaiblissement actuel et de la débilité des âmes, et des maux si graves qui s'ensuivent. Cela s'accorde pleinement avec ce que Dieu lui-même a dit par le prophète Osée : « Et la science de Dieu n'est plus sur la terre. Le blasphème, le mensonge, l'homicide, le vol, l'adultère ont débordé, et le sang a touché le sang. C'est pourquoi la terre pleurera et tout homme qui l'habite sera débilité. » D'où nous inférons à bon droit, que le devoir de répandre les vérités du catéchisme ou n'est rempli qu'avec trop de négligence, ou est omis tout à fait (1). »

On voit l'erreur de ces prêtres qui, pour avoir fait de leur mieux le petit catéchisme aux enfants et même le catéchisme de persévérance, pensent avoir suffisamment catéchisé leurs ouailles.

Nous aurons donc la noble ambition d'éclairer, d'instruire l'auditeur, non pas en lui prêchant nos idées ou des doctrines encore en élaboration et par suite indignes de la chaire, mais en donnant aux saines et fortes doctrines du Catéchisme Romain un lustre, une clarté digne de toute la pénétration dont nous serons capables.

Il est temps de toucher la dernière qualité que doit avoir l'enseignement de la chaire. C'est qu'il soit facile et à la portée de tous les auditeurs.

Notre enseignement sera tel, si nous ne prêchons que la doctrine conseillée par le saint Concile de Trente, et si, pour exposer cette doctrine, nous parlons, comme dit Cicéron, « *quum explanatius, tum etiam uberius, et ad commune judicium popularemque intelligentiam accommodatius.* » (*Orator*, XVII.) Plutôt que de rester incompris des illettrés,

---

(1) *Lettre encyclique* aux évêques de tout l'univers sur l'enseignement de la doctrine chrétienne. 15 avril 1905.

saint Augustin aurait manqué à la grammaire. Il veut que le prédicateur lise dans les yeux de ses auditeurs, et qu'il varie ses explications jusqu'à ce qu'il voie que ceux-ci l'ont compris. Notre-Seigneur Jésus-Christ ne s'est pas vanté de plaire aux académiciens, mais oui bien d'avoir instruit les pauvres.

Bornez donc votre enseignement, prenez peu et développez à point. N'employez que des mots français, qui soient dans l'usage commun et qui expriment exactement votre pensée ; et, s'il le faut pour être entendu par les plus humbles, ne croyez pas blesser la dignité de la chaire en disant *cheval* plutôt que *coursier*. Cet exemple est de S. Alphonse de Liguori.

Un ancien adresse aux écrivains alambiqués cette apostrophe mordante :

> *Quid juvat obscuris involvere scripta latebris ?*
> *Ne pateant animi sensa ?... Tacere potes* (1).

Nous pourrions mieux encore appliquer cette remarque aux prédicateurs plus ou moins judicieux qui vont en chaire pour traiter de l'être, du beau, de l'idéal et d'autres *transcendantaux*. Si ces grands esprits prêchent pour n'être pas compris, ils feraient bien mieux de se taire. Au moins, ils n'empêcheraient pas les prédicateurs simples, populaires, pratiques, d'arriver aux grandes chaires et d'y annoncer les vérités du salut. — *Parvuli petierunt panem et non erat qui frangeret eis.*

---

(1) *Scævola Sammarth.*

CHAPITRE V

Moyens pour instruire oratoirement.

Sommaire : Style oratoire. — Amplification. — Comparaisons. — Moyens pour développer un sujet.

« Afin que les hommes du peuple et qui ont besoin d'être instruits se portent à faire ce que l'on veut, il faut les ébranler et les remuer non seulement par des preuves et des raisons convaincantes, mais plus particulièrement par les fortes et vives impressions d'un discours vraiment éloquent, c'est-à-dire qui n'ait rien du style court et serré de la dialectique, mais qui abonde en figures et en expressions véhémentes, agréables, et propres à persuader. »

Cet avis, de Louis de Grenade (1), semble déplacé dans un chapitre où nous devons parler non des moyens de toucher mais des moyens oratoires propres à faire pénétrer la vérité. Cependant, comme il fait voir clairement la grande différence qui existe entre le style du pur philosophe et celui de l'orateur, nous croyons cet avis utile à notre dessein.

Rajeunissant la doctrine d'Aristote sur l'Eloquence, le même auteur dit encore : « Il semble que le partage de la dialectique, en fait de discours, soit, pour ainsi dire, de former et d'affermir seulement les os et

---

(1) *Rhétorique ecclésiastique*, l. II, c. 2.

les nerfs du corps, et de les ranger chacun à leur place et celui de la rhétorique, de les revêtir comme de peau, de chair et de sang, et de lui donner de la chaleur, de l'ornement et de la beauté par l'éclat et l'abondance de ses paroles et de ses expressions. »

A côté de ce dernier genre de style, nous placerons un certain genre de pensées non moins indispensable à l'exposition oratoire d'une doctrine. La nature et la variété des aperçus est même plus utile pour bien enseigner le peuple que l'ampleur et l'éloquence des mots. De là cette règle que nous allons expliquer.

Deuxième règle pour bien nourrir l'intelligence : Exposer largement la vérité, employer des preuves irréfutables, sensibles, bien ordonnées, en un style clair et figuré.

Nous croyons superflu d'avertir le lecteur de l'importance particulière du présent chapitre. Ceux qui l'auront bien médité seront largement récompensés de leur peine par la facilité qui leur en reviendra pour toutes sortes de démonstrations oratoires.

Est-il question d'apprendre le catéchisme aux enfants ? Un excellent procédé consiste : 1° à leur expliquer une réponse de ce catéchisme, 2° à poser la question qui doit amener cette réponse, 3° à donner une bonne note à l'enfant qui aura le mieux reproduit l'explication du catéchiste. Mais on ne saurait employer cette méthode du haut de la chaire pour instruire *oratorio modo* une foule composée d'hommes, de femmes, d'ignorants et de gens éclairés. Sous peine, cependant, de ne pas instruire ses ouailles, il faut en arriver pour le peuple au même point que pour les enfants, il faut expliquer le catéchisme, il faut catéchiser, c'est-à-dire : enseigner, expliquer, répéter les principales réponses du catéchisme, les éléments de la théologie, les notions rudimentaires du dogme et de la morale catholiques, le tout d'une manière agréable, lumineuse et convaincante. Voilà pourquoi il importe, il est indispensable à l'orateur sacré de savoir exposer ainsi une proposition, une doctrine, un enseignement.

Comment, par exemple, présenteriez-vous dans le *prône* un chapitre des excellents cours d'instruction chrétienne de Marotte ou de Devine? Comment même une question *pratique* de saint Thomas?

Suivant notre deuxième règle, il faut pour cela : 1° Exposer largement la vérité, par de bonnes *définitions* et par d'utiles *explications ;* 2° employer des *preuves* irréfutables s'il s'agit de convaincre, sensibles s'il ne faut qu'inculquer la doctrine, en tout cas *bien ordonnées*, la première préparant la suivante et la plus difficile ne venant qu'après la plus facile ; 3° adopter un style clair, des *mots usuels*, figurés, des *explications imagées* et vives, en un mot un style populaire intelligible aux bonnes femmes comme aux lettrés.

L'enseignement donné par un orateur a ceci de particulier et de supérieur que les définitions sont rendues sensibles par des comparaisons frappantes, que les arguments portent coup à force de solidité et de bon sens, que la doctrine s'élève graduellement d'une proposition à l'autre et par assises comme les murs d'une maison, que les expressions tirent leur lumière de la forme imagée qu'elles revêtent, et enfin que sans efforts tout le monde suit, comprend, accepte cet enseignement. Loin d'imiter ces prédicateurs qui ne peuvent traiter un point de doctrine sans toucher aux quatre parties de la théologie : dogme, morale, sacrements, prière, l'orateur se borne à la page de catéchisme qu'il veut enseigner, il s'ingénie à trouver des comparaisons qui font comprendre ses définitions et des applications à la vie réelle où chacun voit à quoi tend son enseignement. C'est là ce que nous devons acquérir à tout prix, si nous voulons savoir prêcher. C'est là aussi ce qu'il importe le plus d'apprendre dans cette partie de l'Art oratoire que les rhéteurs appellent fort justement : l'amplification des choses et des mots. Faute de bien entendre cette matière, plusieurs se contentent d'amplifier les choses par les mots et deviennent de vils rhéteurs, au langage facile, abondant, sonore, brillant, mais creux. Mieux vaudrait chercher l'ampleur du style dans la seule profondeur et richesse de la pensée.

1. — L'AMPLIFICATION

Le mot *amplification* exprime assez bien en quoi cet art consiste. C'est un développement, un dédoublement, une explication abondante, une ample et large exposition des choses que l'on veut inculquer ou démontrer.

Je ne sais si vous avez lu ce petit chef-d'œuvre d'observation que nous a donné le jésuite Babaz sous le titre : *Une feuille de fraisier ?* Si oui, vous n'aurez aucune peine à comprendre combien il est nécessaire de grossir, par l'exposé de ses moindres détails, l'objet que l'on veut montrer à fond. Autant que je m'en puis souvenir, le bon P. Babaz, ayant étudié au microscope sa feuille de fraisier, y a découvert tout un monde : des monts, des vallées, des rivières, des arbres, des troupeaux, que sais-je encore ! Et quand on réfléchit, on convient que ce grossissement d'une feuille, de ses poils, de ses arêtes, des gouttelettes d'eau ou de rosée qui s'y essuient, comme aussi des infiniment petits qui y luttent pour la vie, est le seul moyen de nous montrer un peu sa nature, ses richesses et son admirable beauté. Etude et manifestation digne d'un artiste, bien capable donc de nous faire comprendre et apprécier l'art de l'amplification oratoire.

Veut-on s'exercer à cet art nécessaire ? Qu'on se garde de dire les choses à moitié, qu'on évite le style concis, que, loin de ménager les détails on les prodigue, surtout que l'on étudie chaque idée principale avec une minutieuse attention et qu'on la fasse voir sous toutes ses faces, avec toutes les circonstances qui peuvent l'éclairer, la colorer, la rendre impressionnante, la faire sentir ou toucher du doigt, et en imprimer le souvenir au fond des esprits. Bien plus, que l'on touche ces détails multiples et révélateurs d'un pinceau ferme, avec des vigueurs qui accusent le trait, en des tons de couleur qui frappent le regard.

Vous voulez décrire les splendeurs d'un château ? Ne vous bornez pas à cette phrase banale : C'est un château princier, royal, qui contient les plus belles choses du monde. Cette phrase n'explique rien, ne développe rien, n'ouvre pas les portes de ce château, moins encore les coffres où sont enfermés ses trésors. Mon esprit ne se fait pas une idée juste de ce que vous voulez lui apprendre. Prenez donc la peine d'*amplifier* : l'essentiel du langage oratoire est tout là. Montrez-moi les avenues larges et plantées d'arbres qui conduisent à ce château, les hautes murailles, les tours, les ponts-levis qui le protègent, parlez de son grand escalier de marbre où les luminaires portés par des statues de bronze doré jettent, le soir, un féerique éclat et au pied duquel se tiennent constamment des laquais en livrée prêts à conduire les visiteurs. Que je voie partout des tentures luxueuses, des meubles d'art, des glaces, des portraits, des vases précieux. Pour peu qu'au sortir de cette demeure j'aie à parcourir les allées bordées de massifs et de fleurs d'un parc somptueusement planté, coupé de bassins et d'étangs, animé par mille volatiles recherchés, je commencerai à comprendre qu'il s'agit d'un château princier et de la demeure d'un roi. Tel est en effet le rôle et le résultat d'une bonne amplification littéraire.

Appliquons maintenant cet art de choses et de mots à l'instruction ou à l'enseignement et revenons au sujet du présent chapitre.

Une définition vous semble-t-elle complète ? Expliquez-en chaque terme un peu obscur, donnez-lui une forme concrète au moyen d'une comparaison. Est-elle incomplète ? Fortifiez-la, en lui en adjoignant une ou deux autres.

De même, si vous racontez un fait, dites où, quand, devant qui, comment, dans quel but il a été accompli : vous *amplifierez* votre récit. Voyez comment saint Bernard expose le texte *Angelis suis Deus mandavit de te*.

« Angelis suis mandavit de te. Mira dignatio, et vere magna dilectio caritatis ! Quis enim, quibus, de quo, quid, mandavit ? Studiosè consideremus, fratres, diligenter commendemus memoriæ hoc tam grande mandatum. Quis enim mandavit ? Cujus sunt angeli ? Cujus mandatis obtemperant ? Cujus obediunt voluntati ? Nempe angelis suis mandavit de te, ut custodiant te in omnibus viis tuis. Nec cunctantur, quin etiam in manibus tollant te. Summa ergo majestas mandavit angelis, et angelis suis mandavit. Illis utique sublimibus, tam beatis, quam proximis sibi cohærentibus, et vere domesticis mandavit de te. Tu quis es ? Quid est homo, quod memor es ejus ? aut filius hominis, quoniam reputas eum ? quasi vero non sit homo putredo, et filius hominis vermis. Sed quid, putas, mandavit de te ? Ut custodiant te ; etc. » (Brev. 2 oct.)

Voilà du style oratoire, et voilà de la vraie amplification. Ne vous contentez pas de le reconnaître, apprenez à imiter cette manière de parler, d'exposer et d'expliquer vos pensées.

Par exemple, c'est la noirceur du péché de Judas que vous devez faire comprendre et sentir ? Peignez bien les égards de Jésus envers ce malheureux, comment il lui confiait la bourse commune, les achats du collège apostolique et aussi le ministère des âmes, avec quelle humilité il lui lava les pieds, de quel air triste il l'avertit de son crime, etc. Opposez à ces détails si touchants les calculs étroits, égoïstes, homicides du traître, son dernier sacrilège, la misérable somme pour laquelle il vendit son Maître et l'affreux baiser qui le désigna aux valets du grand prêtre. Vous verrez que l'on vous comprendra, et que vous aurez enseigné en la forme oratoire.

L'utilité de savoir amplifier nous a poussé hors du cadre du présent chapitre. Il aurait fallu ne parler d'amplification que pour l'intelligence et nous contenter de dire comment, par l'heureux secret de cet art, un orateur sait faire comprendre, voir, saisir nettement la doctrine qu'il expose. Revenons donc à ce point.

2. — LES COMPARAISONS

L'intelligence de l'homme travaillant d'abord sur des impressions ou images sensibles, il serait malheureux de penser l'éclairer pleinement par le seul raisonnement et sans le secours de comparaisons sensibles. *Nihil est in intellectu, nisi prius fuerit in sensu.* Si votre exorde est riche, vous y trouverez plus d'un trait capable de rendre sensible la vérité. Sinon, empruntez ailleurs vos similitudes, mais ayez soin de vous en fournir. Loin de croire inutile cette précaution, regardez-la comme capitale en l'art de bien prêcher : la prédication courante s'adresse aux masses et, plus que la classe lettrée, les masses ont besoin de voir, de toucher et de sentir la vérité. Faute de ce *sentiment des choses*, en effet, le peuple les entend mal ou ne les entend qu'à moitié.

Saint François de Sales, maître en l'art de l'amplification par les comparaisons, s'exprime là-dessus en les termes suivants :

« Il reste un mot à dire des similitudes : elles ont une efficace incroyable à bien éclairer l'entendement et à émouvoir la volonté.

I. *D'où l'on tire les similitudes.* — On les tire des *actions humaines*, passant de l'une à l'autre ; comme, de ce que font les bergers, ce que doivent faire les évêques et les pasteurs ; comme fit Notre-Seigneur en la parabole de la brebis perdue : *des histoires naturelles*, des herbes, plantes, des animaux, de la philosophie, et enfin de tout. Même les comparaisons tirées des choses triviales, peuvent servir excellemment, à la condition d'être habilement présentées : comme fit Notre-Seigneur en la parabole de la semence. Celles que l'on tire des histoires naturelles, si l'histoire est belle, et belle aussi l'application, c'est un double lustre ; comme celle de l'Ecriture, de la rénovation ou rajeunissement de l'aigle, pour notre pénitence.

II. *Moyen de trouver les similitudes.* — Or il y a, en ceci, un secret qui est extrêmement profitable au prédicateur : c'est de faire des similitudes tirées de l'Ecriture, *de certains lieux* où *peu de gens le savent remarquer*, et ceci se fait par la méditation des paroles. Exemple : David parlant du mondain dit : « Leur souvenir disparaît avec le bruit qu'ils ont fait. » Je tire deux similitudes des choses qui se perdent avec le son. Quand on casse un verre, il périt en sonnant : ainsi les mauvais, on parle un peu d'eux à la mort, mais comme le verre cassé demeure du tout inutile, ainsi ces misérables, sans espoir de salut, demeurent à jamais perdus. L'autre : quand un riche meurt, on sonne toutes les cloches, on lui fait de grandes funérailles, mais, passé le son des cloches, qui le bénit? Qui parle de lui? Personne. — Saint Paul parlant de celui qui, sans posséder l'amitié de Dieu, fait néanmoins quelques bonnes œuvres, dit qu'il « est semblable à une cloche qui sonne ou à une cymbale qui retentit. » On tire une similitude de la cloche, qui appelle les autres à l'église et n'y entre point ; car ainsi un homme qui fait des œuvres sans charité, il édifie les autres et les incite au paradis, et il n'y va point lui-même.

« Or, pour rencontrer ces similitudes, il faut considérer les mots et voir s'ils sont métaphoriques ; car tout aussitôt qu'ils le sont, il y a une similitude, à qui les sait bien découvrir. Par exemple : « J'ai couru dans la voie de vos commandements, lorsque vous avez dilaté mon cœur. » Il faut considérer ce mot *dilatasti*, et celui de *cucurri* ; car il se prend par métaphore. Or maintenant, il faut voir les choses qui vont plus vite par dilatation ; et vous en trouverez quelques-unes, comme les navires quand le vent étend leurs voiles. Les navires donc qui chôment au port, sitôt que le vent propice les saisit aux voiles, et qu'il les emplit et fait enfler, ils cinglent. Ainsi, lorsque le vent favorable du Saint-Esprit entre dans notre cœur, notre âme court et cingle dans la mer des commandements.

« Et certes, qui observera ceci fera fructueusement

beaucoup de belles similitudes, esquelles il faut observer la décence et ne rien dire de vil, abject et sale (1). »

Le saint curé d'Ars excellait dans ce fécond usage des comparaisons. Aussi fait-il la lumière sur tout ce qu'il touche. Citons quelques-unes des similitudes qui émaillent ses instructions :

« Avec une personne instruite, il y a toujours de la ressource. Au lieu qu'une personne qui n'est pas instruite de sa religion est comme un malade à l'agonie, qui n'a plus sa connaissance.

« La terre entière ne peut pas plus contenter une âme immortelle qu'une pincée de farine, dans la bouche d'un affamé, ne peut le rassasier.

« Ceux qui n'ont pas la foi ont l'âme bien plus aveugle que ceux qui n'ont pas d'yeux... Nous sommes dans ce monde comme dans un brouillard ; mais la foi est le vent qui dissipe ce brouillard et qui fait luire sur notre âme un beau soleil.

« Voyez, mes enfants, le bon chrétien parcourt le chemin de ce monde monté sur un beau char de triomphe ; ce char est traîné par les anges, et c'est Notre-Seigneur lui-même qui le conduit. Tandis que le pauvre pécheur est attelé au char de la vie, et le démon est sur le siège, qui le force d'avancer à grands coups de fouet.

« Une âme pure est auprès de Dieu comme un enfant auprès de sa mère : il la caresse, l'embrasse,

(1) Lettre à Mgr Frémiot.

et sa mère lui rend ses caresses et ses embrassements.

« Il faut fermer notre cœur à l'orgueil, à la sensualité, et à toutes les autres passions... comme quand on ferme les portes et les fenêtres pour que personne ne puisse entrer (1). »

3. — MOYENS POUR DÉVELOPPER UN SUJET

Vous conviendrez qu'une manière de parler aussi pittoresque, sensible et imagée est en même temps *éclairante* et propre à enseigner éloquemment. La rhétorique nous donne deux règles principales pour amplifier : 1° détailler, expliquer, définir, prouver, commenter ce que l'on veut dire ; 2° employer pour cela des mots figurés, forts, appropriés à ce que l'on dit : synonymes exacts, épithètes justes, métaphores transparentes, hyperboles mesurées, citations heureuses, etc.

Le cardinal Maury veut-il peindre les avantages de la religion ; il pose la question : Qu'est-ce que la religion ? et il répond par une définition où sont réunis en quelques lignes la plupart des effets de cette « philosophie sublime... le plus puissant mobile pour le bien... supplément de la conscience... le plus beau de tous les codes de morale », etc.

Massillon développe à la perfection les pensées qu'il veut rendre saisissantes. Ici sa plume emploie

---

(1) *Pensées choisies.*

l'énumération des parties, là, des figures et des images frappantes, plus loin elle peint les effets heureux ou terribles des vérités qu'il prêche, et, soit en usant de comparaisons, soit en faisant de hardies suppositions, il présente son sujet sous tant d'aspects que le moins clairvoyant des auditeurs est forcément frappé par l'un ou l'autre d'entre eux (1).

Ne croyez point que l'on arrive sans effort à un tel degré d'éloquence, mais ne désespérez pas davantage d'y parvenir, si vous prenez la peine de mettre à exécution les conseils des maîtres.

L'essentiel est que vous-même, devant exposer une vérité, vous ayez la sagesse de vous demander par quel moyen vous rendrez cette vérité plus intelligible, ou plus tangible, à vos moindres auditeurs ; comment vous la ferez entrer plus facilement dans leur esprit. L'ingéniosité dont vous disposez, jointe à la connaissance que vous avez de l'auditoire vous mettront sur la voie d'une amplification d'autant meilleure qu'elle sera plus vôtre, et par conséquent plus propre à exprimer toute votre pensée. Cette application vous fournira *vos* comparaisons, *votre* style, *votre* nuance dans le choix des doctrines. Elle jettera dans vos discours la note originale et personnelle qui est le cachet du prédicateur, et que l'auditoire apprécie justement comme un des meilleurs moyens de lui plaire.

(1) Voir notamment le passage où cet orateur démontre que l'homme — seul être inquiet et mécontent sur la terre — est visiblement destiné à une vie future. (Sermon sur l'*immortalité de l'âme.*)

Au reste, ne vous perdez pas dans les régles d'amplification verbale, dans la pompe du langage, dans le tapage des mots ou dans le frôlement des phrases à la mode. Ces raffinements, souvent, sont des petitesses, et toute petitesse est indigne de la chaire.

Restez préoccupé de suivre les grandes lignes, mettez toute votre industrie à présenter votre sujet ici, à l'imagination, là, à l'intelligence, plus loin, au cœur et à la volonté. Cette constante et fondamentale préoccupation caractérise notre méthode. Elle suppléera plus d'une fois aux notions littéraires qui vous manqueraient, toujours elle vous préservera du danger de vous encombrer dans celles que vous possédez.

CHAPITRE VI

Avis complémentaires sur le sujet précédent.

Sommaire : Nouvel aperçu touchant la méthode. — Demandes et réponses oratoires. — Définitions expliquées. — Preuves. — Réfutation des objections. — Transitions.

A mesure que nous revenons sur la nécessité d'adresser la première partie de nos sermons à l'imagination, la deuxième à l'intelligence, la troisième au cœur, la quatrième à la volonté, plus d'un lecteur se sera demandé si nous prétendons localiser les tableaux, le raisonnement, le pathétique et les motifs de persuasion, dans des compartiments étanches, de sorte que l'exorde ne contienne aucun raisonnement, la première partie nul sentiment, la deuxième ni argument ni preuve, la troisième pas ombre d'imagination ? N'est-ce pas un peu cela en effet que signifie notre insistance à répéter aux élèves : efforcez-vous de présenter votre sujet sous ses quatre principaux côtés, successivement et à chaque faculté.

Oui, notre méthode est un peu cela, et c'est un peu cela que nous estimons nécessaire à l'éducation oratoire, mais ce n'est cela qu'un peu, juste autant qu'il en sera besoin pour imiter la nature, laquelle distingue les objets, les qualifie, par leur note dominante et sous le jour principal où ils apparaissent, sans exclure pour autant les conditions nécessaires et les aspects communs. Ainsi nous appelons l'effort du prédicateur sur les quatre manières principales d'envisager un sujet et nous lui conseillons d'étudier et de présenter ce même sujet aux quatre facultés principales parce que la nature procède semblablement. Par exemple : il y a de l'air dans l'eau, de l'eau dans l'air et de l'électricité dans la plupart des corps. On constate aussi une foule de gaz dans l'eau comme dans l'air, une multitude de minéraux dans la terre et un peu de tout dans tout. La nature laisse-t-elle pour cette multiplicité d'éléments de faire que l'eau soit de l'eau, la terre de la terre et le feu du feu ? N'amène-t-elle pas les parties de chaque élément à une résultante qui les distingue de tout autre élément ? Veut-elle pour cela exclure de ces éléments les matières communes à tous les autres ? Non pas, mais elle combine les éléments communs de manière à produire ici du feu, là de l'eau et plus loin de l'air.

Nous ne disons donc point : Excluez de telle partie de votre discours le raisonnement ou l'imagination, ou la sensibilité, ou les motifs de persuasion, mais combinez vos pensées de manière à ce que dans la première partie vous frappiez l'imagination, dans la deuxième, l'intelligence, dans la troisième, les passions, et dans la quatrième, la raison pratique ou volonté. Et c'est, répétons-le, la *préoccupation constante* d'envisager d'abord, de présenter ensuite, chaque matière de sermon sous ce quadruple aspect qui caractérise notre méthode et qui produit les meilleurs effets de composition oratoire ou d'amplification. C'est par là, en effet, que les différents points d'un discours deviennent vraiment différents ; par là aussi, que tous les éléments oratoires d'un sujet sont mis en œuvre et toutes les facultés de l'homme harmonieusement nourries.

Dans un ouvrage où nous n'aurions guère à laisser s'il fallait prendre tout ce qu'il renferme d'excellent, le P. Longhaye a touché cette vérité. Parlant de la sensibilité, il pose la question suivante : « Cette sensibilité qui doit être en nous toujours vivante et jeune a-t elle, dans le discours, une place marquée pour se produire ? » Et le même auteur répond : « Oui et non, selon qu'on voudra bien l'entendre (1). »

De même nous disons que les images, les arguments, les mouvements et les moralités qui doivent remplir tout le discours et chaque partie de tout discours ne doivent cependant pas se produire, devenir dominants, prépondérants partout, mais seulement à leur place et dans la partie qui répond le mieux à leur nature, ainsi : les raisons intellectuelles dans la partie destinée surtout à l'intelligence et les raisons morales dans la partie qui vise directement la volonté. Il en faut dire autant des comparaisons et des mouvements. Ils ont une place marquée pour se produire *ex professo*, et nous disons que l'observance de cette règle est la base de l'éducation oratoire, pourvu

---

(1) *La Prédication.*

qu'on veuille l'entendre largement comme nous la donnons.

Quelqu'un s'écriera peut-être : Pas de convenu, arrière la routine ! Et nous répondrons : Très bien, mais pour éviter le convenu, faut-il marcher hors des chemins et vouloir voler sans ailes ? Encore une fois, soyons libres dans l'expansion de nos pensées, ne comprimons rien de notre âme. Observons seulement que cette expansion libre, pour ne pas dégénérer en licence et en vaines paroles, a besoin de méthode et de points de repère.

1. — DEMANDES ET RÉPONSES ORATOIRES

Voyons maintenant quelques industries propres à bien instruire, et d'abord la forme *demande et réponse* usitée dans la plupart des catéchismes.

Interroger l'auditoire, formuler habilement une demande est un moyen excellent pour raviver l'attention. Nous sommes ainsi faits que, à chaque question bien posée, notre esprit se porte instinctivement à la résoudre. C'est une disposition à utiliser habilement. Vous pouvez dire par exemple : Qui a créé le monde ? Ce serait plutôt banal ; voici qui serait plus oratoire : j'en appelle à la science, je lui demande son avis sur la cause première du monde, et mon esprit chercheur ne se lasse point de poser cette question : Quel est l'auteur du ciel qui s'étend sur ma tête et de cette terre que je foule à mes pieds ?

Répondez avec la même ampleur et la même habileté. Ne vous bornez pas à dire : Le monde a été créé par Dieu. Dites plutôt avec saint Augustin : Les astres et les mers, la terre et toute créature me crient : c'est Dieu qui nous a créés. Vous ferez par là du catéchisme oratoire et c'est peut-être le meilleur moyen d'instruire en vrai prédicateur.

Si vous y prenez garde, vous verrez qu'il est ordinairement facile, et toujours très instructif, de servir ainsi aux fidèles les pages mêmes du catéchisme.

2. — DÉFINITIONS EXPLIQUÉES

Un autre moyen d'éclairer une thèse et d'instruire un auditoire consiste à donner de bonnes définitions et à en expliquer plus ou moins chaque terme, d'une manière précise et sensible. Tout cela peut et doit être fait avec ampleur et agrément, c'est-à-dire en langage oratoire.

Vous me dites par exemple que le carré de l'hypoténuse est égal à la somme des carrés construits sur les autres côtés du triangle ? Cela est dit clairement et en bon français, mais si j'ignore la géométrie je ne sais pas ce que cela veut dire. Expliquez-moi les mots hypoténuse, somme d'un carré, côté d'un triangle ; si vous le faites sensiblement, si vous me le montrez au tableau, je commencerai à voir ce que vous avez dit. Ainsi faut-il préciser et rendre sensible l'enseignement que l'on donne au peuple. Si, en effet, les savants ont besoin d'explications pour s'entendre, comment la foule pourra-t-elle s'en passer ? Ne pensez pas qu'elle soit bien instruite de la religion, ni surtout du sens chrétien et théologique que nous attachons à nos expressions. Plus que jamais le peuple entend parler d'une même chose en des sens tout opposés et plus que jamais aussi la confusion trouble son intelligence. La liberté? lui crie l'impie, c'est de n'avoir ni Dieu ni maître; le devoir c'est le joug que l'on est impuissant à jeter par terre, l'amour consiste à jouir, l'honneur, à commander, etc. Comment, si vous n'expliquez pas vos définitions, parviendrez-vous à faire comprendre votre sens à vous? Ne vous bornez donc pas à définir exactement vos termes, expliquez ensuite chaque terme de vos définitions en un langage clair et orné de comparaisons.

J'entends un théologien déclarer sèchement que la contrition est une douleur spirituelle causée par le péché commis, douleur accompagnée de la volonté de ne plus offenser Dieu. J'ai à peine le temps de peser les termes de cette définition, d'en voir les parties différentes, d'en saisir l'étendue et la profondeur. Que si j'ignore le sens même du mot douleur spirituelle, serai-je confortablement nourri de doctrine par cette seule et sèche définition? Non, certes. Il se fera dans mon esprit une série d'idées inachevées, un commencement de jour et de lumière où tout restera gris, vague, indéterminé.

Un prédicateur au contraire m'expliquera que l'esprit peut souffrir, que la contrition est une souffrance spirituelle, que cette souffrance n'est pas le remords de Judas, mais le regret de saint Pierre et que le pécheur contrit ressemble à Madeleine pleurant aux pieds du Sauveur ses tristes égarements, etc. Il me fera voir les pénitents du désert se punissant eux-mêmes d'avoir offensé Dieu. Je comprendrai, je sentirai alors ce qu'est la contrition.

3. — PREUVES OU DÉMONSTRATION

Passons aux moyens de convaincre l'esprit. Nous l'avons déjà dit, pour obtenir ce résultat capital il faut apporter les *preuves de la doctrine* que l'on enseigne. Ces preuves sont dites d'*autorité* ou de *raison*, selon qu'elles consistent en déclarations divines, définitions de l'Eglise, affirmation des Pères ou seulement en arguments de raison, d'histoire ou de bon sens. Toujours il est nécessaire de *prouver* solidement, et à l'aide de vraies démonstrations, les vérités dont l'affirmation peut laisser quelques doutes dans l'esprit de l'auditeur.

Lacordaire va nous faire comprendre cette règle.

« Vous entendez maintenant la proposition. Elle n'est plus pour vous une suite de mots, mais une suite d'idées qui forment par leur liaison une idée nouvelle. La parole s'est éclairée elle-même en se définissant.

« Mais est-ce là tout ? Le mystère d'initiation est-il accompli, la lumière s'est-elle faite dans votre entendement ? Non sans doute : Vous voyez clairement ce que la parole veut vous dire, mais vous ne voyez pas encore si ce qu'elle vous dit est vrai. Rien ne vous assure qu'en effet, le carré de l'hypoténuse soit égal en surface aux deux autres carrés du triangle rectangle ; vous n'en avez ni l'évidence ni la certitude. C'est à la parole à vous les donner, et elle le fera par la *démonstration*, c'est-à-dire en vous montrant que cette idée, nouvelle pour vous, est cependant contenue dans d'autres idées qui forment, par leur invincible et primordiale clarté, le fonds même de votre raison.

« La parole prendra l'idée obscure, la conduira pas à pas jusqu'au foyer intelligible qui est le centre et le flambeau de votre âme, la présentera là au principe d'où elle émane, et vous donnera dans le sentiment de leur unité ce trait de lumière qui est l'évidence, ce repos de l'esprit qui est la certitude.

« Ou bien si la démonstration n'est pas possible, soit parce que la vérité proposée est d'un ordre qui n'a pas son principe dans l'entendement humain, soit parce qu'elle appartient aux profondeurs d'une science que vous n'avez pas le temps ou la volonté d'acquérir, alors la parole, vous initiant par une voie plus courte, vous présentera les caractères d'autorité qui revêtent l'idée d'une suffisante et légitime sanction (1). »

Ainsi devons nous prendre garde à ne rien avancer qui ne soit ou évident ou démontré. Bossuet disait du dessin qu'il est, en la peinture, la probité de l'art ; avec non moins de justesse on pourrait dire qu'en la prédication, la preuve claire et solide est la probité de l'éloquence.

Le point faible de notre temps est de regarder comme peu importantes les preuves d'autorité et infaillibles celles de la raison. C'est là une aberration profonde, au moins dans les sciences qui relèvent de la révélation divine. On dira que le peuple ignore la

(1) LVIe Conférence : *De la prophétie.*

valeur doctrinale des Pères et des Conciles ? Mauvaise raison, que dément plus d'une fois l'observation des faits. Le peuple fidèle entend très bien le témoignage de ces autorités supérieures. Les protestants même invoquent l'autorité de l'Ecriture. Mais nous avons touché suffisamment ce point. Contentons-nous de citer ici le sentiment de saint Alphonse de Liguori sur l'*ordre à suivre dans l'exposé des preuves de raison*.

« Concernant l'ordre des preuves, quelques-uns pensent qu'il vaut mieux commencer par les moindres, continuer par de meilleures et finir par les plus fortes. D'autres, et tel est mon sentiment, trouvent préférable de donner en premier lieu les raisons solides, en dernier lieu les plus décisives et au milieu les plus faibles. En débutant par les plus faibles on pourrait produire une mauvaise impression (1). »

4. — RÉFUTATION DES OBJECTIONS

Reste à dire un mot de *la réfutation des objections*. Là-dessus nous devrions apprendre plutôt le moyen de dissiper les difficultés sans les combattre que celui de les combattre sans les dissiper. Mieux vaut en effet triompher d'un adversaire sans l'humilier que l'humilier sans en triompher. C'est un art de douceur oratoire bien difficile à enseigner, plus difficile encore à apprendre. Demandons aide à l'admirable controversiste saint François de Sales.

---

(1) *Du Sermon*, § II.

« Vous ne sauriez croire, disait-il à l'évêque de Belley, combien les vérités de notre foi sont belles, quand on les considère en esprit de tranquillité ; nous les suffoquons, à force de les revêtir, et nous les cachons pour vouloir les rendre trop visibles. Les proposer simplement c'est un excellent moyen pour les persuader, pourvu que les auditeurs ne résistent pas au Saint-Esprit ; toutes les preuves extérieures sont faibles, si le Saint-Esprit ne fait luire aux yeux de l'âme sa lumière surnaturelle ; et on suffoque l'action intérieure du Saint-Esprit en entassant des arguments appuyés sur la raison.

« Ce n'est pas qu'il ne faille soutenir les vérités catholiques et réfuter les erreurs ; car les armes de la parole de Dieu sont puissantes pour détruire la fausseté et vaincre la désobéissance (II Cor., x, 4) ; mais il faut bien prendre garde de ne pas en user comme les guerriers qui frappent indistinctement à droite et à gauche ; au contraire il faut les manier avec une grande dextérité, comme les chirurgiens qui usent de leur lancette et de leurs autres instruments avec toute l'adresse possible, pour épargner le plus possible la souffrance à leurs malades (1). »

Afin d'éviter le ton aigre et l'esprit de contestation, il est indispensable de bien savoir : 1° en quoi consiste au juste le désaccord, l'objection, la difficulté que l'on veut résoudre ; 2° la doctrine exacte de l'Eglise sur ce point ; 3° comment l'erreur s'est répandue. Si vous voyez clairement la plaie, vous n'aurez pas de peine à la panser doucement et si vous possédez vraiment la réponse juste ou le vrai remède

---

(1) *Guide de ceux qui annoncent la parole de Dieu.*

il ne vous sera pas difficile de vous expliquer en toute science, courtoisie, charité et douceur.

Les *articles* de la somme de saint Thomas commencent par l'exposé des objections, se poursuivent par celui de la doctrine et se terminent par la réponse aux difficultés ou objections proposées. Or, quand la doctrine est très complètement donnée, les objections tombent d'elles-mêmes ; ou, s'il faut les pousser, il suffit de les toucher du doigt pour les renverser. Faisons la lumière, éclairons ! Le Franc de Pompignan parle du soleil qui verse :

> Des torrents de lumière
> Sur ses obscurs blasphémateurs ;

Voilà le vrai moyen de réfuter les objections d'un auditoire.

5. — TRANSITIONS

Certains rhéteurs nous apprennent que les transitions servent à lier les parties d'un discours, d'autres veulent qu'on les emploie tout simplement à faire sentir le passage d'un point à un autre. D'après notre méthode, elles auront pour but de montrer l'évolution du sujet en même temps que son accroissement.

Par exemple : Vous venez de rappeler aux fidèles la sévérité des jugements de Dieu et vous abordez le sentiment ou mouvement qui doit répondre à cette doctrine. Ce sentiment est tout à la fois une évolution et un accroissement : une évolution, puisque de l'intelligence vous passez à l'émotion ; un accroissement, puisque l'émotion vous rapproche de la persuasion, but suprême du discours. Faites donc saisir et sentir ce changement d'allure et ce *crescendo* de votre pensée. Par exemple : La sévérité des jugements de Dieu n'est pas seulement certaine, indiscutable et de foi, comme on vient de le voir, elle est surtout de nature à faire réfléchir et trembler les pécheurs, que dis-je ? elle a jeté dans une sorte de trouble les plus grands serviteurs de Dieu, et je vais le montrer.

S'agit-il de passer du sentiment à la persuasion ? Vous suivrez une marche identique, et vous direz : Il est donc vrai, chrétiens, que, tous, nous devons craindre et frémir à la pensée des jugements de Dieu, toutefois est-ce tout ? et notre prudence n'ira-t-elle pas au-delà de ces justes appréhensions ? Oh ! ce serait mal connaître les desseins de ce grand Dieu ! S'il nous ébranle, s'il nous émeut, par la pensée de sa justice, c'est afin de nous convertir. En effet, si, d'une part, il brandit sur nos têtes le glaive destiné à ses divines vengeances, d'autre part, il nous crie avec force : *Nolo mortem impii, sed magis ut convertatur et vivat.* Nous songerons donc à notre conversion.

Dans certains discours, Bossuet n'énonce aucune division, il emploie alors les transitions à unir plutôt qu'à différencier les parties. Plus ordinairement il s'en sert dans le sens que nous venons de voir. Par exemple le passage suivant tiré de son discours sur la *Divinité de la Religion*.

« Mais, Messieurs, c'est assez combattre ces esprits profanes et témérairement curieux. Ce n'est pas le vice le plus commun et je vois un autre malheur bien plus universel dans la Cour. Ce n'est point cette ardeur inconsidérée de vouloir aller trop avant, c'est une extrême négligence de tous les mystères. Qu'ils soient ou qu'ils ne soient pas, les hommes trop dédaigneux ne s'en soucient plus et n'y croient pas; tout prêts à vous avouer ce qu'il vous plaira, pourvu que vous les laissiez agir à leur mode et passer la vie à leur gré.

« Chrétiens en l'air, dit Tertullien; et fidèles, si vous voulez : *Plerosque in ventum, et si placuerit, christianos*. Ainsi je prévois que les libertins et les esprits forts pourront être décrédités, non par aucune horreur de leurs sentiments, mais parce qu'on tiendra tout dans l'indifférence, excepté les plaisirs et les affaires.

« Voyons si je pourrai rappeler les hommes de ce profond assoupissement, en leur représentant dans mon second point la beauté incorruptible de la morale chrétienne. »

Nota. — L'élève qui analyserait un bon discours, par exemple la *Nécessité de la confession*, par Monsabré, et qui l'analyserait au point de vue des conseils que nous venons de donner, ferait, pour sa formation oratoire, un utile exercice.

CHAPITRE VII

Nécessité d'exciter les passions.

SOMMAIRE : Encore la méthode. — Raisons et autorités qui prescrivent l'appel aux passions oratoires.

Avant d'aborder l'intéressant sujet que nous venons d'annoncer, entendons-nous sur un détail qui peut avoir son importance. Je veux dire le développement qu'il faut donner aux différents points d'un discours composé d'après notre méthode.

On peut se demander en effet si nous prétendons opportun de donner toujours la même étendue relative à l'exorde, à la partie qui regarde l'intelligence, et à chacune des deux autres ? — Non ! Ici comme dans tout travail oratoire la mesure des développements dépend du genre de discours que l'on veut faire et surtout du sujet que l'on doit traiter.

Sauf la première partie qui varie peu en longueur, on insistera tantôt sur la doctrine, tantôt sur les passions, tantôt sur la partie morale du sermon, suivant que l'on aura pour but principal d'instruire ou de toucher ou de persuader. Et cela doit se régler sur le sujet que l'on prêche.

S'agit-il d'*enseigner* et de *prouver* la présence réelle de Notre-Seigneur au Très Saint Sacrement ? Je donnerai plus d'ampleur au deuxième point qu'à tous les autres, parce que ce sujet s'adresse principalement à l'intelligence. Est-il question de *faire sentir* la charitable douceur de Jésus dans le fait de sa présence réelle ? Je m'étendrai davantage sur la partie réservée aux sentiments de confiance et de complaisance que doit nous inspirer tant de bonté. Ai-je pour but surtout d'*amener* à adorer comme il convient cette présence réelle ? Je détaillerai plus que tout la quatrième partie de mon sermon : les motifs et les pratiques d'adoration du Très Saint Sacrement présentés à la volonté. Ainsi sans négliger aucune des quatre parties du discours, j'étendrai davantage celle d'entre elles qui convient le mieux au but que je poursuis.

Prenez vos mesures, arrêtez nettement la part que vous voulez faire en votre sermon, soit à l'enseignement, soit au mouvement, soit à la morale. Sans cette précaution, vous serez trop long ou trop court dans l'exposé des raisons ou des motifs et, pensant vous rattraper sur les autres points, vous tomberez encore dans le même défaut. Quand donc vous commencez à rassembler vos matériaux, ne vous pressez pas de rédiger, gardez votre attention libre et appliquez votre esprit à faire une juste part à chaque faculté.

Il est temps d'en venir à l'objet du présent chapitre c'est-à-dire à la nécessité pour tout orateur d'exciter le sentiment ou les passions de l'auditoire.

De même que nous avons présenté la doctrine à l'imagination afin de l'introduire plus aisément dans l'intelligence, de même il faut d'abord gagner le cœur afin de parvenir à persuader la volonté. « Un discours où l'orateur ne fait qu'instruire, raisonner, étaler son esprit, ne touche pas et par conséquent n'est pas éloquent (1). »

Fénelon appelle faux orateurs ceux qui ne savent pas exciter les passions : « Si au lieu de vous attendrir ou de vous inspirer de fortes passions, ils ne font que vous plaire, et vous faire admirer l'éclat et la justesse de leurs expressions, dites que ce sont de faux orateurs ».

Selon Mgr Camus, saint François de Sales exprimait la même opinion d'une façon très heureuse.

« Il me recommandait, dit-il, de m'attacher à persuader et à toucher. Car, de même que les maîtres de la vie spirituelle enseignent que dans l'oraison, il ne faut pas s'appliquer trop longtemps aux raisonnements de l'esprit, mais s'adonner principalement aux affections du cœur; de même, dans la prédication, il faut plus viser à remuer le cœur qu'à éclairer l'esprit. Ce n'est pas sans doute qu'il faille négliger l'instruction, qui est une des principales parties de la prédication; mais le prédicateur doit plutôt tendre à rendre ses auditeurs bons que savants et il doit imiter le soleil, qui produit plus d'effet par sa chaleur que par sa lumière. »

Le savant Louis de Grenade donne une excellente raison de cette doctrine : « La principale fonction du prédicateur de l'Evangile est plutôt de toucher les

(1) Vétu, c. viii, n° 3.

cœurs et de remuer les affections des auditeurs que d'éclairer leurs esprits, parce que les hommes pèchent bien plus par la corruption du cœur que par l'ignorance de la vérité. »

Nous pourrions citer encore beaucoup d'auteurs et montrer ainsi plus largement la nécessité de donner une juste part aux passions, mais la chose est assez évidente, croyons-nous, pour quiconque veut y réfléchir un instant. Néanmoins, il importe de nous en rendre compte avec un peu de détail.

Il est fréquent d'entendre de *jolies instructions* écrites comme un livre, débitées avec grâce et qui font dire du prédicateur : Il ne prêche pas mal. Si, à l'audition de tels *sermonnets*, vous surveillez vos impressions, vous verrez probablement que l'on vous fait passer par une série de petits mouvements plutôt indéterminés, faits pour émouvoir d'une façon quelconque, de petites secousses inachevées produites par des mots heureux, mais qui ne créent point un courant continu et grandissant, qui, surtout, n'ont pas plus le pouvoir de vous persuader qu'ils n'ont l'air de passionner l'orateur.

C'est de la petite rhétorique appliquée sans âme à d'ingénieuses pensées. Ce n'est pas de l'art, moins encore de la nature. Pour éviter cette vulgarité fade, il faut absolument *chauffer* son sujet, je veux dire le traiter selon les vraies lois du pathétique appliqué au sermon. Pour cela, répétons-le encore, il faut, dans le discours, une place réservée pour le sentiment, l'onction, et, à cette place, un ensemble de motifs qui réponde au sujet que l'on traite, au but auquel on veut amener l'auditeur.

La première raison de consacrer au cœur une des quatre parties du sermon, c'est que tout discours doit ressembler à l'homme, lequel n'a pas seulement de l'imagination ou des nerfs, de l'intelligence ou un cerveau, mais encore et surtout des sensations et un cœur comme aussi du sang et une volonté. De même donc qu'un homme cesserait d'être vivant si on lui ôtait le cœur, de même un discours cessera d'être éloquent si on le prive de passion.

La deuxième raison est toute dans cette idée qu'un sujet oratoire touche toujours, par un côté, au sentiment et aux passions. Impossible donc de traiter complètement un sujet si on ne l'étudie à ce point de vue spécial. Sans compter que négliger cet aspect serait se priver d'une source éminemment propre à varier notre discours et à le rendre intéressant. Je dis plus, la passion ou le pathétique est chose si utile à un discours, qu'elle corrige presque tous ses défauts sans que rien autre puisse le remplacer. Voyez un homme de cœur : on ne parle presque pas de ses travers. Au contraire, si quelqu'un n'a point de cœur son esprit et ses belles manières ne servent qu'à le rendre plus froid. On peut donc dire au pied de la lettre : Sermon sans passion, homme sans cœur.

« Ce n'est pas assez que d'éclairer, il faut émouvoir. Sans cela nous avons beau faire, nous ne gagnons rien sur l'auditeur déréglé. Il voit son devoir mais il n'est pas plus porté à le pratiquer. Ces prédicateurs qui ne parlent qu'à la raison ne convertissent jamais.

« Suffit-il de dire : voilà la médisance, je vous la montre ? Non, il faut de plus toucher le cœur par rapport à cet objet, y faire naître certains sentiments, certains mouvements intérieurs qui éloignent de la médisance. Il faut, avec l'idée claire qu'on en donne, en inspirer le dégoût.

« A qui pensent parler nos prédicateurs ? Croient-ils prêcher dans le paradis terrestre, à des Adams et à des Eves, avant le péché ? Qu'ils se souviennent qu'ils ont affaire à des hommes déchus et corrompus. Adam et Eve n'avaient point de concupiscence : leurs enfants en ont. La pure lumière nous redresserait si nous en étions exempts. Mais aujourd'hui, que nous avons en nous-mêmes un poids qui nous fait pencher malgré nous vers tout ce qui nous perd, et qui nous éloigne avec une égale force de tout ce qui nous est salutaire, il faut si l'on veut nous faire gens de bien, opposer quelque force salutaire à cette force brutale qui nous entraîne au mal. Cette force n'est pas la seule lumière ; il est nécessaire qu'elle soit accompagnée de sentiment (1). »

Les lignes qu'on vient de lire démontrent non seulement la nécessité de *passionner* son sujet, si je puis m'exprimer de la sorte, mais aussi et par une conséquence évidente, la nécessité d'être soi-même ému et passionné par son sujet. Vous prêchez l'amour de Dieu pour les âmes et dans ce sujet vous ne sentez rien qui vous blesse jusqu'au fond du cœur ? Et la vie de Jésus crucifié par l'amour qu'il vous porte ne vous

---

(1) Gisbert.

arrache aucun cri d'admiration, de reconnaissance ou de confusion ? Quoi ! vous restez froid et dur alors que les pierres se fendent de douleur ? Comment donc osez-vous aborder un tel sujet ? Ne voyez-vous pas que les fidèles sont scandalisés de votre peu de piété ? d'une sécheresse qu'ils sont tentés d'attribuer à votre tiédeur ? — Oh ! répondez-vous, ce n'est pas qu'un tel sujet me laisse froid, mais puis-je faire part à l'auditoire de mes sentiments personnels ? Faut-il, quand mon cœur m'y pousse, laisser mon âme éclater en sanglots, et crier tout haut à Dieu mon amour ? Oui, certes, c'est cela même qu'on attend le plus ; et c'est ainsi que prêchent les saints. Et ce que nous disons ici de l'amour de Dieu, nous le disons aussi bien de la confiance en la Très Sainte Vierge, de l'horreur du péché, des grands espoirs qui nous animent, et enfin de toutes les passions chrétiennes que remue en vous la méditation des sublimes vérités de notre religion.

J'ai lu dans la vie de saint Pierre Damien que ses confrères lui demandaient un jour pourquoi, dans ses sermons, il criait et s'animait jusqu'à l'épuisement. Ah ! répondait ce vrai prédicateur, pourquoi je m'anime à ce point ? C'est que je crois entendre à mon côté la voix de Jésus qui me crie : Pierre ! Pierre ! gagne-moi une âme !

On dira que la chaire proscrit de tels transports ? Platon qui n'admet pas qu'on puisse être poète sans une sorte de fureur *sine quodam afflatu quasi furoris*, contredirait peut-être ce préjugé. Cicéron exige de l'orateur qu'il soit enflammé et brûlant : *inflammatus et ardens !* (*De Orat.*, II, 45.)

« C'est donc faire tort aux vérités chrétiennes que de les exposer froidement. C'est montrer qu'elles ne font pas sur le prédicateur l'impression qu'elles devraient y faire. C'est donner à connaître que le prédicateur ne sait ni concevoir les choses, ni les exprimer selon l'ordre de la nature, qui veut que les grands objets agissent fortement quand ils agissent ; c'est enfin frustrer l'auditeur de sa juste et pieuse attente.

« Votre discours par sa seule lumière avait fait naître un commencement de je ne sais quelle émotion dans mon cœur. Je me sentais tout disposé à me laisser enflammer. Vous n'aviez qu'à me parler en cet endroit avec un peu plus d'ardeur et d'affection, et j'étais converti ; j'allais me jeter aux pieds d'un prêtre, je courais embrasser mon ennemi. Je m'attendais à ce mouvement de votre part, je le souhaitais (1). »

Cicéron l'avoue : s'il avait sollicité la clémence des juges et la protection des dieux, pour ses clients, sans éprouver une compassion réelle et sans verser des larmes vraies, ses discours, loin d'être éloquents, auraient été ridicules : *non miserabilis sed etiam irridenda fuisset oratio mea.* (*De Orat.*, II, 47.) Et vous trouveriez naturel à un prêtre du divin Crucifié de plaider sans réelle émotion, sans ardeur et sans larmes, les immortelles causes de Dieu ?

Quand nous faisons à l'orateur un devoir essentiel de ne jamais négliger le cœur de ses auditeurs, de leur présenter toujours son sujet de manière à les

(1) Gisbert.

toucher autant qu'à les éclairer, et de leur montrer les propres sentiments que ce sujet excite en lui, nous savons que plusieurs faux psychologues se refusent à employer ce moyen.

Si ces hommes avaient raison, les Lacordaire et les Bossuet comme les prophètes et Notre-Seigneur lui-même auraient dans leurs discours dédaigné l'onction, le pathétique et les passions. Ils ont manifestement fait le contraire, parce qu'ils savaient qu'on doit prendre l'homme tel qu'il est, que la passion est très puissante sur le jugement pratique auquel obéit la volonté et que, selon le mot du P. Longhaye, la nature des hommes étant ce qu'elle est, on risque trop d'échouer devant leur volonté si l'on n'a pas su toucher leurs cœurs.

Cicéron confirme, en l'expliquant, cette juste remarque. « Rien n'est plus capital à l'orateur, dit-il, que de gagner la sympathie de l'auditeur et de dominer les esprits beaucoup plus par une sorte d'entraînement ou de suggestion que par le jugement et la raison. En effet, les hommes apprécient la plupart des choses bien plus par la haine, ou l'amour, ou la cupidité, ou la rancune, ou la douleur, ou la joie, ou l'espérance, ou la crainte, ou l'erreur, ou par quelque autre trouble d'esprit que par la vérité ou le devoir, ou les règles du droit, ou même les lois. » *(De Oratore*, II, 42.) (1).

---

(1) Shakespeare, au troisième acte de *Jules César*, donne un exemple étonnant de cette puissance des passions, dans le duel oratoire entre Brutus et Antoine.

Soyez-en convaincu, vous ferez plus de fruit et plus de bien, par vos sentiments de foi vive et par la libre expansion de votre piété, que par les plus beaux raisonnements du monde. Allez donc en chaire tout brûlant d'amour pour Dieu, et quand votre cœur voudra manifester publiquement sa tendresse chrétienne ou ses autres sentiments de religion, laissez-le partir comme un jet de flamme : peut-être paraîtrez-vous simple, naïf même, comme le Bienheureux Curé d'Ars ; à coup sûr vous serez beau à voir, édifiant à entendre et chrétiennement éloquent.

Comme conclusion de ce chapitre, retenons ce vers bien connu :

> Ah ! frappe-toi le cœur, c'est là qu'est le génie.

CHAPITRE VIII

Etude et jeu des principales passions.

Sommaire : Nature des passions. — Saint Cyprien et les renégats. — Genèse des passions. — Les principales passions. — Moyen de les exciter. — Exemples.

Notre méthode prescrit d'exciter les passions qui répondent le mieux au sujet que l'on traite. Pour faire ce choix et trouver ces passions, comme aussi pour réussir dans cette excitation du cœur, nous devons connaître et les passions elles-mêmes et les moyens propres à exciter chacune d'elles. De même qu'il est nécessaire à un joueur de lyre de ne pas prendre une corde pour une autre, ainsi nous est-il indispensable de ne pas nous méprendre sur la nature des passions. De là le présent chapitre.

1. — Nature des passions

On appelle passion ce mouvement d'attraction que nous subissons en présence du plaisir, ou de répulsion qu'imprime en nous le sentiment de la peine : un fruit savoureux me fait plaisir et m'attire ; un fruit gâté me fait peine et me repousse. Or, ni l'un ni l'autre n'agirait ainsi sur un être insensible. Et donc la passion peut être définie : la sensibilité mise en jeu par le plaisir ou par la douleur.

Et plus la peine nous cause d'horreur ou le plaisir de séduction, plus aussi nous avons de la passion.

Saint Jean Damascène explique mieux encore la passion, il précise la faculté qui sert à l'exciter, c'est-à-dire l'imagination. La passion, dit-il, est un mouvement de la faculté appétitive sensible, produit par la représentation ou l'imagination, tant du bien que du mal. *Passio est motus appetitivæ virtutis sensibilis in imaginatione boni vel mali* (1). Le bien et le mal en effet nous impressionnent, nous passionnent, nous exaltent ou nous abattent, dans la mesure juste où ils frappent notre cœur par notre imagination. Et cette exaltation ou cet abattement sont des effets de passion ou si vous aimez mieux des émotions.

Me représentez-vous un beau spectacle avec tant de vivacité et de naturel que je croie être témoin de la réalité ? Cette vive imagination ébranle mon cerveau et par lui mon cœur, et comme il s'agit d'un beau spectacle, et que l'impression produite est agréable, j'éprouve du *plaisir*. Me dépeignez-vous si bien une catastrophe et mes sens sont-ils tellement frappés par votre description, qu'il me semble être entraîné moi-même et rouler au milieu des victimes ? Je deviens *triste*, je souffre, je vais crier. Est-ce le ciel que vous entr'ouvrez sur ma tête, que vous me faites voir de tout près, comme si j'y entrais, doucement porté sur un char de triomphe ? La joie et

---

(1) *De fide orthod.*, l. II, c. 22.

l'espérance m'envahissent tour à tour. La joie, quand l'imagination surprend ma raison et me fait croire, ne fût-ce qu'une demi-seconde, que je m'y trouve déjà intronisé; l'espérance, lorsque la foi me dit que cette ineffable demeure contient une place pour moi. Un excellent sermon sur les peines de l'enfer produira dans l'âme du pécheur la crainte d'y être condamné et quelque chose de semblable à la peur que l'on éprouve au bord d'un précipice affreux.

Examinons comment saint Cyprien cherche à communiquer aux chrétiens de son église, la peine, l'horreur, la pitié qu'il éprouve à la pensée des renégats.

« Je pleure, mes frères, je pleure avec vous ; et la pensée que je n'ai reçu aucune blessure personnelle ne saurait adoucir ma douleur... Je me crois à terre avec ceux qui sont abattus. Les traits dont l'ennemi les a percés ont pénétré jusqu'à moi, ils ont déchiré mes entrailles, et la persécution, qui m'a laissé debout, n'en a pas moins atteint mon âme, puisque mon affection pour nos frères tombés me fait ressentir toutes leurs blessures.

« Hélas! la plupart ont été vaincus avant même d'avoir combattu! De leur propre mouvement, ils se sont présentés devant les tribunaux, comme s'ils n'eussent attendu qu'une occasion pour trahir. Quoi! alors que le malheureux se rendait de son plein gré au Capitole pour acquiescer au pire des attentats, ses pieds n'ont pas commencé à chanceler! ses regards à se troubler! ses entrailles à se soulever! ses mains à retomber sous leur propre poids! quoi! sa langue émue a pu prononcer les paroles de l'apostasie! N'auriez-vous pas dû fuir avec horreur cet antre de démon, où vous aviez vu fumer auparavant un sacrilège encens ? Et qu'aviez-vous besoin d'y porter une victime quand vous deveniez vous-même la victime du sacrifice ? Hélas! ces flammes impies, allumées par vos mains, ont dévoré votre foi, votre espérance, votre salut.

« Et, pour qu'il ne manquât rien à l'énormité des attentats, on a vu des pères porter leurs enfants à l'autel sacrilège : infortunés enfants qui perdaient à leur entrée dans la vie le don précieux qui venait à peine de leur être conféré! Au jour du dernier jugement, n'auront-ils pas le droit de dire : Ce n'est pas nous les coupables, nous n'avons pas déserté la table du Seigneur pour aller nous asseoir au banquet du démon, ce sont nos pères qui nous ont donné la mort, eux qui n'ont pas voulu que l'Eglise fût notre mère et que Dieu nous retînt pour ses enfants. »

2. — GENÈSE DES PASSIONS

Comme vous ne sauriez pénétrer trop avant dans la connaissance des passions, je vous donnerai un exemple de la manière dont elles agissent en nous.

Voici un enfant de quinze ans, que nous supposons très intelligent et facile à émouvoir. Il a lu l'histoire des grands peintres et vous le conduisez au musée du Louvre, en pleine salle des Antiques. Les toiles immortelles des Véronèse, des Murillo, des Raphaël, des Van Eych, et d'autres grands maîtres frappent ses yeux d'une sorte de stupeur. Vous le voyez peu à peu s'arrêter devant l'une d'elles, oublieux de votre présence et comme ravi à lui-même. Que se passe-t-il donc entre cet enfant et le tableau qu'il contemple ?

La passion, l'amour, l'admiration de la peinture serait-elle en train de le séduire ? N'en doutons pas un instant. L'imagination du jeune amateur joue ici le rôle que joue en la photographie une plaque sensible mise en contact avec la lumière : des chefs-d'œuvre que lui montrent ses yeux, elle reçoit une impression qui devient une sorte de charme. Il en est ému, fasciné, pris d'amour, parce que ces beautés lui semblent un idéal de douceur, d'agrément, d'habileté et de génie.

Remarquez autre chose. Cette impression fascinatrice peut être passagère ou durable. Dans le premier cas, notre jeune homme s'en déprendra aisément, mais dans le second, il aura beaucoup de peine à s'en défendre ; il y succombera, voudra meubler de peintures toute sa maison ou même apprendre à manier les pinceaux au risque de stériliser sa vie et de manquer sa fortune. C'est que l'impression première, se perpétuant par la mémoire, continuera de le séduire, et que son cœur retombera toujours sous l'action de son imagination charmée. L'attrait pour la peinture, et pour les plaisirs très vifs qu'elle procure à certaines âmes, deviendra en lui une passion tenace, exigeante, une sorte de besoin à satisfaire, j'allais dire presque de la manie.

En effet, l'empire de l'imagination sur le cœur est tel, que l'on peut devenir maniaque ou malade d'impression. Beaucoup même sont morts des suites d'une impression trop forte, d'une passion poussée à ses derniers excès. Rendez-vous compte de ces choses, vous comprendrez comment l'on peut languir et même mourir de chagrin ou de plaisir, de désir ou de regret, de compassion, de peur ou de tout autre sentiment trop vif, trop renouvelé, trop persistant. Cette petite étude du cœur vous éclairera beaucoup sur l'art de manier les passions oratoires et de toucher les cœurs.

Le prédicateur peut donc attrister ou réjouir, abattre ou relever, flatter ou humilier ses auditeurs selon la manière et la force dont il frappe leur imagination. C'est là un axiome à ne jamais oublier.

3. — LES PRINCIPALES PASSIONS

Voyons maintenant les principales passions de l'homme.

Selon que mon imagination fait sentir à mon cœur une chose qui lui plaît ou qui lui déplaît, mes sentiments naturels se divisent en deux parts : ceux provoqués par le bien réel ou apparent se nomment amour, désir, espoir, audace, fierté et joie ; ceux qui naissent du mal réel ou de sa vive représentation s'appellent haine, aversion, crainte, tristesse, honte, fureur, désespoir.

Il est à remarquer que l'amour et la haine appelés ici passions se distinguent de la charité et de la contrition autant que le corps se distingue de l'âme et les sens de l'esprit. En conséquence, les passions ne répondent pas, comme la volonté, à des motifs raisonnables, mais à des tableaux émouvants, à des imaginations saisissantes, en un mot, à l'excitation des sens.

Ainsi l'amour sensible s'éveille à la présence ou à la représentation de tout ce qui semble beau, de tout ce qui paraît bon ; au contraire, l'amour de volonté ne se détermine que par le bien connu réellement et raisonné. Mais l'amour sensible ou l'émotion produite par la vue du beau prédispose la volonté aux efforts qu'il faudra faire pour se procurer le bien, et c'est la raison pour laquelle, avant d'attaquer la volonté, l'orateur doit échauffer, stimuler le cœur, qui est en quelque sorte l'enveloppe, le côté animal ou corporel de cette maîtresse faculté.

Cette distinction est importante, nous y reviendrons. Pour le moment, poursuivons l'étude générale des passions.

L'imagination montre-t-elle à notre esprit quelque chose de beau et qui semble bon, capable de produire en nous un bonheur quelconque ? le cœur s'enflamme aussitôt. Sans raisonner, mû par le besoin de bonheur qui est notre ressort fondamental, il se porte au devant de cette chose qu'il voit briller. Tel un enfant à qui vous montrez un beau fruit, un hochet, un rien. S'agit-il, au contraire, d'un remède amer ? l'imagination et les sens n'en montrent que le côté désagréable ; et le cœur, qui pourrait cependant y trouver sa guérison, s'en détourne instinctivement, déraisonnablement, par le mouvement de *haine* et de répulsion que produit naturellement en nous la seule apparence de la peine ou du malheur. Tous les autres mouvements de passion dépendent de ces deux premiers. De l'amour naît le *désir* qui voudrait posséder le bien qu'il aime, ou l'*espoir* de se procurer ce bien, ou le *plaisir* d'en être enfin possesseur. La *haine* produit au contraire la *crainte* de subir le mal que nous détestons, ou la *tristesse* d'en être la proie, ou le *désespoir* et la honte de ne pouvoir nous en défaire.

4. — MOYEN D'EXCITER LES PASSIONS

Ceci nous donne à entendre le moyen d'exciter chaque passion qui est de *peindre vivement aux sens l'objet propre à cette passion*. Montrez à l'imagination le bien, le bon, le beau, vous attiserez l'amour ; faites sentir la possibilité, la facilité, l'assurance d'arriver à ce bien, malgré les obstacles qui voudraient nous empêcher de l'atteindre, ce sera l'espoir ; dépeignez les satisfactions que nous promet ce bien, vous en ferez naître le désir ; que si votre talent est assez puissant pour produire dans l'imagination l'idée de possession anticipée de ce bien, vous causerez le plaisir, la consolation, la joie.

Les motifs contraires engendreront ou aviveront les sentiments opposés. Une vive description du mal en provoquera la haine ; si vous me faites toucher du doigt que ce mal me menace, j'en aurai la crainte ; si encore vous me donnez à entendre que j'en suis déjà atteint, ce sera la tristesse ; si enfin vous déclarez ce mal irrémédiable, j'entrerai dans le désespoir.

Voilà en quelques mots le jeu des passions. Continuons de l'étudier.

L'amour vibre à la seule présence des objets qui nous conviennent, le désir est produit par le bien qui nous attend, l'espoir par celui qui dépend de nos efforts et la joie par l'usage de ce bien.

5. — EXEMPLES

Montrons vivement à notre auditoire que Dieu est le bien parfait, la réunion de tout ce qui s'appelle vie, puissance, savoir, bonté, etc. ; nous attirerons à Lui, et cette attraction ou inclination sera un commencement de conversion, de ferveur et de sanctification. Voulons-nous porter nos ouailles à mieux s'appliquer au salut de leur âme ou à celui de leurs proches? Faisons voir clairement, vivement, en traits sensibles combien une âme est chose précieuse, admirable, ressemblante à Dieu. S'agit-il de nous déterminer à la pénitence, étudions-en tout d'abord les fruits, l'âpre mais féconde saveur. Et ainsi de toutes les choses divines : sacrements, prières, devoirs religieux, il suffit de les présenter à l'imagination sous les dehors qui leur conviennent pour les rendre aimables et pour prédisposer la volonté à les embrasser. C'est de cette vérité qu'est né le beau livre de Chateaubriand : Génie du christianisme.

Autres exemples où l'on voit comment chaque passion s'excite par la représentation de son objet propre, de son aliment particulier. Je veux exciter dans le cœur d'un enfant le *désir* de faire au plus tôt la première communion. Au lieu de lui dire avec les mondains : ce jour-là tu seras habillé comme un prince, on te donnera une belle montre avec une chaîne d'or qui brillera sur ton gilet, tous les parents t'offriront un cadeau spécial et, le soir de ce jour, tu t'amuseras comme jamais tu ne t'amusas..., je développerai les pensées suivantes : Quand tu viens à la messe, et que tu vois des personnes bien vertueuses aller s'agenouiller au banc de communion, pourquoi ne vas-tu pas te mettre à côté d'elles ? Parce que tu n'as point encore été admis à cette divine table... Mais, la première communion faite, tu pourras, au gré de ton directeur, t'y présenter tous les jours, et chaque fois tu recevras, pour nourrir ton âme, le corps, le sang, l'âme, la divinité de Jésus-Christ. Qu'il te survienne un ennui, une maladie, une déception qui te porte à chercher quelque douce consolation, après que tu auras été admis une fois à communier, tu pourras venir chercher aussitôt à la table sainte les consolations ineffables de ton Dieu, sans avoir à subir de nouveaux examens, mais par ta seule volonté à toi. Et à chaque communion tu deviendras plus sage, plus courageux, plus ami des anges, plus sûr du paradis..... Oh ! si les pauvres enfants païens savaient le catéchisme et pouvaient communier, ils brûleraient du désir de se procurer un tel bonheur !

Ce petit exemple fait voir aussi comment on peut exciter les désirs du ciel, de la vertu, d'un plus haut degré de perfection, etc. De même, on peut y trouver le moyen d'exciter le regret, la douleur et d'autres sentiments du même genre.

Voici maintenant une occasion de provoquer dans l'auditoire un vif *sentiment d'allégresse*, c'est la fête de Noël, ou de Pâques, ou de l'Ascension, ou quelque autre semblable. Que ferez-vous pour exciter ce sentiment? Vous peindrez vivement l'amour de Jésus pour les hommes, amour dont sa naissance, ou sa résurrection, ou son ascension est une si belle preuve ; vous ferez voir quelles assurances du ciel nous sont données par ce mystère et la douceur qu'on goûte à contempler ce divin Sauveur dans la crèche ou dans ses apparitions ou dans le ciel, regardant, caressant, bénissant quiconque désire l'aimer ; votre art consistera surtout à faire croire un moment que l'exil d'ici-bas a cessé, que l'âme est déjà en possession de sa fin bienheureuse, qu'elle est plongée en Dieu, l'océan des éternelles délices et qu'elle s'écrie avec l'apôtre du Thabor : *Domine, bonum est nos hic esse !*

Voyons la mise en œuvre des sentiments contraires et d'abord la *haine*. Le prédicateur habile me fait assister aux homicides complots des pharisiens jaloux. Je vois Judas vendre le Seigneur à ces malheureux, les valets s'acharner sans pitié sur son corps adorable, les soldats repousser brutalement sa pauvre mère qui veut l'embrasser une dernière fois, les bourreaux lui arracher sa tunique collée à des plaies, le jeter sur la croix et l'y clouer avec rage en se moquant de ses atroces souffrances, etc. Un si affreux tableau m'émeut, m'indigne, me rend colère, me porte à détester les iniques acteurs d'un tel drame, tant et si bien que moi aussi je m'écrie : Ah ! si j'eusse été là avec mes Francs ! Puis, profitant de ce sentiment pour me déterminer à fuir le péché, l'orateur me démontre que ce spectacle horrible d'inhumanité, d'injustice et de fureur, il le voit se reproduire dans mon propre cœur à chaque péché mortel et que c'est à moi de prouver, par mon changement de vie, que, réellement, je déteste jusqu'au bout les monstrueux déicides du Christ. Avouez-le, ce prédicateur aura su tourner habilement à me convertir les passions les plus violentes de mon cœur. Devinant que ma raison ne peut comprendre toute l'horreur du péché, tant qu'il ne lui est présenté qu'en théorie, il a su frapper mon regard par l'émouvant tableau du crime en action. Ainsi excitée, ma raison non seulement voit avec plus de netteté l'énormité de mes fautes, mais, par un contre-coup naturel, elle porte plus fortement aussi ma volonté à s'en repentir.

Autre exemple à considérer.

Si l'on nous rendait bien attentifs à la malice des impies modernes, ne serions nous pas bientôt décidés à *fuir* ces vilaines gens ou à ne les voir que pour les combattre en essayant de les convertir ? Ne rougirions nous pas jusqu'au sang de compter peut-être quelqu'un d'entre eux au nombre de nos parents ? Et notre zèle pour la gloire de Dieu resterait-il engourdi plus longtemps ?

Considérez par quel tableau chargé d'horreurs le nerveux Démosthène excitait les Athéniens à ne plus redouter Philippe, comme un roi invincible, mais plutôt à le mépriser, comme on ferait d'un trône de sapin vermoulu :

« Les étrangers dont il est entouré, et les fantassins qui veillent sur sa personne, ont, il est vrai, la réputation d'être d'admirables soldats, habiles dans tous les exercices militaires ; mais j'ai appris d'un des habitants de cette contrée, homme incapable d'en imposer, qu'ils n'ont aucune supériorité sur les autres troupes.

« Il ajoutait que si, parmi eux, il se trouve des gens expérimentés dans l'art de la guerre et pleins de bravoure, Philippe, qui veut que tout paraisse être son ouvrage, les éloigne par jalousie; que ce défaut, outre tant d'autres vices, passe en lui toutes les bornes; que si ses excès, son ivrognerie, ses danses obscènes, répugnent à quelque courtisan ami de la tempérance et de la justice, il le néglige, il n'en fait plus de cas; qu'enfin les autres hommes qui l'entourent sont des brigands, des flatteurs, et des gens qui ne rougissent pas d'exécuter, dans l'ivresse, des danses dont je n'oserais dire le nom, ici, devant vous.

« Il est évident que ces reproches sont fondés; car tout ce que nous avons chassé de cette ville comme plus corrompu que les bateleurs eux-mêmes, un Callias, esclave public, et tant d'autres de pareille espèce, imitateurs des bouffons, auteurs de couplets infâmes, composés pour livrer leurs ennemis au ridicule ; voilà ceux qu'il chérit, ceux qu'il tient auprès de sa personne. Ces turpitudes, que quelques-uns pourront regarder comme peu de chose, sont néanmoins d'importants indices de son caractère et de sa dépravation, pour quiconque sait réfléchir: aujourd'hui, peut-être, ses succès les dérobent aux yeux ; car la prospérité jouit de l'étonnant privilège de couvrir d'un voile ces vices honteux ; mais qu'il fasse le moindre heurt, alors ils apparaîtront tous au grand jour ; et il me semble, Athéniens, que l'instant de cette manifestation n'est pas éloigné, si les dieux le permettent et que vous le vouliez (1). »

Le moyen, après ce réquisitoire, de ne pas mépriser Philippe, de le craindre encore ou de le croire invincible ?

Mais en voilà assez. Aussi bien n'avons-nous point à retracer ici l'immortelle théorie des passions que chacun peut étudier en saint Thomas (2). Notre tâche se borne à rappeler d'une manière générale, facile et suffisante pour un élève orateur la nature et le jeu des passions humaines.

(1) *Olynthienne* ii, 6-7.
(2) *Summa theol.*, 1ᵃ 2ᵃᵉ.

CHAPITRE IX

Moyens généraux pour exciter les passions.

Sommaire : Précautions oratoires. — Emotion personnelle du prédicateur. — Style qui convient aux passions. — Peinture des mœurs de l'auditoire. — La grâce du sermon. — Usage des histoires. — Mot sur les missionnaires.

Si vous le voulez bien, nous commencerons ce chapitre, comme les bons repas, par un hors-d'œuvre. Ces petits mets appétissants ne laissent pas d'être nourrissants aussi.

Nous dirons que, pour savoir choisir, employer et comprendre heureusement les bons moyens de toucher les âmes, il faut premièrement estimer et chérir son auditoire : l'estimer, dis-je, ostensiblement et l'aimer de même. Il ne suffit pas au peuple qui nous écoute que son orateur ait pour lui un respect sincère mais invisible, un amour vrai mais ignoré ; ce respect, cet amour, le peuple a besoin de le sentir, il veut qu'on le lui montre par un langage soigné, respectueux, condescendant, charitable et fraternel. En sorte que marquer aux auditeurs une réelle estime, un grand et surnaturel amour, est une précaution ou condition oratoire fondamentale, nécessaire à quiconque veut toucher les cœurs et faire du bien, indispensable donc à tout prédicateur.

« Quoi que ce soit qu'on veuille persuader, il faut avoir égard à la personne à qui on en veut, dont il faut connaître l'esprit et le cœur, quels principes il accorde, quelles choses il aime ; et ensuite remarquer, dans la chose dont il s'agit, quels rapports elle a avec les principes avoués, ou avec les objets délicieux par les charmes qu'on lui donne.

« De sorte que l'art de persuader consiste autant en celui d'agréer qu'en celui de convaincre, tant les hommes se gouvernent plus par caprice que par raison. » (PASCAL, *Art de persuader.*)

Elle est bien ressassée cette définition de l'orateur : *vir bonus dicendi peritus !* Elle n'en est pas moins juste et digne d'attention. *Vir bonus*, un homme, et un homme bon, voilà ce qu'il faut être et paraître si l'on veut parler éloquemment. Notre-Seigneur a consacré cette vérité lorsqu'il a dit aux faux prophètes de son temps : *Progenies viperarum, quomodo potestis bona loqui, cum sitis mali ? Ex abundantiâ enim cordis os loquitur. Bonus homo de bono thesauro profert bona ; et malus homo de malo thesauro profert mala* (1) !

Les rhéteurs ordinaires entendent ce mot *bonus homo* dans le sens d'homme honnête ; un prédicateur doit l'entendre dans le sens d'homme vertueux, doux, charitable, dévoué, plein d'aménité, de religion et de cœur. Tel fut saint Paul, apôtre et orateur, tel il se montre jusque dans ses épîtres : « Notre bouche s'est ouverte pour vous, ô Corinthiens, notre cœur s'est

---

(1) Saint Matth., c. XII.

élargi. Vous n'êtes point à l'étroit dans nos entrailles, mais les vôtres se sont rétrécies. Rendez-nous la pareille — je vous parle comme à mes enfants, — vous aussi élargissez vos cœurs. » Tel fut encore l'apôtre saint Pierre dans son premier discours aux Juifs, et vous aurez plaisir à lire dans les homélies de saint Jean Chrysostôme comment ce maître orateur fait ressortir l'habileté oratoire de cet apôtre et de ce premier sermon (1).

Lui-même est un modèle à cet égard. Lisez l'exorde de l'homélie par où il commença la onzième année de sa prédication à Antioche. Il convoque son auditoire à un jugement, il le constitue en jury et lui demande de prononcer sur le cas de trois hommes : un précepteur, un laboureur, un armateur de vaisseau. Le précepteur ayant passé dix ans à instruire son élève et le voyant toujours aussi peu studieux se dit : mon élève n'avance point, voilà dix années perdues, je l'abandonne; le laboureur voyant qu'après avoir bêché et fumé, ensemencé une terre dix printemps consécutifs il n'y récoltait que des épines, n'eut pas le courage d'entreprendre le onzième labour. L'armateur de vaisseau se dit : Voilà que deux, trois, dix fois de suite j'appareille ce vaisseau et veux le faire flotter sans pouvoir y parvenir. A quoi bon remplacer encore les mâts et mettre de nouvelles voiles? Employons mieux notre avoir. Eh bien! demande alors le saint orateur, répondez, ô mon peuple; jugez,

---

(1) S. Chrysost., *Act. apost.*, c. ii.

dites à quoi ces trois hommes doivent se résoudre, quelle résolution adopter. Ont-ils raison de vouloir abandonner, l'un son disciple incapable, l'autre son champ stérile, le troisième son indisciplinable vaisseau ? Les condamnerez-vous s'ils portent leurs soins à des sujets moins ingrats ? — Non certes, dites-vous. — Hélas ! vous venez de vous condamner vous-mêmes, votre bouche m'autorise à ne pas reprendre le cours de mes homélies. Je suis ce précepteur... ce laboureur... cet armateur, etc. Vous êtes ce disciple, ce champ, ce vaisseau. J'ai donc trôis fois le droit de vous abandonner. Vous-même l'avez reconnu : mais, ô mon peuple, moi je ne saurais juger comme vous ; non, je ne puis vous abandonner, car je suis votre père, je suis votre pasteur, et le bon pasteur, loin d'abandonner jamais ses brebis, leur sacrifie plutôt sa vie.

Là-dessus, il commence pour la onzième fois son cours d'homélies. Je comprends, à cette charité, qu'un tel prédicateur ait été surnommé *Bouche d'or ;* je conçois qu'il ait su gagner l'auditoire le plus frivole du monde, se l'attacher, s'en faire écouter, le maintenir quand même dans la religion, lui faire produire malgré tout d'excellents fruits de salut.

Quand nous aurions à faire la morale aux grands, l'instinct nous avertirait bien de cette règle dite des *précautions oratoires* et qui, d'après Rollin, consiste en certains ménagements que l'orateur prend pour ne point blesser la délicatesse de ceux devant qui ou de qui il parle. — Nos propres ouailles, les pauvres surtout, ces amis de Jésus-Christ, auraient-ils moins de droits à ces ménagements ? Sachons donc prendre des formes insinuantes, quand le sujet de notre discours pourrait paraître trop dur à entendre. Témoignons que le devoir, l'intérêt des âmes nous obligent à tonner, alors que nous voudrions doucement pincer la lyre. Surtout jamais ombre de personnalités.

C'est notre nature : nous croyons facilement ceux qui nous aiment, peu ou point ceux qui nous blessent. Aux premiers seuls notre cœur s'ouvre et se laisse toucher. Donc, la condition *sine quâ non* pour bien prêcher consiste à s'imprégner de charité dès la préparation du sermon et à parler avec tout ce que l'on a de meilleur et de plus affectueux dans le fond de son cœur. Cela n'empêche point d'être ferme et même véhément, mais simplement d'être emporté, maladroit et méchant.

Arrivons au premier moyen d'exciter le sentiment ou les passions et de répandre, comme un feu bienfaisant, dans l'auditoire, l'ardeur qui convient au sujet que l'on expose.

Première règle générale pour exciter les passions : S'ÉMOTIONNER RÉELLEMENT A LA PENSÉE DES CHOSES QUE L'ON PRÊCHE.

Ce moyen, chacun le connaît. Le poète l'exprime en des vers que l'on redit toujours comme une nouveauté :

Si vis me flere, dolendum est
Primùm ipsi tibi.

Malè si mandata loqueris,
Aut dormitabo, aut ridebo.
(Q. Horatii, *De Arte poet.*)

C'est peu de savoir ce principe, si nous ne sentons profondément la vérité qu'il énonce.

« Pour ce qui est d'exciter les mouvements du cœur et les affections, le grand secret c'est d'être touché soi-même. Ce sera toujours vainement, et parfois ridiculement, que nous feindrons la tristesse, l'indignation et la colère, dans nos seules paroles, seulement sur notre visage, et sans que notre cœur en soit pénétré. Au contraire, quel art fait parler d'une manière si touchante les personnes affligées, qui fait s'exprimer avec tant d'éloquence dans leur colère les gens les plus incultes, si ce n'est la force du sentiment et la réalité des états qui les inspirent? Voulons-nous traduire les passions avec vraisemblance? revêtons-nous, pour ainsi dire, de l'intérieur de ceux pour qui nous parlons, des entrailles de ceux qui souffrent véritablement. Soyons animés de ces sentiments mêmes et que notre discours parte d'un état d'âme tel que celui où nous voulons amener nos auditeurs. Pensez-vous, en effet, que m'entendant raconter avec indifférence une histoire ils puissent s'en attrister vraiment, ou qu'ils pleurent quand ils voient mes yeux rester secs, ou qu'ils se livreront à l'indignation lorsque moi qui les y excite, je n'éprouve rien de semblable? Cela est impossible. On n'est échauffé que par le feu, ni humecté que par ce qui est humide; et nulle chose ne donne à une autre la couleur qu'elle n'a point elle-même. Il faut donc que les raisons par lesquelles nous voulons toucher les autres nous fassent impression à nous tout les premiers. » Ainsi parle Quintilien (1).

---

(1) *De instit. orat.*, l. VI, c. ii.

Cicéron, son maître, donne la même raison de cette doctrine : « Ut enim ulla materies tam facilis ad exardescendum est, quæ, nisi admoto igni, ignem concipere possit ; sic nulla mens est tam ad comprehendendam vim oratoris parata, quæ possit incendi, nisi inflammatus ipse ad eam, et ardens accesseris » (1).

Qui ne voit, en effet, la piteuse figure que ferait un prédicateur dissipé prêchant le recueillement, un prédicateur sans piété cherchant à peindre les tendresses de Jésus-Hostie, un prédicateur mondain essayant d'inspirer l'amour du sacrifice, un prédicateur emporté conseillant la douceur, etc. ? Au contraire, je me sens tout de suite prêt à regretter mes péchés quand j'entends un prédicateur me peindre, avec des sanglots réels dans la voix, la peine cruelle que le pécheur inflige au bon Sauveur, un prédicateur dévot à la sainte Vierge m'expliquer la récitation du chapelet, un prédicateur qui tremble pour son salut me crier le mot terrible de saint Paul : *Cum metu et tremore vestram salutem operamini !*

Très bien, direz-vous sans doute, pour toucher l'auditoire il faut être ému ; mais pour être ému, que doit-on faire, comment y parvenir ; comment surtout le laisser voir assez pour impressionner l'auditeur ?

Pour atteindre à l'émotion que comporte un sujet, représentons-nous vivement son côté le plus sensible ; pour transmettre cette émotion, ayons soin

(1) *De Oratore*, ii, 45.

d'employer des tours et des termes vifs, colorés, naturels, pleins de cœur.

Appliquez vos yeux à voir en quelque sorte les flammes noires de l'enfer, ou les rayons glorieux du paradis, vos oreilles à entendre les imprécations des damnés ou les chants heureux des élus, etc.; cette manière de méditer, recommandée par saint Ignace de Loyola, servira singulièrement à vous impressionner de ce qu'il y a de sensible en votre sujet. Par conséquent, elle vous rendra plus habile à impressionner vous-même un auditoire, à chauffer une passion, à réjouir ou à intimider les cœurs.

Même les sujets apparemment réfractaires au sentiment peuvent y prêter, il ne faut excepter que ceux dont l'étude est absolument interdite à l'imagination : la Sainte Trinité, par exemple.

Vous prêchez la dédicace des Eglises, l'ange gardien, les âmes du Purgatoire, qui vous empêche de considérer dans l'église la douceur d'un port où s'abritent les naufragés de cette vie ; dans l'ange gardien, la tendre sollicitude d'une sœur auprès d'un blessé ; dans les âmes du Purgatoire, la douloureuse tristesse d'un abandonné ? Ces manières sensibles de voir votre sujet vous aideront à le traiter onctueusement. C'est un des fruits inattendus de l'*application des sens* pratiquée dans les *Exercices*.

Attardez-vous à ces sortes de méditations et voyez dans quelque bon auteur comment les maîtres s'entendent à fouiller un sujet jusqu'au fond de ses entrailles. Lisez pour le sentiment, plus encore que pour le style et la mesure, les sermons de Massillon, fréquentez les Cyprien, les Chrysostome, les Bernard, les Alphonse de Liguori, ou simplement Bossuet, Lacordaire et le cardinal Pie. Ne méprisez pas, à l'occasion, les bons auteurs de méditations, tels que Segneri, de Grenade, Thomas de Jésus, Bail, Judde, Chaignon, Hamon. Au contact de ces maîtres votre cœur s'échauffera, vous saisirez par quelle voie on arrive à l'émotion et par quelles peintures on se rend suggestif, capable d'enflammer les cœurs.

Ceci nous amène à répéter que pour atteindre au pathétique, il ne suffit pas de sentir son sujet dans ce qu'il a de plus passionnant, mais qu'il faut encore employer pour le rendre un langage impressionnant et onctueux.

Deuxième règle générale pour exciter les passions : Parler comme l'on sent quand on est sous le coup de l'émotion.

Il est nécessaire d'écrire ou de parler comme l'on sent : avec le même détail abondant, les mêmes couleurs vives, le même lyrisme, les mêmes hardiesses et le même feu, cela par la raison que vous ne pouvez produire dans autrui vos émotions personnelles que par les moyens mêmes qui vous ont donné, à vous, ces précieux sentiments.

Citons un exemple de style onctueux, tiré des catéchismes du Bienheureux curé d'Ars :

« Oh ! qu'au moment de la mort on regrettera le temps

qu'on aura donné aux plaisirs, aux conversations inutiles, au repos (à l'oisiveté), au lieu de l'avoir employé à la mortification, à la prière, aux bonnes œuvres ; à penser à sa *pauvre* misère, à pleurer ses *pauvres* péchés ! C'est alors que l'on voit qu'on n'a rien fait pour le ciel.

« O mes enfants, que c'est triste ! Les trois quarts des chrétiens ne travaillent qu'à satisfaire ce *cadavre* qui va bientôt pourrir dans la terre, tandis qu'ils ne pensent pas à leur pauvre âme, qui doit être éternellement heureuse ou malheureuse. Ils manquent d'esprit et de bon sens, ça fait trembler ! Voilà donc cet homme qui se tourmente, qui s'agite, qui fait du bruit, qui veut dominer sur tout, qui se croit quelque chose, qui semble vouloir dire au soleil : « Ote-toi de là, laisse-moi éclairer le monde à ta place !... » Un jour, cet homme orgueilleux sera réduit tout au plus à une petite pincée de cendre, qui sera traînée de rivière en rivière, de *Saône en Saône*, jusque dans la mer.

« Voyez, mes enfants, je pense souvent que nous ressemblons à ces petits tas de sable que le vent ramasse sur le chemin, qui tournent un petit moment, et se défont tout de suite après..... Nous avons des frères et des sœurs qui sont morts. Eh bien ! ils sont réduits à cette petite poignée de cendre dont je parle. »

Le bienheureux curé parlait comme il pensait. L'émotion réelle, mais simple, de son cœur donnait à sa phrase un je ne sais quoi de profond, en même temps que de tout naturel.

Voulez-vous voir le même phénomène réalisé dans un morceau de grand maître ? Lisez attentivement le passage suivant. Il est de saint Jean Chrysostôme fêtant saint Jean-Baptiste, et tonnant contre le blasphème et les mauvais serments. Arrivé au moment où, par la magie de son style, l'illustre orateur a, pour ainsi dire, montré du doigt la tête du Baptiste roulant sur les dalles de la prison, le voilà qui crie à ses auditeurs haletants :

« Cette tête détachée du tronc et fumante encore du sang qui en découle à grands flots, relevez-la ; que chacun de vous la prenne entre ses mains, l'emporte dans sa maison : alors, fixant vos regards sur elle, vous croirez voir cette bouche s'ouvrir encore ; vous l'entendrez s'écrier : C'est un serment impie qui m'a donné la mort, haïssez-le !

« En effet, ce que ni la franchise du saint précurseur ni la colère du prince qui se voyait repris publiquement n'auraient pu faire, la crainte malentendue du parjure l'a réalisé. C'est le serment qui trancha cette tête vénérable. Portez-la donc en tous lieux, montrez-la à tous les yeux, cette tête auguste qui fait de continuels reproches aux blasphémateurs. Quelles que puissent être vos distractions et votre tiédeur, l'aspect de ces yeux animés d'un saint zèle, et menaçant de leurs sévères regards les indiscrets qui se permettent des serments imprudents ou impies, sera pour vous un frein salutaire qui arrêtera votre langue et vous détournera du blasphème. »

Essayons d'imiter cette page ! Nous verrons quel sentiment elle suppose et combien, pour être orateur, il faut sentir le fond des sujets que l'on traite, leurs conséquences dernières ; combien aussi l'on doit s'exprimer naturellement, parler comme l'on sent, avec liberté, chaleur et simplicité.

Les peintres disent qu'ils *sentent* leur sujet

lorsque l'expression qu'il doit avoir est présente sensiblement à leur imagination et qu'ils la voient naître sous leur pinceau, comme si elle sortait de leur main pour se répandre sur la toile. La clef du grand art est là. De même le grand secret de l'éloquence consiste à s'impressionner du bien, et à sentir qu'on en pénètre l'auditoire.

Ne pensez point qu'un tel prodige s'accomplisse l'ordinaire sans un secours particulier de la grâce ; ne croyez pas avoir dit le dernier mot de l'éloquence quand vous avez dit : c'est une âme vibrante qui communique à d'autres âmes ses vibrations intérieures ; n'attribuez pas ce double phénomène à la seule nature, comme si l'auteur de la nature s'était interdit d'arrêter ou de favoriser, quand il lui plaît, le fonctionnement de ses lois. Remontez jusqu'à Dieu.

Nous l'avons montré, si vous ne sentez pas vivement le côté pathétique de votre sujet, vous ne sauriez le faire sentir à votre auditoire ; mais, quand même vous méditeriez durant huit jours ce sujet, êtes-vous sûr d'en sentir les beautés surnaturelles, d'en saisir le fond édifiant, d'en découvrir le côté convertissant, si Dieu ne vous assiste spécialement dans votre travail ? Que faites-vous de l'*inspiration* et d'où pensez-vous qu'elle vienne sinon de Celui que l'Eglise appelle : *Spiritalis unctio ?*

Je ne puis mieux vous mettre en garde contre le *naturalisme* en ce point qu'en transcrivant ici la page où le P. Gisbert parle du prédicateur vraiment surnaturel et vertueux.

« Un prédicateur doit agir et être poussé par l'Esprit de Dieu ; mais le sera-t-il si l'Esprit de Dieu ne réside en lui ? Il est bien rare de voir un Balaam que le Seigneur inspire. C'est dans la retraite, loin du commerce du monde, aux pieds de Jésus-Christ crucifié, dans le feu d'une méditation assidue et profonde où il doit puiser ces lumières plus pénétrantes qu'un glaive à deux tranchants; former ces mouvements tantôt doux et tendres qui s'insinuent, tantôt impétueux et rapides qui entraînent; enfanter ces foudres et ces éclairs qui font trembler les pécheurs les plus intrépides et abattent presque toujours les pécheurs les plus obstinés.

« Je sais que les sources de l'éloquence sont ouvertes à tout le monde : tous les prédicateurs peuvent également lire et étudier les divins ouvrages ; mais seront-ils tous également touchés et éclairés par cette lecture et par cette étude? Oh ! que les yeux d'un prédicateur homme de bien sont plus clairvoyants que les yeux de celui qui ne l'est pas, et que son cœur est bien plus sensible ! L'un y découvre et y sent mille choses utiles à toucher et à édifier, que l'autre n'y voit pas et qu'il y sent encore moins. *In malevolam animam non intrabit sapientia.* (Sap., c. i.)

Allons jusqu'au bout. Quand même vous seriez inspiré à fond, votre auditoire sera-t-il toujours assez bien disposé dans son âme pour que votre parole atteigne son but ? Et qui, sinon Dieu, le pourra préparer de telle sorte qu'il vous ouvre son cœur ? « Une éloquence à faire pleurer du marbre, écrivait Lacordaire, et mille vies données en une heure ne font rien sur une âme que Dieu n'a pas touchée (1). »

(1) *Lettres à des jeunes gens.*

Ainsi, tant pour vous que pour vos auditeurs, il faut ce que nous appellerons *la grâce du sermon.* C'est pourquoi le célèbre prédicateur Lejeune a cent fois raison de dire que pour bien prêcher il faut bien prier. Du premier coup, les apôtres comprirent cette loi. *Nos orationi,* disaient-ils, *et prædicationi instantes erimus !*

De nos jours, beaucoup de pauvres têtes croient pouvoir devenir prédicateurs à moindre prix : *Ideo multi sunt imbecilles !*

D'autres, plus nombreux peut-être, se découragent de prêcher, désespèrent d'arriver à parler éloquemment, renoncent à jamais rien entendre au maniement des passions. Donnons-leur deux moyens faciles d'exciter le sentiment et de préluder à la persuasion.

Troisième règle générale pour exciter les passions : Mettre les auditeurs en face de leur propre conduite, et les stimuler par des exemples bien choisis.

La peinture des mœurs locales ou de l'auditoire consiste à mettre en regard du dogme que l'on enseigne les maximes du monde et ses superstitions, et en face de la morale que l'on prêche celle que suivent la plupart des auditeurs. Par elle-même, cette opposition est éloquente et, pourvu qu'on ne charge point ses tableaux, elle produit un excellent effet. Remarquez-le dans l'émouvant office de la Passion, aux répons des nocturnes : *Vinea mea electa, ego te plantavi, dicit Dominus, et tu facta es mihi nimis amara*, etc. Tous ces répons respirent une onction, un sentiment sublimes. Exposons de même la vérité et le devoir et mettons en face les sottises acceptées et commises par les malheureux pécheurs. Ce moyen demande de la discrétion et beaucoup de douceur, mais il est puissant.

Nous tenons, en effet, tous plus ou moins de ces besaciers dont parle La Fontaine, et qui mettent leurs défauts dans la poche de derrière. C'est pourquoi nous avons de la peine à nous croire aussi défectueux que nous le sommes. Il faut qu'une main habile nous trace notre portrait, et nous révèle nous-mêmes à nous-mêmes ; ce résultat une fois obtenu, tout change à nos yeux, et les enseignements de l'Evangile font sur notre cœur une vive impression.

Le lecteur me pardonnera de lui conter comment, un jour, je constatai cette piquante vérité. Un digne prêtre, curé d'une importante paroisse, était venu faire sa retraite annuelle au couvent où je résidais. Chargé de le diriger dans ses exercices et sachant, pour avoir autrefois prêché la mission dans sa paroisse, que j'avais affaire à un homme instruit et sérieux, je crus habile de lui donner pour toute direction le conseil suivant : Appliquez-vous à réciter pieusement votre office et votre chapelet, célébrez saintement la messe, et consacrez vos temps libres comme suit : Le premier jour, vous *écrirez* su[r] le verso d'un cahier tout ce que vous croyez devoir accomplir ou éviter envers Dieu, vous-même et l[e] prochain. Le deuxième jour, vous *écrirez* en face d[e] chacun de ces devoirs le détail de votre conduite par rapport à ce devoir. Le troisième, enfin, vous *écrirez* les points sur lesquels vous pensez pouvoir vous engager à vous amender. C'était très simple, et, le premier jour, tout se passa bien. Le deuxième fut cruel. Le troisième, émouvant. Ce digne prêtre ne s'était jamais vu d'aussi près. Il m'avoua n'avoir fait aucune retraite plus salutaire.

Rappelons le dernier moyen d'exciter les passions, qui est de choisir et de citer à propos des EXEMPLES DRAMATIQUES conformes au sujet que nous prêchons.

Ce qui remue le cœur, nous l'avons vu, ce n'est pas tant l'intelligence d'une vérité que les traits vifs, imagés et sensibles, sous lesquels cette vérité se présente à notre imagination. Voilà pourquoi le roman passionne davantage que la plus belle thèse métaphysique. Les maîtres du théâtre le savent bien !

Mais qui ne voit du premier coup qu'un exemple dramatique, une histoire émouvante sont précisément ce qui constitue le fond de tout roman et de toute tragédie ? Loin donc de partager le dédain plus ou moins conscient de certains modernistes pour les chercheurs et les conteurs d'histoires édifiantes, imitons les prophètes, les saints et Notre-Seigneur. La Sainte Ecriture est pleine d'exemples à raconter. Bossuet lui-même cita des traits incroyables. Voir son *Depositum custodi*. Sans commettre l'imprudence de débiter comme historiques, ou vrais, des traits inventés ou absurdes, évitons la présomption des critiques excessifs qui excluent la *Vie des saints*, et croyons qu'il y a des histoires dignes de créance et qui sont à rechercher (1).

Pour appuyer ce conseil, je me contenterai de saint Alphonse de Liguori. Ce Docteur de l'Eglise, maître en l'art de former un prêtre à la vraie prédication, prit la peine de composer plusieurs recueils d'histoires édifiantes. Si quelqu'un pensait détruire l'effet de cette autorité, sous le prétexte que saint Alphonse a voulu former des MISSIONNAIRES, non des orateurs, il suffirait, pour lui répondre, de ces lignes de Marmontel par lesquelles nous fermerons le présent chapitre :

« Nos beaux parleurs font vanité de mépriser les missionnaires : c'est d'eux pourtant qu'on doit apprendre à parler au peuple avec fruit, à l'attirer en foule, à le frapper des vérités qui l'intéressent, à le toucher, à l'émouvoir » (2).

---

(1) « Il ne faut pas croire que le progrès des études ait modifié essentiellement, ou même grandement, la tradition... Les résultats partiels acquis par tant de découvertes et d'efforts tendent, en somme, à justifier la façon de voir des sages critiques du temps de Louis XIV... On est revenu des systèmes insensés dont Tubinghe eut la primeur.

« Je me sens une égale horreur pour la niaiserie de certains systèmes et pour celle de certaines légendes. Je crois même que, s'il fallait choisir, les légendes, où il y a au moins un peu de poésie et d'âme populaire, auraient encore ma préférence. »
(L. Duchesne, *Hist. anc. de l'Eglise*, Préface.)
(2) Em. Lefranc. *Traité de littérature.*

CHAPITRE X

Règles particulières propres à exciter habilement les passions.

Sommaire : Relation qui doit exister entre les sentiments et la conclusion du discours — S'appuyer sur un texte de la sainte Ecriture ou des Pères. — Le Verbe fait chair et le vrai pathétique. — Modération du zèle. — Modèle tiré de saint Alphonse de Liguori.

Les deux chapitres précédents nous ont quelque peu détournés de l'exposé de notre méthode. Il était nécessaire de rappeler ces théories ordinairement peu comprises. Revenons à la pratique.

Par tout ce qui précède, nous savons comment chaque sujet de sermon doit être présenté à l'imagination d'abord, puis à l'intelligence. Il s'agit maintenant de le présenter au cœur. D'après quelles règles cette délicate opération sera-t-elle accomplie heureusement ? Quels moyens prendre pour exciter les passions avec art et de manière oratoire ? C'est l'objet de la présente leçon.

Première règle pour exciter habilement les passions : Développer le sentiment propre au sujet de telle façon qu'il prélude aux conclusions pratiques du sermon.

L'unité nécessaire à toute œuvre d'art, aussi bien que la logique, exige que nous excitions en l'auditeur la passion ou les sentiments les plus conformes au sujet traité ; sentiments qui, loin de briser la marche du discours, semblent découler naturellement de la doctrine exposée, font passer cette doctrine de l'esprit dans le cœur, pour la conduire enfin jusqu'à la volonté. Il ne s'agit donc pas de faire du sentiment en l'air. « La stratégie naturelle, dit le P. Longhaye, est d'émouvoir afin de déterminer, » et notre méthode ne se borne pas à présenter un sujet aux facultés de l'homme indifféremment et sans but, mais de telle sorte que nous employions l'imagination à aider l'intelligence et la passion à persuader la volonté. De là cette première règle qui consiste à choisir le sentiment le plus conforme à la doctrine que l'on prêche et au but auquel on tend.

Vous avez, je le suppose, rappelé à vos auditeurs l'inéluctable loi qui nous condamne à mourir. Devrez-vous, à ce propos, exciter l'indignation contre l'auteur de cette dure loi ? Ou bien porterez-vous les âmes à mépriser la nature humaine ainsi assujettie aux horreurs du tombeau ? Non, n'est-ce pas ? Cette indignation, ce mépris seraient des sentiments opposés à votre but et qui ne découlent pas réellement de votre enseignement. Qu'il y ait un châtiment dans la loi de mort portée contre nous, c'est reconnu, mais, jusque dans la tombe, l'apôtre voit une aurore de gloire et d'immortalité : *Corpus seminatur in corruptione, surget in incorruptione, seminatur in ignobilitate, surget in gloriâ* (1). A ce sujet, il y a donc lieu de stimuler notre espérance, la juste fierté d'une âme immortelle et les joies futures de la résurrection. C'est le cas de triompher avec Jésus ressuscité, en jetant à la mort ce grand défi : *Ubi est mors victoria tua, ubi est mors stimulus tuus* (2) ?

On pourrait non moins justement exciter, à propos de la mort, la haine du péché qui en est la cause, le mépris des faux biens d'ici-bas qu'elle détruit, l'audace à braver ses coups, le désir même de sa venue qui nous ouvre le ciel.

On choisira l'un ou l'autre de ces sentiments pour le développer à fond, ou plusieurs, si l'on veut, selon le but à atteindre ou la conclusion pratique du sermon. Et ce qu'il faut le plus attentivement observer, c'est cette *fin du sermon* considérée comme le *point de mire à viser pour choisir et développer tel mouvement plutôt que tel autre*. C'est là, pour un prédicateur, un acte de discernement qui nous paraît être le fin fond de l'art oratoire, le point culminant de la psychologie et de la théologie combinées. Nous le savons, en effet, un orateur ne fait pas du sentiment seulement pour émouvoir, mais pour persuader, il sait pourquoi il excite une passion plutôt qu'une autre, il voit clairement le sentiment qui lui amènera plus victorieusement la volonté de l'auditeur et qui disposera davantage ce dernier à remplir son devoir.

(1) I, *Cor.*, xv.
(2) *Ibid.*

J'entends : l'élève qui comprend cette règle du choix à faire parmi les passions est porté à désespérer d'y parvenir. Enfant, lui dirait un maître, ne craignez point. Jésus-Christ est là. Il a touché le cœur humain par tous les côtés utiles. L'Evangile vous révélera l'un après l'autre, si vous le méditez assidûment, ces secrets qu'à bon droit vous jugez comme impénétrables. Et tout ainsi que nous disons : le comble du flair oratoire est de voir le meilleur endroit par où l'on peut prendre les volontés, le sentiment le plus opportun, tout de même nous affirmons que la suprême, l'infaillible ressource du prédicateur est d'étudier avec persévérance et piété les divines manières de parler dont usa Notre-Seigneur.

Deuxième règle pour exciter heureusement les passions : Chercher dans l'Evangile et les Pères un endroit où Notre-Seigneur propose le sujet que nous traitons, et développer les motifs dont il se sert lui-même pour persuader ses auditeurs.

Je m'en voudrais de ne pas insister sur un point aussi capital. Et d'abord j'appuie sur l'autorité d'un auteur profond l'affirmation donnée plus haut.

« L'éloquence de Notre-Seigneur déploie toutes les ressources naturelles et touche, à l'occasion toutes les cordes.

« Elle a ce pathétique indirect qui consiste surtout dans la peinture vive de l'âme, peinture agréable à l'esprit par la piquante justesse de l'analyse, agréable au cœur et commençant de l'émouvoir par l'effet contagieux des passions représentées. De là, dans les récits ou paraboles, une continuité de mouvement, de drame, de vie, moins saillante peut-être que chez les prophètes, parce qu'elle est moins brusque d'allures, mais tout aussi réelle et attachante. Les exemples s'offrent d'eux-mêmes et ils sont partout.

« Mais Jésus-Christ nous saisit mieux encore par le pathétique direct, par l'émotion, la passion personnelle qui respire dans ses discours et vient provoquer la nôtre. Chez lui, sans doute, la passion ne peut ni s'égarer sur un objet indigne, ni dépasser la juste mesure ; elle est si parfaitement dans sa main et sous la dépendance de la raison qu'elle fait comme une espèce hors ligne et que la théologie lui a trouvé un nom à part. Mais elle existe bien vraie, bien humaine, et, dans son mouvement propre, toute semblable à la nôtre ; sinon Jésus-Christ n'aurait pas de sensibilité, pas de cœur à notre manière ; il ne serait pas l'homme parfait que nous fait connaître la foi. Il a donc la passion dans l'âme et il la met nécessairement dans sa parole. Par là, il éveille en nous la passion correspondante, mais autant qu'il le faut pour atteindre et déterminer la volonté. Comme il ne s'attarde jamais au plaisir de peindre, ainsi ne s'abandonne-t-il jamais au charme pur et simple de sentir pour lui-même ou de faire tressaillir sous une touche victorieuse la sensibilité d'autrui. Ni violence ni mollesse. L'homme parfait, l'Homme-Dieu ne cherche pas l'effet ; il ne veut ni brusquer les âmes sous prétexte de les émouvoir, ni les détendre et les amollir par un sentimentalisme de mauvais aloi.

« A cela près, toutes les passions vivent dans ses discours ; *passions fortes*, désir, ardeur, indignation, sainte colère ; *passions douces et tendres,* amour, tristesse, pitié. Qu'on ne nous demande pas ici d'analyse. Il faut lire l'Évangile, le lire avec le cœur autant qu'avec l'intelligence, le lire avec ce sens de l'âme et de la vie que nous fait l'expérience de nous-même et des autres ; et ainsi, en écoutant vibrer le cœur de l'homme parfait, reconstituer note à note, — si l'on nous permet cette expression, — toute la gamme des sentiments humains, depuis l'éclat formidable contre les Pharisiens jusqu'au discours après la Cène et à l'incomparable prière qui la termine. Pour ce dernier morceau en particulier, qu'on le lise, qu'on le relise, qu'on le savoure, puis qu'on recommence. Tout au plus pourrait-on, après cela, se rendre présent ce que l'on connaît de plus touchant dans toutes les poésies ou éloquences profanes ou même sacrées; on verrait alors, on sentirait plutôt que cette prière est sortie d'un cœur vraiment humain, et tout ensemble que ce cœur-là parle comme jamais cœur n'a parlé : *Nunquam locutus est homo sicut hic homo* (1). »

Jetons un coup d'œil sur le principal discours du Sauveur : le sermon sur la Montagne (saint Mathieu, c. v-vii).

Tout d'abord Notre-Seigneur prêche les vertus chrétiennes ou surnaturelles : pauvreté, douceur, pénitence, ferveur, miséricorde, pureté, esprit pacifique, constance à supporter les persécutions. Comment prend-il les cœurs pour amener les volontés à désirer ces vertus ? Par les passions surnaturalisées dans la foi, le désir des grandeurs, de la fortune, des consolations. Ce désir naturel, il l'excite par des termes et des choses presque infinis : *Heureux les pauvres en esprit, car le royaume des cieux est à eux. Heureux ceux qui sont doux, car ils posséderont la terre;* etc. Quoi de plus alléchant qu'un royaume, quoi de plus capable de frapper l'imagination d'un

(1) LONGHAYE, *la Prédication*.

croyant que le bonheur présenté sous la forme de royaume des cieux, possession de la terre, consolation, miséricorde illimitée ?

Non seulement le Maître s'adresse aux désirs des passions rectifiées par la foi, il fait appel aux sentiments les plus nobles qu'une créature raisonnable puisse éprouver : la soif de voir Dieu, de s'unir à lui, d'assister enfin au triomphe universel de la justice. *Heureux ceux qui ont le cœur pur, car ils verront Dieu ! Heureux ceux qui ont faim et soif de la justice, car ils seront rassasiés !*

Voyez ici comme il va d'un seul coup au fond du cœur humain. Afin de porter les chrétiens à garder leur caractère, à ne pas s'attiédir au souffle énervant du monde qui s'amuse, mais à confesser hautement, fièrement, au grand jour, leur foi d'enfants de Dieu, il leur dit que s'ils ont moins de fermeté, moins de noblesse ils deviennent méprisables, bons à rien ; mais que, s'ils ont cette constance et cette hardiesse, leur conduite servira d'exemple au monde entier. Ne sentez-vous pas combien stimulante est cette opposition entre un sel affadi et la lumière du monde ? D'un côté Jésus-Christ nous prend par l'horreur de la honte, de l'autre par l'amour de la gloire, et quoi de plus passionnant ? Les plus beaux exploits de l'histoire viennent de là ; pour échapper à la honte, les hommes se tuent, comme, pour arriver à la gloire, ils se font tuer : aveuglément, avec fureur ou enthousiasme.

S'agit-il de nous amener aux vertus supérieures,

telles que l'esprit de paix et de concorde ? Le Maître nous prend par la plus noble des passions, le besoin d'être comme des dieux, et il nous dit : *Heureux les pacifiques, car ils sont appelés enfants de Dieu.* Faut-il seulement nous détourner de l'homicide et des vices? Il réveille en nous la crainte de l'enfer, passion inférieure. *Et si ta main droite est pour toi une occasion de chute, coupe-la et jette-la loin de toi ; car il vaut mieux pour toi qu'un seul de tes membres périsse et que ton corps ne soit pas jeté dans la géhenne tout entier.*

Enfin Notre-Seigneur veut-il prédisposer les volontés à quelque œuvre ardue, ou les détourner de quelque vice affectionné, il emploie les figures les plus vives : *Ne vous amassez pas des trésors sur la terre où la rouille et les vers rongent, et où les voleurs percent les murs et dérobent. Mais amassez-vous des trésors dans le ciel, où ni les vers ni la rouille ne rongent et où les voleurs ne percent les murs ni ne dérobent.*

Un critique observera sans doute que, parmi ces motifs, plusieurs sont aussi propres à déterminer la volonté par la raison qu'à l'incliner par le sentiment ? Nous répondons que l'orateur ne doit pas s'embarrasser dans les liens étroits de ces distinctions. Et s'il arrive qu'une même considération fournisse tout ensemble un motif de sentiment et une raison morale, ou de persuasion, rien n'est mieux que de l'employer librement et comme on veut.

Par conséquent, lorsque vous aurez noté en quelques mots les motifs dont vous voulez vous servir pour amener l'auditeur à vos fins, placez en avant ceux qui touchent davantage l'imagination ou le cœur, gardez pour le dernier point ceux qui sont d'ordre plus immédiatement intellectuel et ne vous troublez nullement des subtilités d'une fausse critique. Eh ! certes, Notre-Seigneur a prêché ainsi, les Pères l'ont suivi, Bossuet ne fait pas autrement, que voudrait-on de mieux ?

Reste à dire si la passion doit être poussée aussi loin que possible ou contenue dans une juste modération ; et, s'il vaut mieux multiplier les sentiments ou ne prendre que les plus capables d'incliner la volonté.

Troisième règle pour exciter convenablement les passions : Contenir le mouvement et ne jamais se laisser aller aux saillies d'un zèle intempestif, exagéré ou efféminé.

Ceux qui manquent le plus à cette règle, ce sont les esprits véhéments, primesautiers et orateurs. Enhardis par leur aptitude et leur attrait pour la grande parole, ils se lancent vers le but, de toutes leurs forces, par le plus court, sans prendre garde à autre chose qu'à démontrer leur thèse envers et contre tous, à triompher de la partie adverse avec fracas, et à invectiver juste mais fort contre les travers du genre humain.

Peu leur importe, disent-ils, qu'on les blâme ou qu'on les loue : ils remplissent un ministère plus haut que les éloges du beau monde, et, pour eux, faire éclater la vérité, le droit, et les imposer aux plus récalcitrants, cela suffit. Bien mieux, ils n'attendent leur récompense que de Dieu, Dieu seul étant capable de juger les hommes et de le bien faire. Ils s'en vont ainsi, continuant d'aiguiser des dards ou de lancer des traits, énergiquement, sans peur, mais, qu'ils me pardonnent d'oser le leur dire, non pas sans reproche !

A ces âmes vaillantes, droites, chevaleresques, dignes d'estime, il faut rappeler, en effet, que toute qualité *non contenue* devient un défaut, comme, au dire de saint Bernard, toute vertu moins la prudence deviendrait un vice. Il faut, disons nous, leur faire comprendre, en toute raison et douceur, que tous les esprits n'ont pas la force de supporter les remèdes violents, et que pour traiter un malade, il est besoin d'autre chose encore que de science et d'énergie. La mesure dans l'application du remède, la confiance au médecin et un je ne sais quoi d'influence sympathique sont le plus souvent indispensables. La règle que nous venons de lire est donc très importante, et nul ne doit se croire bon prédicateur, s'il excite les passions autrement qu'avec une véhémence contenue et de la manière qui convient à ses auditeurs.

Ceux qui manquent à cette règle bousculent les esprits, terrifient ou exaltent outre mesure l'auditoire, blessent les âmes délicates et font plus de bruit que de bien.

Afin de me porter à prendre des précautions contre la possibilité de mourir sans confession, est-il requis, je vous prie, de m'impressionner là-dessus jusqu'à m'ôter le sommeil ? Quelle éloquence trouvez-vous à m'épouvanter par vingt récits de morts subites, imprévues, tragiques ? Un médecin qui ferait peur à des femmes en les saturant d'explications sur les embolies et sur les ruptures d'anévrismes, serait-il pour autant un puissant orateur ?

Je n'entends pas proscrire la véhémence des mouvements, mais régler cette véhémence, la contenir, la diriger, tout comme on bride et conduit un cheval prêt à s'emballer. Si vous m'opposiez l'exemple de certains prophètes, je vous répondrais par cette réflexion d'un solide auteur :

« Donnez-moi un Isaïe, un Ezéchiel inspiré de Dieu, et je l'écouterai avec un profond respect, quoi qu'il dise, et quoi qu'il fasse pour me toucher ; mais ne vous érigez point en prophète, sans un bon titre (1). »

Après les esprits fougueux, ceux qui sont le plus exposés à manquer de mesure dans le sentiment, ce sont les utilitaires et les hommes faibles. Ceux-ci, par opportunisme, ceux-là par intérêt, cherchent à plaire, à récréer, à intéresser : ils briguent le renom d'hommes aimables et beaux diseurs. Leur manière de n'être pas violents, c'est d'écarter les doctrines fortes, pratiques, les moralités sévères. La prédication ne les enfièvre pas ; oh ! non : ils font des tableaux charmants, prennent des airs de bonshommes ou de

---

(1) Le P. Gisbert.

petits saints : s'excusent de supposer parmi leur *aimable* auditoire l'une ou l'autre personne qui pourrait peut-être avoir quelque chose à se reprocher, professent un culte exclusif pour la piété douce, les sentiments tendres ou flatteurs, etc... Je n'ai pas besoin de condamner ces pauvres gens! Ils manquent à la mesure d'excitation des passions non plus par véhémence mais par mollesse, ils font penser au mot de Notre Seigneur : *Quod si sal evanuerit in quo salietur ? ad nihilum valet ultrà nisi ut mittatur foràs, et conculcetur ab hominibus.*

Deux raisons surtout justifient cette règle de modération. 1º Sans une juste mesure ou retenue, l'excitation du sentiment trouble l'intelligence, affadit le ministère, fait perdre le fil du discours et déroute parfois l'orateur lui même. L'expérience prouve cela L'on voit certains prédicateurs, pris tout à cou d'un saint zèle contre les journalistes impies, vomi les plus terribles malédictions de l'Ecriture sur u auditoire de dévotes. Chacun sait d'ailleurs que tro d'émotion nous tourne la tête et que la passion pro prement dite nous « détraque le cerveau », comm dit saint François de Sales. 2º Les résultats obtenu par la peur, les vaines complaisances, l'enthousiasm ou par tout autre sentiment excessif sont si pa sagers qu'il ne faut pas en tenir compte pour l'édif cation des âmes.

Le désir de pousser la crainte jusqu'à l'effroi n' t-il pas jeté Massillon même dans un trouble de jug ment? Lisez son fameux tableau du petit nombre d élus, vous le sentirez sans peine. Et le résultat de cette surexcitation de sentiment, pensez-vous qu'il ait été salutaire ? Donc, retenons bien cette règle : *ne quid nimis*. Et si nous devons invectiver selon ce mot de l'apôtre : *argue, increpa*, n'oublions pas ces autres mots qui suivent immédiatement : « *in omni patientiâ* (1). » Imitons les hommes tempérants : ils ne vont jamais au bout de leur appétit. Craignons les mots à l'emporte-pièce et retranchons-les de nos cahiers. Que s'il nous échappe en chaire une parole trop forte, ayons le courage de nous corriger sur place.

Cette observation nous amène à citer le P. Longhaye sur la douceur et l'onction de la parole sacerdotale.

« L'onction de la parole sacerdotale est à la fois douceur et force ; elle garde jusque dans la véhémence un fond de suavité engageante, mais, par contre, elle ne s'embaume de suavité que pour aviver les énergies de l'âme ; elle a en égale horreur la dureté et la mollesse, car elle est au fond la charité même et rien de plus. Et voilà bien l'accent propre de la chaire ; il est ferme, mais d'une fermeté pleine d'amour ; il est tendre, d'une tendresse parfois infinie, mais toujours pure et vigoureuse, tendresse de la vraie mère qui caresse son enfant pour l'élever et qui ne le flatte pas pour en jouir.

« L'onction réprouve, elle exclut l'âpreté, l'amertume, la violence, le fracas, toutes ces contrefaçons de la force qui sont en réalité de grandes faiblesses, faiblesse à gouverner le tempérament, faiblesse à dominer l'amour-propre et l'irritation de l'impuissance trop bien sentie (2). »

---

(1) II Timoth., iv.
(2) *La Prédication*.

Le maître que nous venons de lire continue avec la même ampleur, profondeur et sagesse, il nous fait voir que l'onction ne doit jamais dégénérer en sensiblerie, attendu que l'auditeur peut très bien pleurer sans se convertir.

De ces observations, retenons qu'un orateur vrai mesure tous ses coups, n'excite pas la joie jusqu'au transport, ni la tristesse jusqu'à l'accablement ; sait enhardir sans témérité, rendre craintif sans pusillanimité, provoquer le désir sans allumer des feux inconsidérés, qu'il sait, en un mot, émouvoir sans exalter.

Quatrième règle pour exciter heureusement les passions : PRÉFÉRER, QUAND C'EST POSSIBLE, LE DÉVELOPPEMENT SUFFISANT D'UNE PASSION BIEN CHOISIE A LA MULTIPLICITÉ OU A L'ACCUMULATION DE SENTIMENT INACHEVÉS.

Un sujet, une doctrine, peut provoquer plusieur sentiments à la fois. Le ciel, par exemple, fait naîtr le désir et l'espoir de le posséder, la crainte de l perdre, le regret de s'être exposé à n'y jamais par venir, l'admiration pour sa beauté, la fierté d'y êtr appelé comme héritier du Christ, le dédain de bonheurs passagers et des plaisirs d'ici-bas, le courag de supporter les épreuves de la vie, etc. On peu donc ou s'appliquer à l'excitation des divers sent ments qui naissent d'une doctrine ou se borner l'émotion qui prépare le mieux le fruit du sermo Ainsi, dans un jour de fête où je voudrais encourag les fidèles à supporter les épreuves d'ici-bas, je devra développer surtout l'admirable disproportion que nous verrons en paradis entre les souffrances des martyrs et la félicité dont Dieu couronnera ces souffrances.

La méthode conseille ce dernier parti pour plusieurs raisons : 1° Un sentiment *poussé à fond* gagnera plus vite et mieux la volonté que trois ou quatre autres seulement effleurés. 2° Un seul sentiment pris à part évoque des peintures et requiert un développement beaucoup plus détaillé, fouillé, oratoire, qu'une série où l'on mettrait forcément plus d'énumération que de description. 3° L'unité du sermon est mieux sauvegardée par une passion choisie que par cinq ou six autres qui conviennent moins au sujet ou à l'auditoire. 4° Le peu de place que relativement doit occuper la partie sentimentale des sermons ordinaires (un sixième environ) exige que l'on se contente d'une seule passion, afin de pouvoir l'exciter suffisamment.

Saint Alphonse-Marie de Liguori, fondateur des Rédemptoristes, est un maître achevé dans l'art de développer ou de *pousser* un sentiment choisi. Parmi les saints écrivains, j'en connais de plus brillants, mais aucun, pas même saint François de Sales, ne me semble plus onctueux, plus touchant, plus pratique et plus convertissant. Nous n'avons guère de lui que des matériaux de sermons, et pourtant, ces matériaux, même pour la forme, méritent une place parmi les meilleurs modèles de l'Eloquence chrétienne populaire.

Je ne citerai qu'une de ces notes, tirée du sermon pour le XIX⁰ dimanche après la Pentecôte, sur la *Douleur que la perte du ciel fait éprouver aux damnés.*

« Les réprouvés penseront qu'ils n'ont perdu Dieu et le ciel que par leur faute, et leur douleur en deviendra plus vive encore. J'aurais pu être heureux sur la terre, diront-ils, et en même temps assurer mon bonheur éternel, je n'avais qu'à aimer Dieu. Mais j'ai livré mon cœur au vice et me voilà plongé dans le lieu des éternels tourments.

« Comme Job, ils s'écrieront : *Quis mihi tribuat ut sim juxta menses pristinos, secundum dies quibus Deus custodiebat me?* Oh! qui me donnera de revenir sur les chemins de la vie, lorsque je marchais sous la main de Dieu qui m'attirait à lui! Je n'étais pas issu d'un sauvage ou d'un Chinois, à qui manquent les sacrements et le pain de la parole sainte! Né au sein de l'Eglise, j'ai entendu la voix des Pasteurs, et, comme aux autres chrétiens, le tribunal de la Pénitence me fut toujours ouvert!

« Non! ce ne sont pas les démons qui m'ont traîné dans ces horribles cachots, c'est de moi-même que j'y suis venu! C'est ma propre volonté qui forgea les chaînes qui me tiennent loin de Dieu. Que de fois ce Dieu m'a parlé au cœur : « Corrige-toi, me disait-il, reviens à moi ; un temps vient où tu ne pourras plus réparer le mal que tu fais... » Hélas! ce temps est arrivé, la sentence a été prononcée..., jamais il n'y aura de remède au malheur des damnés.

« Si, du moins, il leur était possible d'aimer le roi du ciel! Mais non! Ayant préféré le péché à la grâce, ils sont forcés de haïr Dieu. *Quare posuisti me contrarium tibi et factus sum mihimetipsi gravis?* (Job, VIII.)

« La vue de tout ce que Dieu a fait pour le sauver mettra le comble à sa douleur. *Peccator videbit, et irascetur.* (Ps. III.) *Videbit*, il verra d'une part, tous les bienfaits dont le Seigneur l'a comblé, tout ce qu'il a souffert pour se faire aimer de lui ; de l'autre part, il verra que maintenant et par sa faute Notre-Seigneur ne l'aime plus, qu'il le déteste. *Et irascetur!*...

« *Si mille quis ponat gehennas*, dit saint Chrysostôme, *nil tale dicturus est, quale est exosum esse Christo* (hom. XXIV, in Math.).

« Oh! rugira-t-il, mon Rédempteur, celui qui par amour pour sa misérable créature a sué le sang et enduré la mort de la croix, mon Rédempteur n'a plus pitié de moi! Je pleure, je gémis! et lui ne m'entend pas, il ne me regarde pas, il ne se souvient plus de moi! Un jour, il m'aimait... maintenant il me déteste, et c'est ma faute à moi ingrat, à moi qui ai repoussé son amour! *Et ultrà nescientur à Deo, qui Deum scire noluerunt* (1). Et ce sera le puits de la mort! »

---

(1) SERMONS ABRÉGÉS *pour tous les dimanches de l'année.* Cet ouvrage du Moraliste par excellence est une mine où les prédicateurs de Stations quadragésimales trouveront des matériaux solides, choisis, parfaitement adaptés aux besoins des auditoires ordinaires. *Experto crede Roberto.*

CHAPITRE XI

Du style propre aux passions.

Sommaire : Principales figures de mots capables d'émouvoir. — Usage des textes de l'Ecriture. — Un mot du Dante. — Modèle tiré de Bossuet.

Pour faciliter aux élèves la composition des tableaux oratoires qui doivent constituer nos exordes nous avons rappelé quelques moyens d'amplification littéraire. Afin de rendre plus faciles aussi les tableaux ou peintures de sentiments qui permettent d'exciter les passions, nous donnerons ici quelques indications de langage mouvementé et les principales figures employées pour émouvoir.

Chaque partie du sermon, en effet, doit revêtir un style particulier, propre à sa nature, à son but spécial. Ici le style agréable d'un paysagiste conteur, là le style vif et clair d'un dialecticien, plus loin le style coloré, chaud, passionné d'un avocat de Cour d'assises, enfin celui plus calme, plus concluant, mais non moins persuasif, d'un moraliste convaincu.

Et comme il est difficile aux orateurs novices d'oser et d'avoir des audaces, il est particulièrement nécessaire d'initier les élèves prédicateurs au langage passionnant, aux figures de style capables d'émouvoir et de faire sensation. Une fois la glace rompue, on ne craint plus d'interroger, d'apostropher son auditoire ou de lui adresser d'instantes supplications. Est-on dans l'admiration, dans la stupeur ou dans l'indignation ? Loin de n'oser le faire voir, on éclate en formules admiratives ou courroucées. Dès lors l'émotion de l'orateur n'est plus étranglée dans les liens d'une langue froide et compassée, elle se produit libre d'allures et d'expressions : tantôt douce comme une mère, tantôt fière comme une femme outragée, et l'auditeur, saisi pour ainsi dire à bras-le-corps, se laisse enlever sans se défendre.

C'est le cas d'user d'amplification à la manière dont Louis de Grenade entend ce mot, quand il l'oppose au mot raisonnement.

« Au lieu que le raisonnement s'étend généralement à toutes sortes de questions, l'amplification se borne à ce genre de questions et de propositions où il s'agit de la grandeur et de l'importance du sujet que l'on traite : comme lorsque nous tâchons de montrer qu'une chose est, en son genre, très indigne et très basse, très affligeante, misérable, horrible et détestable ; ou, au contraire, excellente et très relevée, consolante, délicieuse et pleine d'attraits, très digne enfin de notre amour et de tous nos désirs.

« C'est en effet par cette voie que l'amplification nous conduit au moyen de remuer diversement les cœurs, d'y exciter des mouvements d'amour et d'inclination ou de haine et d'aversion ; de persuader ce que l'on veut ou d'en dissuader, etc (1). »

Quintilien, nous l'avons vu, aurait trouvé ridicule un orateur qui, sans être ému, se serait exprimé d'une

---

(1) *Rhétorique eccl.*, l. III, ch. i.

manière pathétique. Ne pourrait-on pas retourner cette pensée et dire avec autant de justesse qu'un orateur sincèrement ému serait ridicule, s'il s'exprimait en termes compassés, ternes et morts? Il importe donc de s'exercer à l'emploi des figures littéraires capables d'émouvoir.

Voici les principales : l'exclamation, continuée ou multiple, l'apostrophe, l'animation des choses, la supplication, la menace, le serment, le souhait, et les figures composées.

FIGURES DE SENTIMENT

L'exclamation, le mot l'indique, est un cri poussé par le sentiment; exemple : Oh ! quel malheur ! — Multipliée ou continuée, cette figure exprime et provoque vivement la passion. Exemple : ô surprise! ô bonheur ! ô joie inénarrable !

L'apostrophe peut se définir une brusque et directe interpellation faite à l'auditeur. Exemple : A quoi bon multiplier les preuves ? J'en appelle à votre conscience, à votre sens personnel, intime ; voyons, un fils aura-t-il jamais le droit d'insulter son père ?

L'animation des choses est une figure qui prête la vie à des êtres qui ne l'ont pas, en sorte qu'on leur parle et qu'on les fait parler comme s'ils vivaient, entendaient, voyaient, sentaient, agissaient ou pouvaient agir. Exemple : Quoi donc, chrétiens, Jésus meurt et vous ne pleurez pas? Et votre cœur et vos entrailles peuvent ne point frémir ? Et quand je vous demande quels sentiments vous fait éprouver ce spectacle inouï, vous n'avez, pour me répondre, ni soupirs, ni larmes, ni sanglots ? Parlez donc, vous, durs rochers du Calvaire ! dites-moi pourquoi vous tremblez éperdus, pourquoi vous vous fendez de douleur ? J'entends ! vous ne pouvez souffrir la destruction de votre Maître, et les plaintes d'un Dieu qui se meurt vous ébranlent jusqu'à vos secrets fondements.

Dans cet art d'animer les choses, de les mettre en scène, de les faire parler, se mouvoir, agir comme des personnes vivantes, fortes, étonnantes, Lacordaire excelle. Veut-il dire que la vérité constitue le bonheur de l'intelligence ? Veut il le faire non seulement admettre, mais encore sentir ? Aussitôt son imagination admirablement créatrice lui peint cette grande chose sous les traits d'une femme vivante, épouse de l'esprit, dont les noces l'enivrent de joie, et l'absence l'accable de tristesse. A-t-il le bonheur de la retrouver après de longs jours d'absence ? C'est un délire auprès duquel tous les plaisirs paraissent fades. Ose-t-il la trahir ? Elle sait se venger par des moyens étranges.

Lisez plutôt la conférence de ce maître orateur sur ce difficile sujet. Je ne crois pas que Bossuet soit nulle part plus dramatique, si jamais il l'est autant. En voici un échantillon :

« Mais si, après ces longs tourments du doute, le voile se déchire enfin, alors l'intelligence reçoit un de ces coups dont aucune langue ne saurait peindre le voluptueux supplice. Alors Augustin se lève et, trouvant pour la première fois l'amitié même importune, il va répandre son âme dans un torrent de larmes solitaires. Lui, perdu dans le vain amour de la gloire et des créatures, voit s'évanouir en un instant tous les charmes qui ont trompé sa jeunesse. La vérité l'emporte ; rien ne le touche plus dans les plaines azurées de la Lombardie, dans les serments plus doux des cœurs égarés ; il part, tenant à la main sa vieille mère, et déjà, dès le port d'Ostie, il regarde la solitude obscure, croit-il, qui va le dérober pour jamais à l'admiration du monde comme aux songes de sa vie passée.

« Pleurs des grands hommes, sacrifices héroïques, vertus nées d'une seule heure et que les siècles ne peuvent plus détruire, vous nous enseignez le prix de la vérité (1) ! »

Voyez-vous comment, pour l'inimitable Conférencier, les pleurs, les sacrifices, les vertus deviennent à leur tour des personnes vivantes qu'il interpelle, qu'il prend pour des hérauts de la vérité et qu'il applaudit de leur enseignement.

Ainsi l'animation des choses a-t-elle le don de dramatiser un sujet, de le rendre sensible, émouvant, captivant, maître d'un auditoire, quant à la sensibilité du moins. Nous avons cru devoir appuyer sur cette manière de parler, parce qu'elle offre à ceux qui ont le don de l'employer les plus éminentes ressources pour remuer et toucher les cœurs.

La *supplication* est une prière soumise et instante. Exemple : Je vous en conjure, ô Frères bien-aimés, je vous le demande en grâce, comme une faveur pré-

---

(1) XLIXe Conférence, *De l'homme en tant qu'être* **intelligent**.

cieuse et qui me serait personnelle, unissez-vous, entendez-vous, organisez-vous pour la défense de la foi.

La *menace* consiste en paroles propres à faire craindre un malheur, un châtiment. Exemple : Pensez-y, pauvres pécheurs, la Justice divine a d'effroyables retours et, le jour où vous comptez sur la miséricorde est peut-être celui qui vous verra rouler au fond de l'enfer.

Le *serment* se définit ainsi : une affirmation dont on prend Dieu à témoin. Exemple : Cela, je le jure ! et, Dieu m'en est témoin, cela c'est la vérité.

Le *souhait* n'est autre chose qu'une figure de mots par laquelle on marque le vif désir d'acquérir un bien ou d'éviter un mal. Exemple : Plaise au ciel que mes conseils soient entendus ! Je forme des vœux ardents pour que Dieu vous épargne.

Les *figures composées* sont un assemblage de plusieurs figures. Exemple : O bienheureux amis du Christ, qui dira vos travaux, qui peindra vos vertus? Ah ! puissions-nous marcher sur vos traces et partager votre triomphe !

Telles sont les manières de parler qui traduisent le mieux l'émotion de l'orateur et la font plus facilement partager par les auditeurs. Voyons maintenant le moyen pratique de trouver ces vives façons de dire, ces formes pathétiques de langage. Ceux d'entre nous qui relisent encore et toujours les chefs-d'œuvre de notre langue, notamment *Athalie* et les Oraisons funèbres de Bossuet, ne manquent pas de ces formes admirables. Leur mémoire en est fournie, elle les leur présente à tout venant. Rien que ce résultat vaudrait la peine de ne jamais négliger tout à fait les classiques. Mais, je ne l'oublie point, nous étudions ici l'art oratoire direct et non les beautés générales de la littérature. Quel moyen donc un prédicateur emploiera-t-il pour donner à son style ces tours sensibles, impressionnants, qui traduisent et produisent si bien les passions ?

Règle pour enrichir son discours de formes pathétiques : CHERCHER L'UN OU L'AUTRE TEXTE D'ÉCRITURE QUI TRADUISE BIEN NOTRE PENSÉE ET LE METTRE EN ŒUVRE PAR UN BON DÉVELOPPEMENT.

Vous voulez menacer de l'enfer les corrupteurs de la foi, les scandaleux du livre ou de l'enseignement ? Prenez ce texte de Notre-Seigneur : *Væ mundo a scandalis !* et celui-ci : *Væ homini illi per quem scandalum venit, etc.*, puis développez-les avec force, montrant les pécheurs qu'ils concernent et les maux qu'ils annoncent. Exemple : O folie de ces journalistes qui ne craignent pas de scandaliser les croyants, qui jettent dans l'esprit des simples et parfois des enfants les principes maudits du doute et de l'orgueil. Ils se flattent peut-être d'avoir raison de Dieu et de son enfer ? Sans doute qu'à force de nier nos dogmes, ils pensent les anéantir... et voilà que sur le lit de mort, qui déjà se dresse pour les juger, une voix profonde a dit : Malheur à eux ! *Væ mundo a scandalis ! Malheur à quiconque aura scandalisé un de ces petits qui croient en moi !* Je le sais, les anathèmes de l'Evangile ne touchent guère ces sectaires aveuglés, et voilà ce qui m'épouvante davantage encore pour eux. Quoi donc, leur dirai-je, vous bravez les menaces de Dieu ! Ignorez-vous quelles lèvres sacrées ont lancé sur votre tête le mot terrible de la malédiction ? Avez-vous oublié le sort de Jérusalem après que cette bouche, qui jamais n'a menti, eût prédit sa destruction ? Faudra-t-il interroger ici les milliers d'hommes et de femmes passés au fil de l'épée par le conquérant romain ? Hélas ! ils riaient aussi des menaces du Christ, les Juifs déicides, et leur royaume a été détruit, leur cité sainte renversée, leurs femmes et leurs enfants précipités dans une mort sans pitié. Prenez-y garde ! le même Dieu vous le crie en ce moment : Malheur à vous, scandaleux écrivains, qui osez attaquer ma doctrine et prêcher contre ma foi ! Malheur à vous, parce que l'heure de votre mort approche ! Malheur à vous, parce que je vous attends aux portes du tombeau, moi que le tombeau n'a pu emprisonner ! Malheur à vous, parce que, je l'ai juré : Je ne laisserai personne insulter à ma gloire ! Malheur à vous enfin, parce que plus forts que vous, les anges rebelles ont été précipités dans un abîme de maux d'où nul ne les tirera, et qui dilate ses profondeurs pour vous engloutir à votre tour !

Ainsi le moyen facile de prendre le ton pathétique est de choisir et développer un texte d'Ecriture empreint du sentiment que l'on veut exciter. Ce moyen me paraît à la fois efficace et naturel, et ni je ne m'étonne de voir les Pères l'employer constamment, ni je ne suis surpris des trésors d'éloquence qu'ils ont tirés de cet emploi.

Or, la Sainte Ecriture est fertile en toute sorte de formes pathétiques et en mots que nous appellerions volontiers les perles du discours chrétien.

Exemples d'exclamation : « *Generatio prava atque perversa ! Hæccine reddis Domino, popule stulte et insipiens ! Numquid non ipse est pater tuus qui possedit te, et fecit et creavit te !* » (Deut., c. xvii.)

« *O generatio incredula et perversa ! quousque ero vobiscum ?* » (Math., c. xvii.)

« *O quam bonus et suavis est, Domine, spiritus tuus in omnibus !* » (Sap., xii.)

Exemples d'apostrophe : « *Quoniam si inimicus meus maledixisset mihi, sustinuissem utique ; et si is qui oderat me, super me magna locutus fuisset ; abscondissem me forsitan ab eo : Tu vero homo unanimis, dux meus et notus meus, qui simul mecum dulces capiebas cibos !* »(Ps. liv.)

« *Væ qui condunt leges iniquas ; et, scribentes, injustitiam scripserunt : ut opprimerent in judicio pauperes et vim facerent causæ humilium populi mei... Quid facietis in die visitationis et calamitatis de longe venientis ? ad cujus confugietis auxilium ? et ubi derelinquetis gloriam vestram ?* » (Is., x.)

Exemples d'animation des choses : « *Benedicite, sol et luna, Domino,* etc. (Dan., iii.) « *Quid est tibi mare quod fugisti : et tu Jordanis quia conversus es*

retrorsum? Montes exultastis sicut arietes? etc. »
(Ps. cxiii.) « *Si hi tacuerint, lapides clamabunt.* » (Luc., xix.) « *Obtupescite cœli super hoc, et portæ ejus desolamini vehementer.* » (Jer., ii.)
« *Audite, cœli, et auribus percipe, terra.* » (Is., i.)

Exemples de supplication : « *De cætero ergo, fratres, rogamus vos et obsecramus in Domino Jesu, ut quemadmodum accepistis.., sic ambuletis.* »
(I Thess., iv.) « *Charissimi, obsecro vos tanquam advenas et peregrinos, abstinere vos a carnalibus desideriis quæ militant adversus animam.* »
I. Petr., ii.)

Exemples de menace : « *Si pœnitentiam non egeretis, omnes similiter peribitis.* » (Luc., xiii.)
« *Omnes qui acceperint gladium gladio peribunt.* »
(Math., xxvi.)

Exemples de serment : « *Amen, amen dico vobis.* » « *Deus scit quod non mentior.* « (II Cor., xi.)
« *Ecce coram Deo quia non mentior.* » (Galat., i.)

Exemples de souhaits : « *Heu, mihi, quia incolatus meus prolongatus est !* » (Ps. cxix.) « *Utinam saperent et intelligerent ac novissima providerint !* » (Deut., xxxii.) « *Utinam regnetis, ut et nos vobiscum regnemus !* » (I Cor., iv.) *Utinam frigidus esses aut calidus !* » (Apoc., iii.) « *Usquequo peccatores, Domine, usquequo peccatores gloriabuntur ?* » (Ps. xciii.)

Exemple de figure composée : « *Pereat dies in quâ natus sum, et nox in quâ dictum est : conceptus est homo !* » (Job.)

Nous le répétons, il est pratique pour un prédicateur d'inspirer le mouvement de son discours d'un ou de deux textes pathétiques bien adaptés, bien choisis. Ces textes valent donc la peine qu'on les cherche. Il y a des concordances pour cela.

Mais pourquoi le tairais-je ? l'agnosticisme protestant qui menace de nous envahir, *ità ut, si fieri potest, etiam electi in errorem inducantur*, nous détourne presque invinciblement de l'usage simple et chrétien des Saintes Ecritures. Loin d'imiter l'Ange de l'Ecole, dont les sermons ne contiennent pas une affirmation qui ne soit étayée d'un ou de deux textes de la Bible, nous ne savons plus puiser à ce trésor et, pour le malheur des fidèles, nous prêchons la parole des hommes au lieu de la parole de Dieu. Comment serions nous de vrais prédicateurs ?

C'est à donner raison au Dante, qui, dans une sortie violente contre certains prédicateurs de son temps, écrit ce mot admirable : « On ne pense pas à ce qu'il en coûta de sang pour répandre l'Ecriture dans le monde et combien plaît celui qui *s'accote* humblement contre elle » (1). Puissions-nous, par notre

---

(1) Non vi si pensa quanto sangue costa
Seminarla nel mondo, e quanto piace
Chi umilmente con essa s'accosta.

Per apparer ciascun s'ingegna, e face
Sue invenzioni ; e quelle son trascorse
Da' predicanti, e 'l vangelo si tace.

Si che le pecorelle, che non sanno,
Tornan dal pasco pasciute di vento ;
E non le scusa non veder lor danno.

(*Il Paradiso*, canto XXIX.)

insistance à recommander *opportune et importune* l'usage apostolique des Saints Livres, réagir contre le courant qui nous entraîne et sauver du naufrage rationaliste toutes ces âmes neuves et naïves qui habitent les Séminaires !...

Nota. — Avec ce moyen de trouver des formules propres à communiquer les grands sentiments s'achève la partie de notre méthode qui regarde le mouvement ou les passions.

L'analyse raisonnée de quelque bon auteur serait utile pour montrer comment les maîtres ont mis en œuvre les conseils que nous donnons. Voyez, par exemple le choix de pensées et le genre de phrases qu'emploie Bourdaloue afin d'exciter en nous le mépris de notre chair. (*IIe Sermon sur la Cérémonie des cendres*, vers la fin du deuxième point) : « Oui, chrétiens, le souvenir de la mort vous détachera peu à peu et presque malgré vous-mêmes de l'amour de votre corps, » etc.

MODÈLE DE MOUVEMENT
SUR LE DÉLAI DE LA PÉNITENCE

tiré de l'*Oraison funèbre d'Anne de Gonzague*
par Bossuet.

« Elle (Anne de Gonzague) a porté ces sentiments jusqu'à l'agonie ; et prête à rendre l'âme, on entendit qu'elle disait d'une voix mourante : « Je m'en vais voir comment Dieu me traitera ; mais j'espère en ses miséricordes. »

« Cette parole de confiance emporta son âme sainte au séjour des justes. Arrêtons ici, chrétiens ; et vous, Seigneur, imposez silence à cet indigne ministre, qui ne fait qu'affaiblir votre parole. Parlez dans les cœurs, prédicateur invisible, et faites que chacun se parle à soi-même. Parlez, mes frères, parlez : je ne suis ici que pour aider vos réflexions.

« Elle viendra cette heure dernière : elle approche, nous y touchons, la voilà venue. Il faut dire avec Anne de Gonzague : il n'y a plus ni Princesse ni Palatine ; ces grands noms dont on s'étourdit ne subsistent plus. Il faut dire avec elle : Je m'en vais, je suis emporté par une force inévitable ; tout fuit, tout diminue, tout disparaît à mes yeux. Il ne reste plus à l'homme que le néant et le péché : pour tout fonds le néant, pour toute acquisition le péché. Le reste, qu'on croyait tenir, échappe : semblable à de l'eau gelée, dont le vil cristal se fond entre les mains qui le serrent, et ne fait que les salir.

« Mais voici ce qui glacera le cœur, ce qui achèvera d'éteindre la voix, ce qui répandra la frayeur dans toutes les veines : « Je m'en vais voir comment Dieu me traitera » ; dans un moment, je serai entre ces mains, dont saint Paul écrit en tremblant : « *Ne vous trompez pas, on ne se moque pas de Dieu* (1) », et encore : « *C'est une chose horrible de tomber entre les mains du Dieu vivant* (2) : » entre ces mains où tout est action, où tout est vie, rien ne s'affaiblit, ni se relâche, ni se ralentit jamais ! Je m'en vais voir si ces mains toutes-puissantes me seront favorables ou rigoureuses ; si je serai éternellement ou parmi leurs dons ou sous leurs coups.

---

(1) Gal., vi.
(2) Hebr., x.

Voilà ce qu'il faudra dire nécessairement avec notre Princesse. Mais pourrons-nous ajouter avec une conscience aussi tranquille : « J'espère en sa miséricorde » ? Car, qu'aurons-nous fait pour la fléchir ? Quand aurons-nous écouté la « *voix de celui qui crie dans le désert : Préparez les voies du Seigneur* (1) ? « Comment ? par la pénitence. Mais serons-nous fort contents d'une pénitence commencée à l'agonie, qui n'aura jamais été éprouvée, dont jamais on n'aura vu aucun fruit ; d'une pénitence imparfaite ; d'une pénitence nulle, douteuse si vous le voulez ; sans forces, sans réflexion, sans loisirs pour en réparer les défauts ? N'en est-ce pas assez pour être pénétré de crainte jusqu'à la moelle des os ?

« Pour celle dont nous parlons, ah ! mes frères, toutes les vertus qu'elle a pratiquées se ramassent dans cette dernière parole, dans ce dernier acte de sa vie ; la foi, le courage, l'abandon à Dieu, la crainte de ses jugements et cet amour plein de confiance, qui seul efface tous les péchés. Je ne m'étonne donc pas si le saint pasteur qui l'assista dans sa dernière maladie, et qui recueillit ses derniers soupirs, pénétré de tant de vertus, les porta jusque dans la chaire, et ne put s'empêcher de les célébrer dans l'assemblée des fidèles.

« Siècle vainement subtil, où l'on veut pécher avec raison, où la faiblesse veut s'autoriser par des maximes, où tant d'âmes insensées cherchent leur repos dans le naufrage de la foi, et ne font d'effort contre elles-mêmes que pour vaincre, au lieu de leurs passions, les remords de leur conscience : la Princesse palatine t'est donnée « *comme un signe et un prodige* » (2), *in signum et portentum*. Tu la verras au dernier jour, comme je t'en ai menacé, confondre ton impénitence et tes vaines excuses. Tu la verras se joindre à ces saintes filles, et à toute

---

(1) Luc, III.
(2) Isai., VIII.

la troupe des saints : et qui pourra soutenir leurs redoutables clameurs ? Mais que sera-ce quand Jésus-Christ paraitra lui-même à ces malheureux ; quand ils « *verront celui qu'ils auront percé* » comme dit le Prophète (1) ; dont ils auront rouvert toutes les plaies ; et qu'il leur dira d'une voix terrible : « *Pourquoi me déchirez-vous par vos blasphèmes* (2), » nation impie ? *Me configitis gens tota.* Ou si vous ne le faisiez par vos paroles, pourquoi le faisiez-vous par vos œuvres ? Ou pourquoi avez-vous marché dans mes voies, d'un pas incertain, comme si mon autorité était douteuse ? Race infidèle, me connaissez-vous cette fois ? Suis-je votre roi, suis-je votre juge, suis-je votre Dieu ? Apprenez-le par votre supplice. Là commencera ce *pleur éternel*, *ce grincement de dents, qui n'aura jamais de fin* (3). »

(1) Zach., xii.
(2) Malach., iii.
(3) Math., viii.

CHAPITRE XII

De la volonté, dernière et capitale faculté à saisir.

Sommaire : Puissance de la parole. — Nature de la volonté. — Qu'il faut préciser ce qu'on lui demande et montrer que son bonheur y est attaché indissolublement. — Avis pratiques de Louis de Grenade.

La quatrième et dernière partie d'un sermon doit être consacrée à fixer, amener et enlever une résolution conforme au but auquel on tend : ce qui revient à *persuader* l'auditeur, à conquérir et déterminer sa volonté.

C'est en cela que réside principalement l'éloquence. Bourdaloue le fit comprendre à Louis XIV par la spirituelle parole que voici : Un jour que ce roi lui demandait son avis sur un capucin dont la voix passait pour criarde, il répondit : « Sire, s'il écorche les oreilles, il déchire les cœurs, et il est bien plus prédicateur que moi, car on restitue à ses sermons les bourses qu'on a volées aux miens » (1).

N'oublions donc jamais de travailler avec lenteur et jusqu'au bout cette partie de notre discours. Ne croyons point avoir fait le nécessaire pour bien prêcher, tant que nous aurons négligé quelque moyen de gagner la volonté des auditeurs. Et, s'il en coûte à notre esprit de s'appliquer jusque-là, soutenons-

---

(1) *Bourdaloue, orateur*, par le P. Coubé.

nous par cette parole de Massillon : La prédication est « le ministère le plus sérieux de la religion » (1).

Ce premier principe nous amène à cette question : La volonté humaine peut-elle se gagner, et l'orateur ne se fait-il pas quelque illusion lorsqu'il croit possible de l'amener à ses fins ? En d'autres termes, est-ce bien sûr que l'éloquence ait l'étonnant pouvoir de captiver les cœurs ? d'entraîner les volontés ? — Hésiter sur ce point ce serait faillir à toute la grandeur de la parole publique ; ce serait supposer que les Cicéron et les Bossuet, les Démosthène et les Lacordaire, les Cyprien, les Chrysostôme et les Bernard, dont la parole soulevait et entraînait les foules, n'ont été que des hallucinés, qui crurent à l'efficacité victorieuse de leurs discours, alors que leur parole ne pouvait avoir aucune influence déterminante certaine. Non, celui-là ne saurait être éloquent qui douterait de la possibilité de gagner les volontés.

Toutefois, entendons-nous.

« Que faut-il, demande saint Alphonse de Liguori, pour dompter un cœur passionné ? — Il faut la main de Dieu. Le prédicateur devra donc, à cet effet, compter bien plus sur le secours divin, que sur toute l'éloquence du monde ; autrement ses auditeurs ne feront qu'admirer son talent, sans se convertir, comme ceux dont parle saint Augustin : « *Mirabantur et non convertebantur* (2) ».

Reconnaissant cette fondamentale vérité, nous

---

(1) *Discours à l'Académie française.*
(2) *Du Sermon*, § 2.

disons que la volonté humaine peut être amenée au bien ou détournée du mal par notre prédication sous la triple condition qu'elle s'y prête elle-même, que Dieu nous aide et que, de notre côté, nous fassions le nécessaire.

Examinons bien la question.

L'homme veut une chose dans la mesure où il la croit liée au bonheur, bien final dont il éprouve l'amour nécessairement. De même, il repousse une chose selon qu'il la croit opposée à son intérêt ou à son bonheur. Or, l'auditeur qui vient vous entendre possède au moins un commencement de bonne volonté, une certaine propension à fuir le vice, à rechercher la vertu. Il applique son esprit à notre discours; donc il se *prête* à notre influence, il ressemble à celui qui tendrait les mains pour se faire prendre. C'est la première condition remplie.

Suivant saint Thomas d'Aquin, la volonté humaine est libre de considérer, ou non, les choses qui lui sont proposées; mais les considère-t-elle délibérément et les juge-t-elle *indispensables* à son bonheur, elle n'est plus libre de repousser ces objets : il faut qu'elle les poursuive de toutes ses forces. On pourrait comparer cette faculté à un ressort tendu naturellement, inévitablement, vers le bonheur, et qui part automatiquement à gauche ou à droite, selon que la raison dit : bonheur ou malheur! Voilà pourquoi les auditeurs qui viennent entendre un prédicateur posent la première condition pour être entraînés par sa parole.

De son côté la grâce divine est sûrement en action.

Elle ne saurait pas plus manquer à celui qui prêche convenablement la parole de Dieu que la nature ne manque à celui qui sème du bon grain. Toute l'histoire de l'Eglise catholique affirme et montre la surnaturelle puissance de la prédication vraiment apostolique.

Reste donc l'œuvre de l'éloquence qui est d'utiliser les bonnes dispositions de l'auditeur et de Dieu, de la nature et de la grâce. Et c'est le travail auquel nous voulons amener maintenant l'élève-prédicateur. Car, dit encore le maître cité plus haut, cette componction (il parle de gagner les cœurs) est sans doute aucun l'œuvre de Dieu, mais le Seigneur veut que nous coopérions pour notre part à la rendre aussi parfaite que possible (1).

Habituons-nous d'abord à considérer nos ouailles, et, en général, tous les hommes, comme les oisifs dont parle l'Evangile. « *Quid hic statis, totâ die otiosi ?* leur demande le Maître.— *Quia nemo nos conduxit*, répondent ces braves gens. Et le Maître reprend : *Ite et vos in vineam meam, et quod justum fuerit dabo vobis* (2). A nous donc d'amener à la vie chrétienne les chères âmes qui veulent nous croire. A l'orateur d'embaucher ces ouvriers inactifs, à lui de leur désigner la besogne, de leur montrer la récompense et ainsi de les décider au travail.

Et que ferons-nous pour atteindre un tel but ? Qui nous assurera cette victoire de la parole : la plus

---

(1) S. Alph., *ibid.*
(2) S. Math., xx.

belle, au dire de Montaigne, que le soleil ait vue de ses yeux? Y a-t-il quelque chose au monde de plus persuasif que la lumière? de plus fort que la vérité ? Lacordaire, à cette question, qu'il s'était posée, répond en ces termes : « Oui, Messieurs, ce qui est plus fort que la vérité, c'est le principe d'où elle émane ; ce qui est plus persuasif que la lumière, c'est le foyer d'où elle jaillit ; ce qui est plus grand que la parole, c'est l'âme où elle vit et d'où elle sort (1) ». Allons-nous, après cela, et avec l'éloquent Dominicain, vous dire de jeter votre âme à corps perdu dans l'âme de votre auditoire ? Non, de tels élans ne s'apprennent, ni ne s'enseignent. Demeurons dans la didactique et le terre-à-terre de notre art.

Trois choses peuvent résumer les moyens de persuasion : déclarer le bien à faire ou le mal à éviter ; démontrer que là est le devoir, la grandeur, la vraie félicité ; réduire à leur misérable valeur les prétextes qu'invoque la passion apeurée ou troublée.

Ces trois opérations constituent la dernière et capitale partie du discours chrétien.

Première règle à suivre pour gagner la volonté des auditeurs : Déclarer nettement et, au besoin, expliquer pratiquement le but précis auquel nous voulons les amener.

Ne vous bornez pas à faire entrevoir aux auditeurs la conclusion de votre sermon, la pratique à laquelle

---

(1) LVIe Conf. *De la prophétie.*

vous désirez les conduire, ils n'y prendraient pas assez garde ou, ce qui serait pire, ils s'en exagéreraient la difficulté. Dites-leur en termes clairs ce que vous demandez d'eux, dites-le dans la mesure qui convient à leurs forces et de telle manière qu'ils voient nettement, vivement, l'effort qui leur est demandé.

Surtout, exprimez-vous avec assez de modération pour ne pas effrayer leur bonne volonté ; nous redoutons presque invinciblement ce qui nous paraît trop difficile.

Voulez-vous que je pardonne à mon ennemi ? Ne vous contentez pas de dire : il faut oublier les injures et rendre le bien pour le mal. Cette phrase évasive, non expliquée, risquerait d'être mal comprise ou même de passer inaperçue. Attardez-vous à me faire comprendre en quoi, jusqu'où et comment, Dieu me prescrit le pardon des offenses. Marquez-moi le *minimum* requis pour l'accomplissement de ce précepte, et ajoutez : Ce pardon *minimum*, voilà où il faut en venir à tout prix, sous peine de désobéissance grave à la loi du Seigneur.

Voyons, avec le grave et magnifique Bourdaloue, un exemple de cette règle si importante. Il s'agit de faire comprendre quel mal c'est de réciter le *Pater* alors qu'on ne pardonne point du fond de son cœur.

« Qu'est-ce à dire : Pardonnez-nous, mon Dieu, de même que nous pardonnons, lorsque réellement et dans la pratique, nous ne pouvons nous résoudre à pardonner? *Dimitte nobis, sicut et nos dimittimus.* Faites-y, mon cher frère, toute l'attention nécessaire, et je m'assure que vous en serez saisi de frayeur. C'est dire à Dieu : Seigneur, comme je porte dans mon sein une aversion que rien n'en peut arracher, ayez pour moi la même haine; comme je ne veux jamais voir cet ennemi, ni qu'il me voie, ne souffrez pas que moi-même je vous voie jamais dans votre royaume. Travaillez à ma perte, comme je travaille à la sienne; et couvrez-moi dans l'enfer d'une confusion éternelle, comme je voudrais sur la terre le combler d'opprobre : *sicut et nos*.

« C'est dire à Dieu : Ne me pardonnez pas mieux, Seigneur, que je ne pardonne ; et comme cette réconciliation où l'on m'engage n'est qu'apparente, ne vous réconciliez point autrement avec moi. Je suis toujours son ennemi, soyez toujours le mien. Malgré la parole que j'ai donnée, je n'attends, pour me venger, que l'occasion qui me manque : servez-vous pour vous venger de moi de toutes celles qui se présenteront et qui ne vous manqueront pas : *sicut et nos*.

« C'est dire à Dieu : De même, Seigneur, qu'il me suffit, ou que je veux qu'il me suffise, en pardonnant, de ne point agir contre la personne, et que, du reste, je ne prétends la gratifier en rien, l'aider en rien, abandonnez tous mes intérêts, et ne prenez part à aucune chose qui me concerne. Privez-moi de tous vos dons, et refusez-moi toute faveur, tout secours, tout bien : *sicut et nos*.

« Est-ce ainsi, mon cher auditeur, que vous l'entendez? Du moins, c'est ainsi que vous le dites, et c'est ainsi que Dieu dans son jugement l'accomplira. Quelle horreur! Ah! pensez-y, chrétiens, quelle conviction et quelle horreur quand Dieu, vous rejetant de sa présence, vous dira : *De ore tuo te judico;* il ne faut point d'autre juge que vous-même. L'arrêt de ma justice qui vous éloigne de moi vous paraît rigoureux : il vous consterne, il vous désespère. Mais c'est vous-même qui l'avez dicté, et vous l'avez eu cent fois vous-même dans la bouche. De quoi pouvez-vous vous plaindre? Je suis la règle que vous m'avez marquée : je vous pardonne comme vous avez pardonné; ou plutôt, parce que vous n'avez jamais pardonné, ne comptez jamais que je vous pardonne. Retirez-vous. *De ore tuo te judico.* (*Sermon sur le pardon des injures.*)

Vous aurez remarqué l'application de ce maître à dépeindre les réconciliations hypocrites ou illusoires, et comment il réussit, à force de détails précis, à mettre l'auditeur en face du désordre qu'il veut lui faire éviter. Imaginez un homme vindicatif, encore en proie à la rancune et qui viendrait d'entendre cette page. Le concevez-vous hésitant sur les actes qu'il devrait accomplir pour échapper aux justes représailles de Dieu? N'est-il pas éclairé à fond sur son devoir, et sa volonté a-t-elle pu l'entendre expliquer avec ce luxe, sans en être saisie? C'est ainsi, disons-nous, qu'il faut avant tout faire la pleine lumière sur le mal à éviter ou le bien à effectuer.

On ne saurait attacher trop d'importance à cette règle de persuasion. Pourquoi? Est-ce seulement par cette raison que, le plus souvent, nous nous contentons d'expliquer le dogme, quitte à le laisser sans application pratique? Non, mais encore pour ce motif que l'on n'obtient rien d'un homme, si l'on ne précise pas le bien qu'on lui demande. Vous désirez que je veuille avec vous quelque chose que vous ne me dites pas, ou que vous ne me faites ni comprendre dans ses détails, ni sentir dans ses conséquences. Cela m'est impossible ; tout ce que j'ai de nature libre et responsable vous crie : Expliquez-vous d'abord, je verrai ensuite si je puis, si je dois, si je veux accomplir ce que vous me conseillez.

A propos de cette règle, les plus grands prédicateurs ne liraient point sans utilité l'avis suivant donné aux missionnaires par saint Alphonse de Liguori.

« Les missionnaires doivent se persuader que ce qu'il y a de plus important et de plus utile aux peuples dans les missions, c'est de leur enseigner des choses pratiques, c'est-à-dire les remèdes contre les vices et les moyens pour persévérer dans la vertu, tels que ceux-ci : Fuir les occasions, comme les cabarets, les maisons dangereuses, les mauvaises compagnies. — Se faire violence pour surmonter les mouvements de colère et avoir à la bouche quelque bonne parole pour éviter les blasphèmes et les imprécations; par exemple : Seigneur, donnez-moi de la patience. Sainte Vierge, aidez-moi. Je prie Dieu de vous sanctifier, etc. — Entrer dans quelque confrérie. — Entendre la messe tous les jours. — Se confesser chaque semaine. — Faire tous les jours quelque lecture spirituelle. — Faire la visite au Saint Sacrement, et aussi à la Sainte Vierge devant une de ses images. — Chaque jour encore : le matin, renouveler le bon propos de ne pas offenser Dieu, en lui demandant la grâce de la persévérance; et le soir, faire l'examen de conscience avec l'acte de contrition. — Si l'on tombe dans quelque péché, se hâter de faire un acte de contrition avec le bon propos, et puis s'en confesser au plus tôt. — Surtout, recourir à Dieu et à la Sainte Vierge dans les tentations, en répétant souvent les saints noms de Jésus et de Marie, et en continuant à les invoquer jusqu'à ce que la tentation cesse.

« Ces remèdes et ces moyens, le prédicateur doit les répéter et les recommander plusieurs et plusieurs fois dans le cours des sermons, sans être arrêté par la crainte qu'un critique lettré ne lui reproche de dire toujours la même chose. Le prédicateur, et spécialement le missionnaire, n'a point à rechercher les éloges des lettrés mais le bon plaisir de Dieu et le salut des âmes (1). »

Le savant et pieux Louis de Grenade était du même avis.

Même, il fait de cette application à détailler les moralités du discours une qualité propre des vrais prédicateurs. Ayant étudié le rôle du prêtre sous le point de vue oratoire, il écrit : « Outre les parties qui lui sont communes avec l'orateur, le prédicateur ajoute une chose qui lui est propre et particulière, savoir, qu'après avoir prouvé l'obligation ou d'exercer quelque devoir de vertu, ou de fuir quelque vice, il montre encore la manière ou les moyens de faire l'un ou d'éviter l'autre (2). »

Nous n'insisterons pas davantage sur ce point.

Deuxième règle pour persuader la volonté des auditeurs : Faire voir et sentir vivement l'obligation et la nécessité, pour être heureux, d'accomplir ce que l'on propose ou d'éviter ce que l'on défend.

La raison de cette règle me semble évidente, pour quiconque du moins connaît notre nature. Ayant reçu la raison pour se guider, pour éviter ce qui lui ferait du mal et rechercher ce qui lui est utile, l'homme se porte à ceci ou s'éloigne de cela dans la mesure où sa

---

(1) *Du Sermon.*
(2) *Rhétorique ecclésiastique*, liv. IV, c III.

raison lui montre en cela le mal et en ceci le bien.
Tel un aveugle, qui se fie à son guide.

Dans la partie du discours destinée à l'intelligence, vous avez *préparé* la volonté par l'esprit, en ce sens que l'homme éclairé sur un sujet devient plus apte à juger du bien ou du mal qu'il renferme. Dans la partie suivante et qui s'adresse au cœur, vous aurez *prédisposé* la volonté par la passion, « *in quantum scilicet homo dispositus per passionem judicat aliquid esse conveniens et bonum, quod extra passionem existens non judicaret* » (1) ; il s'agit maintenant de *gagner* cette même volonté par la raison, qui est son véritable guide, le seul auquel sa conscience lui permet d'obéir.

Ainsi apparait toujours plus clairement l'unité et la profondeur de notre méthode. En nous proposant de considérer chaque sujet dans sa vérité, sa beauté et sa bonté, en nous conseillant de montrer ce triple aspect de chaque doctrine, elle nous fait épuiser la matière et combler l'auditeur.

Ma volonté ne se rendra donc au prédicateur que suivant le plus ou moins de force avec laquelle il m'aura montré le bien dans ce qu'il me conseille ou le mal dans les choses dont il prétend me détourner. Sent-elle ma raison lui dire qu'il y a profit, noblesse ou plaisir à vous suivre ? Éprouve-t-elle qu'en vous écoutant elle me conduira au bien final, à la perfection qu'elle a mission de poursuivre ? En un mot lui

---

(1) *Sum. th.*, 1ª 2ᵃᵉ, q. x.

faites-vous pressentir le Bien suprême au bout de votre proposition ? Elle adoptera votre manière de voir, elle suivra vos conseils, instinctivement et — à moins de défaillance ou de passion — imperturbablement. Ainsi le veut l'irrésistible poussée de la nature humaine vers le bien final ; ainsi Dieu attire-t-il tout à lui.

Quelqu'un doit-il persuader un auditoire ? il s'appliquera donc à lui faire sentir que, pour atteindre le vrai bonheur, il doit mettre en pratique les conclusions du sermon qu'il vient d'entendre. Si, en effet, l'auditeur espère arriver au bonheur autrement ou à moindres frais, sa volonté ne suivra point les conseils qui lui sont donnés, mais ceux que son sens privé lui fait croire meilleurs, plus avisés et plus commodes.

Considérons le divin prédicateur Jésus. Partant de ce principe que tout homme tend à se rendre heureux, il rattache à ce désir les vertus qu'il veut nous voir pratiquer : *Beati mites, beati pauperes*, etc. Chacune de ces maximes suppose le raisonnement suivant : Vous souffrez ? vous avez besoin de béatitude ? eh bien ! ne cherchez le bonheur que dans la vertu. Détachez-vous de la créature, attachez-vous au Créateur. Lui seul peut contenter votre besoin de félicité. Jésus-Christ ne se borne pas à cette affirmation, il veut en impressionner ses auditeurs et faire sentir la force de sa doctrine, la justesse de ses conseils. *Vulpes foveas habent*, ajoute-t-il, *et volucres cœli nidos, Filius autem hominis non habet ubi reclinet caput* (1). Ce qui revient à cet argument : Vous avez peine à croire que la pauvreté volontaire soit le meilleur moyen d'arriver au bonheur ? D'où vient donc que le Fils de l'homme, le Messie, ait dédaigné la fortune ? pourquoi lui a-t-il préféré l'étable de Bethléem ? l'atelier de Nazareth ? Que dis-je ? Pourquoi manque-t-il même d'un pauvre gîte pour s'abriter ? Pensez-vous que Dieu, qui donne aux renards leurs tanières et aux oiseaux leurs nids, aurait laissé son propre Fils sans demeure ici-bas, si les richesses de ce monde étaient une condition essentielle du bonheur ? — Enfin, après avoir affirmé et fait sentir la vérité qu'il veut persuader, le Maître donne une raison pratique ou morale capable de déterminer la volonté. Le ciel est à ceux-là, dit-il : *Ipsorum est regnum cœlorum*. Oui, les pauvres résignés sont heureux, car, après cette courte vie, ils prendront possession du royaume des cieux : royaume éternel où Dieu lui-même mettra à les servir sa toute-puissance et les trésors infinis de sa Bonté.

A première vue, cette manière de parler semble vague, mais que l'on y prenne garde : à constater les fibres qu'elle remue, on s'apercevra bientôt qu'elle atteint le cœur, droit et jusqu'au fond. Et — soit dit en passant — c'est parce que le langage de Notre-Seigneur contient les plus éloquentes raisons morales que le meilleur moyen de gagner un auditoire a toujours été et sera toujours de développer, de mettre

(1) Matth , VIII.

en scène, et d'appliquer à la vie réelle des auditeurs cette surhumaine façon de parler.

Les profondeurs philosophiques de la règle que nous venons d'exposer demandent, pour être sondées avec profit, certaines explications. Nous sommes heureux de les emprunter à la *Rhétorique* du Père Louis de Grenade. Voici l'enseignement de ce maître :

« La volonté de l'homme n'ayant, de sa nature, pour objet que le bien, (en sorte qu'elle ne peut rien vouloir qui ne soit ou bon ou revêtu de quelque apparence de bien), nous devons avoir soin, lorsque nous voulons persuader quelque chose, de faire voir que toutes sortes de biens y sont renfermés. Comme donc les philosophes en distinguent trois sortes qui sont l'honnête, l'utile et l'agréable, tâchons toujours de montrer que ces sortes de biens se rencontrent dans ce que nous voulons persuader.

« Les rhétoriciens divisent encore ces trois mêmes sortes de biens en six autres, savoir : l'honnête, l'utile, l'assuré ou tranquille, l'agréable, le facile et le nécessaire ; et ils s'efforcent toujours de montrer que toutes ces sortes de biens, ou la plupart, se trouvent dans ce qu'ils persuadent. Ainsi notre divin Maître présentait un bien *honnête* dans ce qu'il proposait au jeune homme riche, en lui disant : « Si vous voulez être parfait, allez, « vendez ce que vous avez et donnez-le aux pauvres » ; et il y joignait la vue d'un bien *utile*, en ajoutant : « et « vous aurez un trésor dans le ciel ». Ainsi l'apôtre persuadait par l'utile, lorsqu'il disait : « Mes chers Frères, « demeurez fermes et inébranlables, et travaillez sans « cesse de plus en plus à l'œuvre de Dieu, sachant que « votre travail ne sera pas sans récompense en Notre-« Seigneur. » Et il montrait *le plus sûr* dans le doute, en permettant le mariage à ceux qui étaient trop faibles

pour garder la continence, en leur disant : « qu'il vaut
« mieux se marier que de brûler ». Et le Seigneur même,
nous invitant à l'obéissance que nous devons à ses divins
commandements, nous persuade encore par l'*agréable*,
en nous représentant que le joug de sa divine loi est
doux, que le fardeau en est léger, et que nous y trouvons le repos de nos âmes.

« Les serviteurs de Naaman, qui était très puissant
et en grand honneur auprès du roi de Syrie, le persuadèrent par le bien *facile* en lui disant : « Quand le pro-
« phète vous aurait ordonné quelque chose de bien diffi-
« cile, vous auriez dû néanmoins le faire ; combien donc
« devez-vous plutôt lui obéir, lorsqu'il vous dit : Allez
« vous laver et vous serez purifié. »

« Et Notre-Seigneur exhorte les hommes à la pénitence comme à un bien *nécessaire*, lorsqu'il dit : « Je
« vous déclare que si vous ne faites pénitence, vous
« périrez tous. »

« Pour dissuader, on fait le contraire, en montrant
que la chose dont on veut détourner est pernicieuse,
ou dommageable, ou dangereuse, ou infâme, ou désagréable, ou difficile, ou même impossible. On peut voir
de très beaux exemples de ces deux choses dans le vingt-
huitième chapitre du Deutéronome, où Moïse relève tous
les avantages qui accompagnent la piété et les maux
qui sont réservés aux impies. C'est là sans doute ce qui
donne la plus grande force pour persuader, d'autant
que la volonté se trouve pressée des deux côtés, lorsqu'on lui propose d'une part les biens qui l'attirent et
lui plaisent, de l'autre, les maux qui l'effraient, lui font
horreur et la retiennent dans le devoir. »

Quelqu'un pourrait craindre que le souci de faire
sentir la relation des choses que l'on propose avec le
bonheur final, qui doit servir à les faire admettre,

n'entraîne le prédicateur à une sorte de seconde thèse et de nouveau sermon. Par exemple, ayant démontré la divinité de la confession, je veux y décider l'auditeur et je lui montre que son devoir et la paix de son âme y sont engagés. Ne vais-je pas revenir sur mes brisées et dire : La confession est instituée par Dieu, donc vous n'aurez le pardon et la paix qu'en vous confessant? — Cette difficulté ne saurait se produire en aucun cas pour quiconque aura suivi chaque règle de notre méthode. Bien différentes, en effet, impossibles même à confondre, sont les *raisons propres à convaincre l'intelligence* et les *raisons propres à persuader la volonté*. Et puisque nous avons pris pour exemple la divinité de la confession, je vous demande s'il y a moyen de confondre les *preuves* qui établissent cette divinité avec les *conséquences* qui découlent de ce fait?

CHAPITRE XIII

Comment traiter les raisons morales.

Sommaire : Différence qu'il y a entre la preuve dogmatique et la raison morale. — Qu'il faut montrer les conséquences pratiques des choses que l'on veut persuader. — Modèles. — Principales raisons morales.

Émettre une proposition, montrer que cette proposition est enseignée par les Conciles ou les Pères, et que la raison elle-même en établit la certitude, c'est ce que nous entendons par le mot *preuve dogmatique ;* mais on peut montrer cette même proposition sous un jour différent, faire voir ses conséquences pratiques pour la vie, la mort, l'éternel avenir des auditeurs; ainsi entendue, cette proposition peut s'appeler une *raison morale*.

On trouverait un exemple de ces deux manières d'envisager une même chose dans la plupart des sermons de Bourdaloue. Voyons celui où l'éminent prédicateur peint et stigmatise l'*aveuglement spirituel*. Cet aveuglement, dit il, est de lui-même un péché : voilà une proposition dogmatique ; cet aveuglement est de tous les péchés le plus pernicieux et le plus contraire au salut : voilà une raison morale qui doit nous le faire appréhender et éviter.

Pour démontrer ou prouver la vérité qu'il vient d'énoncer, ce grand homme invoque les principes de la foi et ceux de la raison, et, par cet argument, il convainc les auditeurs. Pour faire sentir les terribles conséquences de cette même vérité, il montre que l'aveuglement spirituel volontaire exclut la lumière divine et place Dieu dans une sorte d'impuissance de nous sauver; et par cette raison, il détourne notre volonté de ce péché. Cet exemple suffit à nous montrer la différence qui existe entre la preuve dogmatique et la raison morale, entre les arguments théoriques propres à convaincre l'esprit et les considérations pratiques faites pour persuader la volonté.

Nous avons vu, en son temps, la manière de traiter les preuves; donnons maintenant quelques idées sur la manière de traiter les raisons morales.

De même qu'il faut, pour prouver solidement une proposition, faire toucher du doigt comment elle tient aux premiers principes et à l'évidence même, ainsi faut-il, pour traiter oratoirement les raisons morales, montrer, avec force et sagacité, les conséquences extrêmes que l'auditeur en doit attendre, pour son bonheur ou pour son malheur, dès ce monde, ou dans l'autre, ou dans les deux.

Vous me direz que cette loi revient à la règle qui précède immédiatement et aux conseils empruntés à Louis de Grenade. Aussi n'ai-je point en vue autre chose que de vous faciliter l'application de cette règle et de ces conseils.

Etudions à cet effet nos Maîtres préférés: Bossuet et Bourdaloue.

Nous voici à la cour du grand roi. Bossuet prêche

sur *l'amour des plaisirs*. L'exorde du sermon a rappelé la parabole de l'Enfant Prodigue ; le premier point expose les maux que les plaisirs font à nos corps, à nos fortunes, et surtout à nos âmes ; maux bien dignes d'exciter la pitié. Que reste-t-il à l'orateur pour détourner des plaisirs ses illustres auditeurs ? Quelles flèches plus acérées va-t-il choisir, où va-t-il viser ? Avec ce tact profond qui distingue les vrais maîtres de la parole, il substitue aux faux plaisirs qu'il combat, les véritables joies qu'il propose. Visant droit à la volonté, il l'enveloppe dans un ensemble de réflexions pratiques où chaque pensée rappellera la paix admirable, *suprà omnem sensum*, d'une bonne conscience. En d'autres termes, et conformément à la logique des choses, il tente de persuader la volonté de son auditoire par l'exposé du bonheur qui l'attend s'il veut renoncer aux vains plaisirs d'ici-bas et se plonger courageusement dans les eaux amères de la pénitence. Telle est la raison morale qu'il déploie.

Comment il a mené ce plaidoyer de la vertu contre le vice, nous le verrons bientôt. Essayons de nous faire une idée de la manière dont nous l'aurions mené nous-mêmes. Peut-être aurions-nous montré à nos auditeurs combien les joies de l'âme l'emportent sur les plaisirs du corps : en durée, en douceur, en dignité. Puis, l'Evangile en main, peut-être aurions-nous ajouté la nécessité, pour goûter ces saintes joies, de renoncer au péché et de se donner tout entier à la vertu? C'eût été ordinaire.

Considérons maintenant notre modèle, je dis considérons-le attentivement : Bossuet lui-même n'a-t-il pas déclaré qu'il avait appris l'art oratoire bien plus dans les modèles que dans les préceptes. Rendons-nous donc un compte aussi détaillé que possible du beau morceau que voici. Notons tout ensemble les pensées et le style : *Lectionem sine stylo, somnium puta* (S. Damasius).

« C'est ici que je voudrais pouvoir ramasser tout ce qu'il y a de plus efficace dans les Ecritures divines, pour vous représenter dignement ces délices intérieures, ce fleuve de paix dont parle Isaïe (LXVI, 12), cette paix du Saint-Esprit, enfin ce calme admirable d'une bonne conscience...

« Dans cette inconstance des choses humaines, et parmi tant de différentes agitations qui nous troublent ou qui nous menacent, celui-là me semble heureux qui peut avoir un refuge. Et sans cela, chrétiens, nous sommes trop découverts aux attaques de la fortune, pour pouvoir trouver du repos. Laissons pour quelque temps la chaleur ordinaire du discours et pesons les choses froidement...

« Mais cet asile, que vous vous préparez contre la fortune, est encore de son ressort ; et si loin que vous puissiez étendre votre prévoyance, jamais vous n'égalerez ses bizarreries... Il n'y a rien sur la terre où nous mettions notre appui, qui non seulement ne puisse manquer, mais encore nous être tourné en une amertume infinie...

« Qu'il arrive que votre fortune soit renversée par quelque disgrâce, votre famille désolée par quelque mort désastreuse, votre santé ruinée par quelque longue et fâcheuse maladie ; si vous n'avez quelque lieu où vous vous mettiez à l'abri, vous essuierez tout du long toute la fureur des vents et de la tempête : mais où sera cet abri ? Promenez-vous à la campagne, le grand air ne dissipe point votre inquiétude ; rentrez dans votre maison, elle vous poursuit ; cette importune s'attache à vous jusque dans votre cabinet, et dans votre lit, où elle vous fait faire cent tours et retours, sans que jamais vous trouviez une place qui vous soit commode.

« Poussé et persécuté de tous côtés, je ne vois plus que vous-même et votre propre conscience où vous puissiez vous réfugier. Mais si cette conscience est mal avec Dieu, ou elle n'est pas en paix, ou sa paix est pire et plus ruineuse que tous les troubles...

« Que ferez-vous, malheureux ? Le dehors vous étant contraire, vous voudriez vous renfermer au dedans ? Le dedans, qui est tout en trouble, vous rejette violemment au dehors... Ainsi, ne trouvant nulle consistance, quelle misère sera égale à la vôtre ?

« Que si votre cœur est droit avec Dieu, là sera votre asile et votre refuge : là vous aurez Dieu au milieu de vous ; car Dieu ne quitte jamais un homme de bien : *Deus in medio ejus, non commovebitur,* dit le Psalmiste... Mais pour avoir en vous-même ce consolateur invisible et pour goûter avec lui la paix d'une bonne conscience, il faut que cette conscience soit purifiée ; et nulle eau ne le peut faire que celle des larmes. Coulez donc, larmes de la pénitence, coulez comme un torrent, ondes bienheureuses ; nettoyez cette conscience souillée ; lavez ce cœur profané, et rendez-moi cette joie divine qui est le fruit de la justice et de l'innocence : *Redde mihi lætitiam salutaris tui.* »

L'incomparable prédicateur continue avec la même magnificence de fond et de forme. Il peint les délices spirituelles, la volupté toute chaste que Tertullien voit naître du mépris des voluptés sensuelles ;

plaisir qui n'agite pas la volonté mais qui la calme ; qui ne surprend pas la raison mais qui l'éclaire ; qui ne chatouille pas les sens dans la surface, mais qui tire le cœur à Dieu par son centre. Puis, revenant sur la nécessité, pour goûter ce plaisir, de pleurer les fautes passées, il enfonce plus avant le trait principal de son discours, le bonheur de pleurer ses péchés. Enfin, éclairant son sujet des lugubres clartés de la mort, il porte le dernier coup à la volonté en lui faisant sentir, comme si le moment fatal était venu, ou la douleur de s'être livrée au péché, ou la douleur d'avoir à quitter ses plaisirs pour toujours.

Lisez tout entières ces pages (je n'en ai donné qu'une insignifiante analyse), vous verrez comment on met en œuvre une raison morale ; c'est la leçon à prendre, à comprendre, à retenir ; et à mettre en pratique à la première occasion.

Vous remarquerez d'abord que Bossuet, sachant à la perfection comment la volonté se laisse ressaisir par la passion, presque toutes les fois que celle-ci lui fait entrevoir une dernière échappatoire aux âpres leçons de la morale, s'applique à montrer froidement que, sans la pénitence, l'homme ne peut échapper aux pires tourments du cœur, dès cette vie même, et qu'il en sera la proie assurée, un jour ou l'autre ; mais que, s'il se convertit, la mort elle-même fera sa consolation. De cette remarque vous tirerez un premier moyen de traiter les raisons morales, qui est de les envisager dans leurs plus hautes conséquences pour le bonheur et le malheur des hommes

Ensuite, vous observerez par quels tours pressants l'orateur place l'auditeur entre la nécessité de se rendre à Dieu, s'il veut avoir la paix, et la nécessité d'aller toujours plus bas dans l'abîme, s'il ne veut pas se rendre. Cette observation vous avertira que pour persuader les cœurs il faut non seulement exposer les raisons morales avec force, mais qu'on doit les exprimer avec insistance et détail, comme dans le passage suivant, où Bourdaloue s'efforce de faire repentir les mondains de l'aveuglement spirituel volontaire où les jette la passion.

« Je prétends que l'aveuglement spirituel, ainsi expliqué, est l'effet le plus redoutable de la justice vindicative de Dieu, le châtiment le plus rigoureux que Dieu puisse exercer sur les pécheurs, celui qui approche davantage de la réprobation et que l'on peut dire être déjà une réprobation anticipée... *Excœca cor populi hujus* (Isaï., 6)...

« Ecoutez-moi : tous les autres maux de la vie sont, il est vrai, des châtiments du péché ; mais ils ne laissent pas d'être, si nous le voulons, des moyens de salut, et il n'y en a point, si nous en savons bien user, que nous ne puissions mettre au nombre des grâces..., mais l'aveuglement est un mal stérile dont nous ne pouvons tirer aucun profit...

« Quand Dieu m'envoie des adversités, une maladie, une humiliation, j'ai toujours de quoi me consoler ; car dans ma peine, je lui dis : Seigneur, soyez béni ; vous me châtiez en père ; cette maladie, dans l'ordre de votre Providence, est pour moi un purgatoire et un exercice de patience ; trop heureux si j'en fais un tel usage. J'abusais de ma santé pour mener une vie mondaine et dissipée ; en me l'ôtant, vous m'avez, malgré moi, séparé du monde : peine médicinale. J'avais horreur de la pénitence ; vous me la faites faire par nécessité : peine satisfactoire. J'étais lâche dans votre service et négligent dans les devoirs du christianisme ; mais, si je ne vous honore pas en agissant, vous me donnez de quoi vous honorer en souffrant : peine méritoire. Voilà ce qui adoucit mes maux ; mais quand je tombe dans l'aveuglement, je ne puis rien penser de tout cela : pourquoi ? C'est que par ce genre de peine, je ne satisfais point à Dieu, je ne mérite rien devant Dieu, je ne deviens pas meilleur selon Dieu : Dieu me punit et rien de plus...

« Aussi la mort fait-elle passer un mondain que Dieu réprouve, de ténèbres en ténèbres, et d'aveuglement en aveuglement, je veux dire de l'aveuglement temporel à l'aveuglement éternel, et des ténèbres du péché aux ténèbres de l'enfer. »

De telles raisons, aussi fortement exposées, ne sont-elles pas comparables à la vis d'un pressoir que l'on tourne pas à pas sur des grappes de raisin pour en extraire le jus ? Et peut-on les entendre sans être comme obligé de se rendre à leur pression ? — Voilà le comble de l'art en éloquence.

PRINCIPALES RAISONS MORALES

Du reste, pour convertir les âmes, l'intérêt suprême du salut éternel, le ciel ou l'enfer ne sont pas les seules raisons morales à mettre en œuvre : l'exemple de Notre-Seigneur ou de quelque grand saint, l'obligation grave et de justice où nous sommes, de servir Dieu, la noblesse qu'il y a dans ce service et surtout le plaisir qu'il fait à Jésus-Christ, peuvent fournir des développements plus purs, plus relevés et non moins éloquents. Et ces derniers motifs, quoique inséparables des premiers, méritent la préférence dans une foule de circonstances.

Tous les fidèles ne se gouvernent pas, hélas! par le désir d'avancer en l'amitié de Jésus-Christ, mais beaucoup plus qu'on ne le croit sont sensibles à cet avancement. De même, il en est un grand nombre qui se rendront aux pratiques de la vertu par le motif exprès de l'imitation du divin Maître ou de la très sainte Vierge. Ne nous bornons donc pas à persuader aux auditeurs la nécessité de bien faire, par la raison que sans la vertu leur salut est compromis ; faisons-leur voir aussi que sans la vertu, l'homme ne peut ni plaire à Dieu, ni reconnaître ses bienfaits, ni ressembler au Bon Maître, ni marcher sur les traces des saints.

En somme, voici les principales cordes à faire vibrer pour persuader un auditoire chrétien :

Nécessité d'éviter le mal et de faire le bien : 1° pour éviter l'enfer ; 2° pour abréger le purgatoire ; 3° pour assurer le salut de son âme ; 4° pour obtenir une plus large part de la vision béatifique ; 5° pour devenir plus conforme au modèle des prédestinés ; 6° pour imiter la sainte Vierge et les anges ; 7° pour consoler le divin Cœur de Jésus ; 8° pour obéir à Dieu et à son Eglise ; 9° pour aider à l'expansion du règne de Dieu sur la terre ; 10° pour vaincre la tristesse, le remords, le désespoir et les maux engendrés par le péché ; 11° pour multiplier le nombre des âmes sauvées ; 12° pour sauver, ou soulager, ou sanctifier notre prochain.

Prenez maintenant l'un ou l'autre, ou plusieurs de ces motifs, et, pareil à l'élève musicien qui, sur un chant donné, rédige une composition harmonique, essayez de les développer à la façon des modèles cités plus haut. *Fabricando fit faber.*

CHAPITRE XIV

Couronnement du discours.

Sommaire : Qualités de l'Epilogue. — Péroraison. — Démasquer et combattre les derniers prétextes de la passion. — Trait du Parthe. — Derniers avis.

La plupart des prédicateurs terminent leurs sermons par une récapitulation des principales idées — ce qui est bien, — sans savoir ensuite comment ils vont finir. Heureusement pour eux, il reste l'inévitable *vie éternelle* et *la grâce que je vous souhaite ;* mais tout cela confine de bien près au banal.

Comprenons mieux notre métier, et faisons-nous de l'art de finir un discours, une idée plus précise, ou, si vous voulez ce grand mot, plus savante. C'est là, en effet, que se montrent les véritables orateurs et la vraie éloquence, comme c'est là aussi que l'on doit concentrer, pour un suprême assaut, toutes les puissances de sa parole.

D'après Quintilien, la péroraison ou l'épilogue est cette dernière partie du discours, où l'orateur s'efforce d'emporter ou d'obtenir, par un appel plus véhément, cela même qu'il s'était proposé déjà dans tout son discours : *in quâ id quod totâ oratione expetebat orator, majori vehementiâ evincere et obtinere contendit.*

Deux opérations constituent une vraie péroraison :

résumer en termes nouveaux et plus vibrants, mais sans longueur, les arguments principaux du discours, et exciter, avec une impétuosité plus vive encore, les sentiments propres à soulever l'auditoire.

La première de ces opérations est claire, et il nous suffira d'avertir l'élève qu'il doit non seulement éviter de répéter ses preuves en termes identiques, mais encore s'ingénier à les résumer d'une façon dramatique, plus incisive et mieux enchaînée, quoique absolument brève et rapide : *ut memoria, non oratio, renovata videatur* (CICERO). Vient alors la vraie difficulté, ou l'art de faire une péroraison proprement éloquente. C'est à exposer les règles d'un tel art que nous consacrons le chapitre présent.

PÉRORAISON

La règle ordinaire donnée pour la péroraison par tous les Maîtres d'éloquence consiste à mêler au résumé du sermon des considérations vives, enflammées, capables de toucher les cœurs récalcitrants. Ces considérations, est-il besoin de le dire ? doivent 1° convenir au sujet que l'on traite, 2° être exprimées en termes amples et chauds, 3° ne point traîner en longueur.

Quant à trancher s'il est mieux d'étendre la récapitulation au dépens des affections ou ceci plutôt que cela, nul ne le peut. Tout dépend du sujet. Voulez-vous graver votre enseignement dans les esprits, plutôt que laisser une impression profonde dans le cœurs ? Attachez-vous davantage à résumer les preuves. Préférez-vous toucher ? Donnez plus d'importance aux affections.

De toutes manières, vous ferez une péroraison convenable, si vous travaillez, avec un peu d'inspiration, sur le principe que voici. La péroraison est un morceau où l'orateur concentre les traits les plus vifs de son discours en une forme incisive, pathétique, serrée. A ceux qui voudraient comparer une œuvre oratoire à une armée, nous dirions volontiers que pour bien finir un sermon il faut faire « donner la Garde ! »

Quant aux orateurs qui établissent leurs péroraisons sur un texte retentissant, une histoire, un psaume ou même une mise en scène, ils produisent ordinairement un bel effet. De dire si cela suffit toujours, je ne le saurais.

Loin de se battre les flancs pour exciter une émotion quelconque, l'orateur qui, dans sa péroraison, veut faire œuvre d'éloquence, doit étudier jusqu'au fond et choisir avec une extrême sagacité les sentiments à pousser. De là notre troisième règle de persuasion, ou moyen de ne pas manquer nos péroraisons.

Dernière règle à suivre pour gagner la volonté des auditeurs : Découvrir, attaquer, réduire a leur misérable valeur, les prétextes qu'invoque la passion apeurée ou troublée par l'ensemble du discours.

On a raison de le dire, à la suite de l'immortel

saint Thomas d'Aquin (1), notre vouloir se décide par la vue intellectuelle d'un bien lié au bonheur ou Bien final, et si toutes les circonstances qui devraient accompagner l'action du vrai sur notre volonté se trouvaient réalisées, il en serait toujours ainsi. L'art de persuader se résumerait, dès lors, en celui d'exposer les motifs de la vertu ; mais notre nature, blessée à l'origine, accuse et traîne des défaillances nombreuses, lesquelles nous empêchent fréquemment de nous ranger au parti du bien.

Tout le monde sait, redit et constate par sa propre expérience la vérité de cet axiome d'Ovide :

..... *Video meliora, proboque*.....
Deteriora sequor ....

Très peu, cependant, s'appliquent à découvrir le secret d'une aussi lamentable contradiction. Trop peu d'orateurs surtout s'efforcent avec assez de courage de voir en quoi, par où et comment notre nature déchue empêche la volonté d'obéir à la raison. La passion, dit-on, l'infirmité humaine suffit à expliquer cette funeste inconséquence ; la paresse principalement s'emploie et s'entend à l'éterniser. *Vult et non vult piger..*, *dicit : Leo est in viâ!* Cela est vite dit, mais de quelle passion parlez-vous : est-ce de la crainte, ou de la paresse, ou du découragement? Voilà ce qu'il faudrait préciser à propos de chacun des devoirs que nous négligeons, tout en désirant le

(1) *Summ. theol.*, 1ª 2ᵃᵉ x.

remplir, ou des péchés que nous commettons, quoique les condamnant. Et voilà l'étude à laquelle un orateur vrai s'adonne toujours. Il récapitule les raisons qu'il a données pour convaincre d'abord, pour persuader ensuite, et, les estimant plus que suffisantes, par elles-mêmes, pour gagner l'auditoire, il se demande pourquoi l'auditoire en reste là, ce qui le retient encore, le secret de son indécision. Croit-il avoir trouvé ce secret, la passion cachée qui rend insuffisante son éloquence, il s'attarde à comparer les prétextes de cette passion avec les raisons qui devraient persuader l'auditeur. A la lumière de ce rapprochement, il voit avec indignation ou pitié la futilité de ces prétextes. Son zèle s'échauffe, il brûle de renverser un si misérable obstacle, et c'est là que s'allume l'éloquence de ses derniers mouvements. Ou bien il entreprend un corps à corps avec l'auditeur, ou bien il fait intervenir Dieu et les maximes de l'Evangile, ou même il fait l'auditoire juge entre les raisons qu'il vient d'apporter et les indignes prétextes du pécheur.

Retenons donc qu'il ne suffit point, pour persuader, d'avoir convaincu l'esprit, ému le cœur, incliné la volonté, mais qu'il faut encore délivrer l'auditeur des préjugés, illusions, impressions, craintes chimériques, faiblesses ignorées ou cachées qui luttent au fond de son être contre sa raison, contre son bien, contre notre prédication et même contre Dieu.

Le simple peuple a le sens inné de ces traits de la fin. Quand un homme a tout dit pour décider son voisin à quelque entreprise difficile, s'il n'y parvient pas, il ajoutera des mots comme ceux-ci : « Gageons que tu as peur ! » ou bien : « Alors ! tu n'es pas libre ? » ou même : « Serais-tu superstitieux à ce point ? » Et ces sortes de traits sont très souvent décisifs, nul ne consentant aisément à passer pour peureux, esclave, ou trop crédule. Or, cette dernière stratégie de l'éloquence naturelle n'est si puissante que par son habileté à trouver le défaut de la cuirasse, les retranchements secrets de la passion.

C'est à *découvrir* ou deviner ces retranchements de la passion que vous emploierez tout ce que vous avez de finesse ; c'est à les *démasquer* sans pitié que que vous mettrez toute votre charité ; c'est enfin à les *combattre* sans merci que vous consacrerez toute l'ardeur de votre zèle. Appliquez-vous à bien saisir ces trois conseils.

C'est donc entendu : vous venez de récapituler en style nerveux les preuves, les mouvements de votre sermon et vous cherchez le coup final. Pour le trouver, mettez-vous, si j'ose parler ainsi, dans la peau d'un auditeur récalcitrant, puis interrogez-vous vous-même. Voyons, direz-vous, par exemple, je viens d'entendre l'éloge de l'aumône, l'obligation et les avantages d'aimer les pauvres ; déjà, le cœur ému, je songe à délier ma bourse... mais quelque chose d'indéfinissable me retient. Serait-ce l'avarice ? la hideuse avarice ? Oh ! que j'y prenne garde, j'aurais le vice de Judas ! — Voilà l'embryon de votre péroraison.

Cherchez de la même manière pourquoi, pratiquement et malgré les meilleures raisons possibles, un tel manque la messe du dimanche, refuse de se montrer chrétien, persiste à vouloir se venger ; vous découvrirez ici un préjugé absurde, là, un fond de présomption, plus loin, du respect humain ou du découragement. Et c'est à réfuter cette objection du cœur et c'est à confondre cette excuse ou ce prétexte des passions qu'il faudra dresser votre péroraison.

PREMIER MOYEN

D'abord vous démasquerez sans pitié, mais en termes charitables, cet ennemi secret caché au fond de la place. Et non seulement vous le montrerez du doigt comme un traître qui rampe dans l'ombre, au pied de la citadelle, mais vous direz en mots pressants les noirs desseins de ce fourbe, et tout le mal qu'il va faire à ceux qui auront la faiblesse de l'épargner.

Dans son sermon sur le respect dû à la vérité, Bossuet emploie à ce travail de révélation intime le troisième point tout entier, point du reste qu'il fait très court. Admirons sa manière de déchirer les voiles. Il vient de dire qu'un grand ennemi de la vérité, c'est la flatterie, ce sont les flatteurs qui pullulent à la Cour. Mais il a découvert un mal plus profond, et il s'écrie :

« Ne parlons plus des flatteurs qui nous environnent au dehors ; parlons d'un flatteur qui est au dedans, par lequel tous les autres sont autorisés. Toutes nos passions sont des flatteuses, nos plaisirs sont des flatteurs, surtout notre amour-propre est un grand flatteur qui ne cesse de nous applaudir ; et tant que nous écouterons ce flatteur caché, jamais nous ne manquerons d'écouter les autres : car les flatteurs du dehors, âmes vénales et prostituées, savent bien connaître la force de cette flatterie intérieure. C'est pourquoi ils s'accordent avec elle, ils agissent de concert et d'intelligence ; ils s'insinuent si adroitement dans ce commerce de nos passions, dans cette complaisance de notre amour-propre, dans cette secrète intrigue de notre cœur, que nous ne pouvons nous tirer de leurs mains ni reconnaître leur tromperie. »

Comment trouvez-vous cette franchise ? peut-on dire plus ouvertement à quelqu'un que, s'il s'abuse sur son mérite, c'est parce que son amour-propre ne cherche pas à être détrompé ? Mais aussi, comme Bossuet dévoile avec bonté cette faiblesse. Il se met au nombre des orgueilleux que l'amour-propre aveugle, il semble presque les excuser ; et c'est encore un nouveau moyen de leur ouvrir les yeux. Du reste, après avoir deviné et démasqué cette passion cachée, le grand orateur ne manque pas de lui porter des coups vigoureux.

« Quelle honte, dit-il, et quelle faiblesse, que nous voulions tout connaître excepté nous-mêmes ; que les autres sachent nos défauts, qu'ils soient la fable du monde, et que nous seuls ne les sachions pas !... Loin de nous, Messieurs, cette honteuse faiblesse, etc. »

On conçoit qu'après de tels coups Bossuet termine

par des paroles tranquilles et fasse des péroraisons que le P. Longhaye juge conformes à l'apaisement et à l'accalmie de l'art grec (1).

DEUXIÈME MOYEN

Ne nous contentons donc point de dévoiler les prétextes de la passion, mais consacrons à les combattre véhémentement toute l'ardeur de notre zèle.

Un excellent moyen pour cela, c'est d'amener l'auditeur à son lit de mort et de lui parler comme si, pour lui, l'éternité allait s'ouvrir. Ce fut là le principal secret du pasteur Saurin.

« Nul orateur chrétien, après Bossuet (auquel il ne faut rien comparer quand il s'agit de l'éloquence de la chaire), n'a travaillé avec autant d'habileté et de succès les péroraisons de ses discours. Saurin y ramène toujours l'idée de la mort. Cet objet les rend aussi lugubres que touchantes... ; il montre le tombeau ouvert, comme si l'assemblée qui l'écoute, prête à y descendre, ne devait plus entendre désormais aucune autre instruction, ou plutôt comme s'il prêchait lui-même pour la dernière fois » (2).

Sans doute il n'est pas du tout nécessaire de finir ses discours par une sorte de dragonnade, et ce serait mal comprendre l'éloquence que de la croire tellement amie des « coups de force », mais encore faut-il s'animer, presser les coups, réduire à leur juste va-

---

(1) *La Prédication*, BOSSUET.
(2) MAURY, *Essai sur l'éloquence*.

leur les excuses du pécheur impénitent et montrer que l'on veut à tout prix remporter la victoire sur ses passions. Soyez donc tendre ou véhément, mais passionné, sans pourtant y mettre de l'échauffement ou de l'exagération. Evitez surtout la raillerie et la colère. Mieux vaudrait encore une faiblesse attendrie qu'une vigueur sans bonté.

Quand on perce à jour les prétextes de la passion, leur peu de valeur, les immenses inconvénients qu'il y aurait à les écouter, on se sent assez fort pour se passer de raillerie.

TROISIÈME MOYEN

Que si, même après une péroraison lumineuse et touchante, le pécheur ne se rend pas, il ne reste plus qu'à prier Dieu publiquement de convertir l'âme de ce malheureux. Cette prière est le seul trait du Parthe que puisse lancer alors un prédicateur digne de Jésus-Christ. Mais c'en est un, et un bon. Saint Alphonse-Marie de Liguori, qui s'y entendait, faisait grand cas de cette suprême ressource. Les plus grands orateurs, Massillon surtout, y ont eu recours ; enfin, pour terminer sa prédication ici-bas, le divin Maître semble n'avoir rien trouvé de plus éloquent que cette adorable prière faite sur la croix : *Pater, dimitte illis, non enim sciunt quid faciunt.*

Voici, comme exemple, un des beaux morceaux de ce genre. Segneri termine son discours sur *le pardon des ennemis :*

« Oui, oui, venez, je veux aujourd'hui prendre la plume. Prosterné aux pieds adorables de notre Sauveur, je la veux tremper dans ses vénérables plaies, et, avec le sang que j'y puiserai, je veux écrire cette formule de pardon : Seigneur, en vertu du ministère que je remplis, quoique indigne, dans cette chaire, je vous déclare au nom de ce peuple, que nous déposons à vos pieds sacrés toutes les offenses qui nous ont été faites. Là nous sacrifions nos ressentiments à votre honneur, etc...

« Chrétiens, est-il quelqu'un parmi vous qui refuse de souscrire cet engagement ? S'il en est un, qu'il élève la voix : alors, enflammé d'un feu divin, j'écrirai avec ce même sang une sentence de damnation éternelle. Périsse le misérable, périsse celui qui refuse à Jésus une si juste demande ; et que ce sang qui devait le sauver soit son éternelle condamnation. Qu'il ne trouve ni pitié ni miséricorde ! que ses ennemis prévalent ! que son épouse reste veuve, ses enfants orphelins ; *et dispereat de terra memoria ejus, pro eo quod non est recordatus facere misericordiam* (Ps. 108), etc.

« Mais que Dieu enlève de cet auditoire une âme aussi noire. S'il est ici une personne qui refuse à Jésus le pardon qu'il demande, qu'elle sorte, qu'elle s'éloigne de ce lieu. Pour nous qui restons, tous, humiliés aux pieds de Jésus-Christ, nous demanderons pardon pour nos ennemis, pardon pour nous, pardon pour tous les pécheurs, pardon ! »

Nous arrêtons ici l'exposé des règles de disposition ou de composition d'un discours d'après notre méthode ; non, certes, que tout ait été dit, mais parce que, écrivant pour les *jeunes prédicateurs*, nous devons et nous voulons rester rudimentaire.

Nota. — On peut étudier l'application des règles de cette dernière partie du discours dans l'oraison funèbre de Madame, Duchesse d'Orléans, par Bossuet. Voir surtout la péroraison, à partir de ces mots : Qu'attendons-nous pour nous convertir ?

L'élève pourra voir aussi Bourdaloue *sur les afflictions des justes et la prospérité des pécheurs*. La péroraison de ce discours est plutôt calme, mais elle contient un exemple d'habile récapitulation où l'on voit que ce maître prédicateur savait employer l'épilogue pour les thèses, non moins bien que le pathétique pour les sermons de sentiment. On voit ainsi qu'il ne faut pas croire trop vite à ceux qui, ne faisant point cette distinction, condamnent ou exigent étroitement la récapitulation.

CHAPITRE XV

Exercices de composition oratoire tirés de nos plus grands auteurs.

Sommaire : Manière de faire les exercices. — Exercice sur les riches et les pauvres, d'après Bossuet. — Exercice sur notre agrandissement dans le monde, d'après Bourdaloue. — Exercice sur les tribulations, d'après Massillon.

Nota. — Les exercices qui suivent ne sont point des plans tout faits, que l'élève n'aura plus qu'à développer littérairement. De tels plans seraient inutiles à la formation oratoire que nous poursuivons. Ce sont des thèmes conformes à notre méthode et rédigés en vue d'exercer à son emploi les jeunes prédicateurs.

Ceux-ci devront simplement s'en inspirer, de manière à *prendre le ton*, si je puis ainsi parler. Mais il leur faudra chercher des matériaux, amplifier l'énoncé de la division, élaborer le sermon, comme si rien encore n'était dessiné.

On pourra voir, au travail exécuté, jusqu'où chacun d'eux s'entend à présenter un sujet aux quatre facultés de l'homme : s'il sait l'amener par un exorde piquant, étendre suffisamment l'énoncé de sa division, fournir d'explications et de preuves solides la partie *doctrine ;* de tableaux et de sentiments la partie *onction;* de raisons morales et de pratiques la partie *résolution*.

La manière dont l'orateur mènera la péroraison sera significative du plus ou moins de profondeur et d'ingéniosité de son éloquence.

Enfin, comparant les compositions faites sur ces thèmes aux sermons mêmes d'où ils sont tirés, on pourra voir en quoi et jusqu'où l'on s'écarte ou l'on s'approche des maîtres prédicateurs.

Bien que propre à encourager la plupart des élèves, en leur montrant que l'art oratoire n'est pas inaccessible, cette constatation pourra décevoir une première fois certains esprits trop sûrs d'eux-mêmes; mais elle ne devra décourager personne.

« Quod si quem aut natura sua, aut illa præstantis
« ingenii vis fortè deficiet, aut minùs instructus erit
« magnarum artium disciplinis, teneat tamen eum
« cursum, quem poterit. Prima enim sequentem
« honestum est in secundis tertiisque consistere. »
(Cicéron. — *Orator.*)

Nous conseillons à l'élève qui voudra réaliser les exercices suivants de relire, au fur et à mesure qu'il composera une partie du sermon : exorde, enseignement, sentiment, morale, les règles données plus haut pour diriger et faciliter la composition de cette même partie.

PREMIER EXERCICE
Les riches et les pauvres, dans l'Eglise.

> Esurientes implevit bonis et divites dimisit inanes.

Avant que Notre-Seigneur Jésus-Christ ait établi son Eglise au milieu du monde, on pouvait bien être frappé de la distance d'idées et de mœurs qui séparait le peuple hébreu du reste des nations.

Depuis, le monde et l'Eglise font deux camps si tranchés que nul ne peut ouvrir les yeux sans que l'opposition de ces deux camps ne le frappe.

D'un côté, l'orgueil, l'argent, les plaisirs ; de l'autre, l'humilité, la pauvreté, le renoncement.

Jésus-Christ a une politique tout opposée à celle du siècle. On peut le voir dès ce monde.

DIVISION

Dans l'Eglise, les pauvres ont droit à la préséance ;
Les riches doivent les servir ;
Nul n'obtient les faveurs de Dieu que par leur moyen.

a) DANS L'EGLISE, LES PAUVRES ONT DROIT A LA PRÉSÉANCE.

Définir ou décrire ce droit, en général.

Etant donné que, sur terre, l'Eglise doit être la continuation, le prolongement du Christ, pourquoi les riches y tiendraient-ils le premier rang ? En quoi l'opulence continue-t-elle ou prolonge-t-elle un Dieu né d'ouvriers pauvres, dans une étable, et qui mangea son pain à la sueur de son front ?

Qui ne voit au contraire, que pour remplir ce rôle mystérieux, les pauvres sont les premiers et indispensables acteurs ?

DEUXIÈME EXERCICE

De notre agrandissement dans le monde.

Nescitis quid petatis.

L'évangéliste saint Mathieu (c. xx) rapporte un fait bien humain et, par là, bien instructif. Notre-Seigneur venait d'annoncer que sa Passion était proche. Au lieu de compatir à cette douloureuse nouvelle, la mère de deux apôtres, toute aux honneurs d'ici-bas, lui demanda de placer ses deux fils : l'un à sa droite, l'autre à sa gauche.

Le Maître répondit : Vous ne savez pas ce que vous demandez, etc. (Voir du verset 17e au verset 27e.)

Combien parmi nous partagent cette aberration ! Ils veulent s'élever, s'agrandir, parvenir aux premiers postes dans le monde et ils ne savent point les conséquences de ces états.

DIVISION

Les honneurs du siècle sont autant de vocations de Dieu.

Les honneurs du siècle, plutôt que de nous exalter, devraient nous confondre.

Les honneurs du siècle sont des engagements à travailler et à souffrir.

a) Honneurs du siècle : vocations de Dieu.

Dieu, qui fait tout avec nombre, poids et mesure, se garde bien de livrer ses élus à l'aventure de l'ignorance ou du caprice.

Dans l'ordre de la prédestination et conformément à la place que chacun doit occuper au ciel, tout homme est appelé à un état plutôt qu'à un autre.

Alios quidem apostolos, alios prophetas, etc. Notre

salut dépend ordinairement de notre fidélité à suivre cette vocation. Ce principe s'applique surtout aux vocations élevées, aux charges, aux rangs supérieurs. *Nec quisquam sumit sibi honorem*, etc., et cela pour deux raisons. L'honneur de Dieu et de la religion d'une part; l'avantage du commun des hommes, d'autre part.

Croyez-vous indifférent à l'honneur de Dieu et de la religion que les magistrats, les chefs, les supérieurs soient aptes ou non à soutenir les principes et les conséquences du droit et de la vérité ?

Ou bien jugez-vous peu important pour le peuple que ses chefs remplissent bien ou mal leurs fonctions ?

Tout le monde voit, au contraire, que là se trouve le secret de la prospérité ou celui des calamités publiques, civile et religieuse.

Hélas! et trop souvent, l'on se pousse aux honneurs sans vocation ni capacité, par intrigue, ambition, etc.

b) LES HONNEURS DU SIÈCLE, PLUTÔT QUE DE NOUS EXALTER, DEVRAIENT NOUS CONFONDRE.

Je veux que dans leur élévation un certain nombre de dignitaires n'aient à rougir d'aucune bassesse, et que le droit de commander leur ait été plutôt imposé qu'accordé.

Même dans ce cas, les honneurs ne doivent pas nous exalter, car ils ne prouvent nécessairement ni notre mérite ni notre excellence. On a vu des rois comme Saül et des sujets comme David. Lesquels valaient le plus ?

Saint Augustin s'est écrié un jour : *Quod enim christiani sumus, propter nos est; quod præpositi, propter vos.* Et le Pape s'appelle justement *servus servorum Dei.* Les dignités sont des emplois, non des grandeurs, ni des mérites.

De ce chef elles devraient plutôt nous confondre. Il

est si facile d'être plus petit que la charge qu'on remplit, que le piédestal où l'on se raidit ; et quoi de plus ridicule ?

Du fait de notre élévation, nos défauts sont-ils supprimés, diminués ? Non, certes : au contraire, ils sont dévoilés et présentés au public, qui les voit d'autant plus que, d'ordinaire, il a davantage à en souffrir.

Ne faudrait-il pas être fat pour s'enorgueillir d'une telle vocation ?

c) Les honneurs du siècle sont des engagements a travailler et a souffrir.

Saint Paul nous peint le vrai supérieur quand il écrit : *Quis infirmatur et ego non infirmor ?* etc. Mais Jésus-Christ nous montre mieux encore par sa vie et par sa mort, les sollicitudes incessantes, l'esprit de sacrifice et l'éminente vertu, sans lesquels un chef ne peut ni servir la cause de Dieu, ni remplir sa vocation au profit de ses sujets.

Les grands peuvent trouver dures de telles exigences : elles sont néanmoins voulues de Dieu, parce que nécessaires à leur état. Et n'est-il pas juste qu'on demande au chef toute la valeur que l'on attend de ses meilleurs sujets ! D'où viendrait aux membres la lumière, la grâce et la vigueur, si la tête, anémique, manquait de savoir, d'aménité ou de vaillance ? Or, il est visible que de telles qualités exigent un travail et un renoncement perpétuels.

Que conclure de cette nécessité ? Qu'il faut se décourager ? Non ! Dieu donne à chacun les grâces nécessaires à l'état auquel il l'a appelé. Il faut en conclure que nul ne doit briguer les charges, ni s'en prévaloir, ni en abuser, ni surtout s'en autoriser pour vivre grassement et sans peine aux dépens de Dieu et des subordonnés.

Bourdaloue.

TROISIÈME EXERCICE

Sur les Tribulations.

> Et beatus est, qui non fuerit scandalizatus in me. (MATH., XI.)

A première vue, cette maxime, sur les lèvres d'un Homme-Dieu, étonne et semble inexplicable. Qu'on se rappelle que Notre-Seigneur impose, à quiconque veut être son disciple, l'ardu devoir de prendre sa croix tous les jours et de la porter, à sa suite, jusqu'au sommet du Calvaire, et l'on comprendra.

La terre est pleine de souffrants, ou plutôt elle ne porte que des malheureux. Dans la chaumière comme au palais, depuis l'enfant jusqu'aux plus vaillants hommes de guerre, tout le monde souffre. *Nemo contentus suâ sorte*. Vous dites, montrant la couronne blanche de l'épousée : Voilà une exception. — Peut-être, mais pour un jour ; et puis, les plus belles roses ont des épines. Quel que soit l'âtre auprès duquel on va s'asseoir, on y trouve inébranlablement installée déjà la mélancolique et cruelle souffrance.

Et personne ne veut souffrir... et tout le monde s'effraie d'avoir à souffrir... et la plupart, révoltés de cette horrible nécessité, blasphèment en disant : S'il y a un Dieu, d'où vient qu'il nous laisse souffrir ?

DIVISION

Aux mains de la Providence, les tribulations de cette vie sont des remèdes nécessaires ;
Des épreuves mesurées, et moindres que nous les imaginons ;
Des traits, qui loin de perdre les élus, assurent leur triomphe pour l'éternité.

a) Aux mains de la Providence, les tribulations de cette vie sont des remèdes nécessaires.

Quoniam acceptus eras Deo, necesse fuit ut tentatio probaret te. On n'épure que l'or et les métaux qui, par leur prix, valent la peine d'être passés au feu. Mais pourquoi épure-t-on ces métaux ? Parce qu'ils en ont besoin.

Connaissons-nous bien ; nous reconnaîtrons que nous nous aimons éperdûment, que nous sommes infiniment attachés à notre personne, jusque-là que, si Dieu n'épurait pas notre cœur, nous n'aimerions réellement que nous-même et que notre propre bien-être.

Dieu nous ayant destinés à l'aimer, Lui, avant tout et par dessus tout, il veut donc nous faire préférer sa volonté à notre plaisir. Et, pour opérer ce changement, qui d'un égoïste fait un saint, quel instrument pouvait être préférable à la croix ?

La prospérité ne ferait qu'augmenter notre égoïste amour du bien-être ; elle achèverait de nous avilir. La tribulation chrétiennement supportée engendre plus de miséricorde et de dévouement, en une heure, que tous les plaisirs du monde en toute une vie.

Les Pères de l'Eglise, les philosophes, l'expérience de chacun s'accordent là-dessus. Et donc la souffrance est un remède nécessaire.

b) Les tribulations de cette vie sont des épreuves mesurées et moindres que nous les imaginons.

Portés à ne vouloir souffrir de rien (ce qui est déjà une volupté), nous poussons cet égoïsme jusqu'à l'hallucination. Sommes-nous malades ? Jamais personne n'a autant souffert. Est-ce l'infortune qui nous atteint ? Nous ne voyons rien de plus ruiné que nous. Et nos maux sont par nous déclarés exaspérants, insupportables.

Ainsi font les enfants qui se grisent de leurs larmes,

et, pour un rien, crient comme si on leur perforait le crâne avec des vrilles de fer.

Non, là n'est pas la vérité. Nos tribulations, grossies à nos yeux par une sensibilité effrénée et aveugle, ne sont ni exaspérantes ni insupportables. D'autres que nous les ont supportées avant nous. Et combien ont souffert davantage ! Et combien ont béni Dieu de les faire souffrir !

Sortons de nous-mêmes, regardons Jésus-Christ, les apôtres, les martyrs, les saints, l'innombrable armée des pauvres, des malades, des malheureux.

Certes, ils valent peut-être la peine que l'on pense à eux ! Et cette vue, nous excitant à une noble compassion, nous fera sentir que nos maux sont mesurés à notre taille et bien moins grands que nous ne pensons.

c) Les tribulations de cette vie sont des traits qui, loin de perdre les élus, assurent leur triomphe pour l'éternité.

Voici le comble de la malice de notre égoïsme. Plutôt que d'attribuer notre impatience à l'amour exagéré que nous avons de nous-mêmes, nous disons que nous redoutons les tribulations, crainte de ne pouvoir les supporter jusqu'au bout. Cette excuse, contraire à la foi, ne saurait avoir aucune valeur.

Fidelis enim Deus, qui non patietur vos suprà id quod potestis tentari, etc.

Puisque la croix est un instrument de purification et, disons-le aussi, de sanctification, pourquoi nous damnerait-elle ? Dieu, qui mesure nos épreuves à nos besoins, ne saura-t-il pas arrêter la douleur au moment où elle pourrait nous jeter dans le péché, dans le désespoir ?

Regardons la croix bien en face, et voyons s'il n'est pas bon et grand et possible d'accepter un remède qui purifie, sanctifie, et qui nous est présenté par la main d'un Sauveur crucifié ?

Quoi donc ? Nous voudrions rester égoïstes au point de n'aimer ni Dieu ni nos frères, mais seulement notre tranquille jouissance ! Et nous prétendons être les enfants du Calvaire ? Et, d'un lit de repos ou de délices, nous aspirons à la palme des martyrs ? Fi donc !

Ah ! plutôt, frappons-nous la poitrine et baisons notre croix !

Massillon.

TROISIÈME PARTIE

Rédaction et prononciation du Discours.

FORMATION DE L'ORATEUR SACRÉ
MÉTHODE

TROISIÈME PARTIE
Rédaction et prononciation du discours.

Nota. — Avant d'exposer les principales règles à suivre pour improviser, écrire et débiter oratoirement un sermon, il est utile de présenter au lecteur les principaux genres de prédication. Chaque genre, en effet, demande une forme, un style et une action particuliers. Ni on ne rédige un prône comme un panégyrique, ni on ne prononce une conférence comme un sermon.

CHAPITRE PREMIER
Les principaux genres de prédication.

Sommaire : Le prône, — l'homélie, — le sermon, — la conférence, — le panégyrique, — l'oraison funèbre.

1. — LE PRONE

Le Prone proprement dit est un composé de prières, d'annonces et d'instruction familière qui se font au cours de la messe paroissiale. Dans le langage oratoire, le prône s'entend exclusivement de l'instruction. C'est une sorte de catéchisme public ou paroissial qui a pour but d'entretenir dans le peuple chrétien la notion vive, juste et pratique de notre sainte religion. M. Hamon le définit : « une instruction courte et familière qui se fait pendant la messe de paroisse sur un sujet de dogme ou de morale ».

Cette vénérable prédication n'est pas précisément celle à laquelle s'exercent de préférence les séminaristes. Donner en un quart d'heure l'exposé substantiel, clair et pratique, d'un chapitre du catéchisme, paraît chose trop facile pour exiger une formation et des exercices particuliers. Hélas ! combien se trompent ceux qui pensent ainsi ! Je ne m'étonne plus de cette boutade, exagérée sans doute, mais répétée par un prédicateur de retraites sacerdotales que j'entendais naguère : Nos chrétiens ne comprennent plus la religion, parce que chaque dimanche il se fait en France près de vingt mille prônes !... c'est-à-dire vingt mille sermons ratés.

Apprenez à estimer le prône comme une partie essentielle de la science pastorale, préférez à l'éloquence de Lacordaire l'art divin qui apprend à faire de bons prônes. A cet effet lisez et imitez les catéchismes du Bienheureux Curé d'Ars.

Pour bien faire un prône, supprimez texte, exorde et proposition. Commencez votre discours en posant la question que vous allez traiter. Contentez-vous de parler à l'esprit et à la volonté. Point d'appareil oratoire. Du catéchisme clair et pratique. Les œuvres de Canisius, Hallez, Guillet, Lambert, Badoire, Billot, Guillois, Devine, ou simplement votre théologie du séminaire, vous fourniront toute facilité pour cela.

Je croirais offenser Dieu de ne pas citer ici l'enseignement de Notre Saint Père Pie X, tant il faut attacher d'importance au catéchisme public (1).

« Le très saint Concile de Trente, traitant des pasteurs d'âmes, édicte que le premier et le plus grand devoir de ceux-ci, est d'instruire le peuple chrétien (*Sess. V, c. de Ref. — Sess. XVII, c. 8. — Sess. XXIV, c. 4 et 7 de Ref.*) Il leur ordonne donc de parler de la religion au peuple, au moins les dimanches et les jours de fête solennels, et chaque jour pendant l'Avent et le Carême, ou tout au moins trois fois par semaine. Ce n'est pas tout ; il ajoute en effet que les curés sont tenus, au moins les dimanches et jours de fête, soit par eux-mêmes, soit par d'autres, d'instruire les enfants des vérités de la foi et de leur apprendre l'obéissance envers Dieu et leurs parents.

« Lorsqu'il s'agit de la réception des sacrements, le saint Concile de Trente ordonne aux curés d'instruire de la nature de ceux-ci ceux qui doivent les recevoir, et de le faire dans un langage facile et populaire. Notre prédécesseur Benoît XIV, dans sa constitution *Etsi minime*, a ainsi résumé et prouvé les prescriptions du très saint Concile : « Deux charges sont spécialement « imposées par le Concile de Trente à ceux qui ont « charge d'âmes : l'une est de parler au peuple des cho- « ses divines les jours de fête ; l'autre est d'instruire les « enfants et tous les ignorants de la loi divine et des « rudiments de la foi. »

« C'est à bon droit que le très sage Pontife distingue ces deux devoirs : celui de l'allocution que l'on appelle vulgairement explication de l'Evangile, et celui de l'enseignement de la doctrine chrétienne. En effet, il en est peut-être qui, désireux de diminuer leur travail, se

---

(1) Lettre encyclique sur l'enseignement de la doctrine chrétienne (15 avril 1905).

persuadent que l'homélie peut tenir lieu de catéchisme. Combien cette opinion est fausse, c'est ce qui est évident pour qui réfléchit. L'allocution qui est faite sur l'Evangile s'adresse en effet à ceux qui doivent déjà être imbus des éléments de la foi. On peut la comparer au pain qui est distribué aux adultes. L'enseignement du catéchisme, au contraire, est le lait, ce lait dont l'apôtre saint Pierre voulait qu'il fût désiré sans malice par les fidèles comme par les enfants à peine nés.

« En un mot, la fonction des catéchistes consiste à prendre une vérité concernant la foi ou les mœurs chrétiennes et à la mettre en lumière sous tous les aspects. Comme, en outre, le redressement de la vie doit être le but de l'enseignement, le catéchiste doit établir un parallèle entre les préceptes de vie que Dieu a donnés et la manière dont les hommes vivent réellement ; il faut ensuite, se servant d'exemples opportuns et sagement choisis, soit dans les saintes Ecritures, soit dans l'Histoire ecclésiastique, soit dans la vie de saints personnages, persuader les auditeurs et leur montrer du doigt, pour ainsi dire, de quelle façon ils doivent ordonner leur conduite ; il faut enfin terminer par des exhortations, afin que les assistants conçoivent l'horreur des vices, s'en détournent et suivent la vertu. »

Méthode pour préparer un Prône

d'après N. S. P. le Pape.

Suivant la manière dont le Pape Pie X a décrit la fonction des catéchistes, vous composerez de quatre éléments votre prône du dimanche : un *chapitre* du Catéchisme ordinaire, un *tableau* de maximes ou de mœurs mondaines, une *histoire* édifiante, une *exhortation* morale.

Comme sources, le *Grand Catéchisme* d'Hauterive ou le *Directeur des Catéchismes* de Turcan sont ici tout indiqués.

Pliez donc en deux une feuille de papier.

A la *première page*, vous ferez de votre chapitre un tout bien expliqué, et sans chercher midi à quatorze heures, comme pour des enfants, sauf que le style doit être moins familier.

Sur la *deuxième page*, vous noterez les erreurs, les préjugés, les scandales, ou la manière de vivre que vous saurez avoir cours dans la région, au sein des familles, dans les cafés, ateliers, théâtres même, concernant l'enseignement ou les devoirs que vous venez d'expliquer.

Fixez alors sur la *troisième page* un fait de la sainte Ecriture, un trait de l'histoire ecclésiastique, ou mieux de la Vie des saints, qui réponde au sujet traité.

Enfin, à la *quatrième page*, esquissez les motifs de foi, les raisons d'intérêt surnaturel, qui doivent décider vos auditeurs à préférer aux idées et aux plaisirs des mondains, la sainte doctrine et les célestes vertus de Notre-Seigneur.

2. — L'homélie

L'Homélie consiste à expliquer aux fidèles un passage de l'Ecriture et à leur faire, sur ce passage, des réflexions pieuses et des applications pratiques.

donné pour cette sorte de prédication un excellent manuel. (V. Migne.) Certains missionnaires de notre temps font encore usage des conférences dialoguées. Le peuple, qui les aime, y est facilement attiré. C'est une sorte de catéchisme où il revit ses années de formation chrétienne. Mais la préparation de ces conférences demande un travail sérieux (bien expliqué par M. Hamon) et, plus encore, le bon esprit de l'interrogateur. Faute de ces conditions, celui qui fait la demande ne se borne pas à *interroger* comme un fidèle, il *objecte* comme un rationaliste, il veut paraître plus savant que le prédicateur, lequel riposte d'autant plus fort qu'il a pour lui le bon droit ; et, d'une *conférence catéchistique*, dont on pouvait tirer beaucoup d'édification, l'on arrive à une sorte de *conférence contradictore*, pleine de dangers.

Les conférences à deux contradicteurs ne paraissent donc pas souvent recommandables. On y tombe trop facilement dans l'esprit querelleur et le genre protestant.

Cependant nous ne prétendons point ici juger les prêtres qui emploient cette manière. Toute règle souffre des exceptions. Nous mettons en garde le lecteur contre les écueils de cette méthode.

Pour la conférence ordinaire, voir *Lacordaire*, *Monsabré* et *Gibier*, l'ancien curé de Saint-Paterne, Orléans, aujourd'hui évêque de Versailles.

5. — LE PANÉGYRIQUE

Le Panégyrique est un éloge public, réservé aux saints et destiné à nous les faire vénérer, invoquer, imiter. Bourdaloue a donné des panégyriques excellents.

Ramenons ces sortes de discours au récit oratoire de la vie du héros, et présentons ce récit de manière à instruire et édifier nos auditeurs. Pour cela, mettons en relief une maxime favorite et une vertu dominante du saint, sans négliger du reste l'ensemble de sa vie. En d'autres termes, celui qui veut faire le panégyrique d'un saint doit : 1° noter ce qu'il y a de plus *mémorable*, de plus *édifiant* et de plus *imitable* dans sa vie ; 2° se servir des faits mémorables, pour instruire les auditeurs, des édifiants, pour les émouvoir, et des imitables, pour améliorer leur conduite ; 3° soigner le style sans l'affadir.

6. — L'ORAISON FUNÈBRE

L'Oraison funèbre est un genre d'éloge, réservé aux personnages dont la mémoire édifiante et glorieuse mérite recommandation. L'abbé Marcel y voit le développement d'une morale tirée de la vie du héros ; Villemain, un genre d'éloquence qui célèbre et consacre les grandes vertus humaines. « Il n'est étranger, dit ce critique, à aucun des intérêts de la terre ; il tient à l'histoire par le récit des faits, à la politique par l'observation des grands événements, à la morale par la peinture et le développement des caractères. Les exploits d'un capitaine, les talents d'un homme d'Etat, la vie d'un roi, en forment la matière habituelle. La religion y domine toujours comme étant le terme de tout (1). »

Inutile de le rappeler : pour le Panégyrique et l'Oraison funèbre, Bossuet reste le maître, et rien ne peut remplacer l'analyse raisonnée de ses immortels discours.

Si vous êtes appelé à ce dernier genre de prédication, procédez un peu comme pour le Panégyrique ; mais gardez-vous de confondre une louange discrète avec la vile et servile flatterie. Faites dominer la doctrine : *Prædica verbum !*

(1) *Essai sur l'Oraison funèbre.*

CHAPITRE II

De l'improvisation parlée.

Sommaire : Nature et avantages de l'improvisation bien entendue. — Deux remarques. — Règles pour improviser.

Ouvrons le dictionnaire au mot : improviser; nous trouverons cette réponse : Faire sur-le-champ, et sans préparation, des vers, un discours, de la musique. — Entendue ainsi, l'improvisation ne devrait suffire à aucun prédicateur. Aucun homme éloquent ne s'en contenterait, sauf à y être contraint par un cas de force majeure. « Un orateur qui se respecte doit savoir ce qu'il doit dire et comment il doit le dire. » (Monsabré.)

Dans la présente méthode, l'improvisation parlée et l'improvisation écrite ont une signification tout autre, puisque toutes les deux consistent en un travail préparatoire sérieux et tendu.

L'improvisation à laquelle nous voudrions pousser les jeunes prédicateurs ne porte guère que sur les mots ou même que sur le débit, la prononciation du discours. Le sujet, l'exorde, la proposition, la division, les preuves, les transitions, tout doit être arrêté, médité, écrit ou du moins esquissé, et même essayé quant à la diction, avant que l'on ose monter en chaire pour le sermon.

Abelly est peut-être un peu excessif lorsqu'il exige

une rédaction complète ; mais il définit assez bien la manière dont nous devons entendre et pratiquer l'improvisation : « Il faut composer et écrire avec toute l'exactitude dont on est capable, placer où il faut les preuves, les autorités, les raisons, les transitions et les mouvements; étudier tout cela le plus fidèlement qu'on peut, comme si on avait dessein de le dire mot à mot, surtout les commencements, les transitions et les figures les plus apparentes. Mais ensuite il est bon de parler comme si on n'avait point étudié, ne point courir après un mot qui serait demeuré en chemin, s'abandonner au torrent du discours, et se rendre tellement le maître de tout, qu'il semble que l'on parle de l'abondance du cœur ».

« Le P. Lacordaire possédait au plus haut degré la grande éloquence, l'émotion soudaine, profonde, communicative, électrique. Ce qui mettait le comble aux transports de son auditoire, c'était de recevoir et de renvoyer l'étincelle, c'était d'assister à l'improvisation, si impossible à nier, du prédicateur, au jet incessant, impétueux et pourtant contenu, de sa parole et de sa pensée, c'était de voir jaillir d'une poitrine sacerdotale, ainsi que d'un rocher frappé par la verge divine, ce fleuve bouillonnant, irrésistible, comme un torrent des Alpes. Qui nous rendra ces surprises, ces hardiesses, ces familiarités, ces élans aventureux, où semblait se jouer un génie aussi audacieux que sûr de lui-même, côtoyant le précipice, sans y tomber jamais, puis planant au plus haut des cieux, d'un essor que Bossuet seul a surpassé ! » (MONTALEMBERT.)

D'après les maîtres, le mot à mot est utile tout au

plus pour les discours d'apparat. Quant à la prédication habituelle, même solennelle, on doit se mettre au-dessus du *quod scripsi, scripsi.* « L'attache qu'on a aux mots semble empêcher l'activité du prédicateur et lui ôte la hardiesse de se laisser aller aux répréhensions et aux autres saints mouvements que l'esprit de Dieu lui inspire (1). » A cette raison fondamentale et qui devrait suffire pour nous faire éviter le mot à mot, ajoutons la fatigue, le danger de rester court, de se troubler, le ton peu naturel qu'engendre un style écrit, le genre timide ou compassé auquel exposent les récits mot à mot, nous ne conserverons guère d'attache au mot à mot du sermon. Saint Alphonse de Liguori blâme ceux qui ne savent pas approprier leurs sermons au genre d'auditeurs qu'ils évangélisent. « Ils portent, dit-il, leurs discours dans leur mémoire, et, qu'ils parlent à des savants ou à des ignorants, ils n'y changent pas un mot. »

Par contre, les avantages d'une improvisation dûment préparée sont immenses. Nous ne citerons, pour le prouver, qu'un seul auteur, le grand Evêque de Cambrai. « Un homme qui n'apprend point par cœur se possède, il parle naturellement, les choses coulent de source ; les expressions sont vives et pleines de mouvement ; la chaleur même qui l'anime lui fait trouver des expressions et des figures qu'il n'aurait pu préparer dans son étude. Ce qu'on trouve dans la chaleur de l'action est tout autrement sen-

---

(1) Saint François Borgia.

sible et naturel; il a un air négligé et ne sent point l'art, comme presque toutes les choses composées à loisir. Ajoutez qu'un orateur habile et expérimenté proportionne les choses à l'impression qu'il voit qu'elles font sur l'auditeur; car il remarque fort bien ce qui entre et ce qui n'entre pas dans l'esprit, ce qui attire l'attention, ce qui touche les cœurs et ce qui ne fait point ces effets. Il reprend les mêmes choses d'une autre manière; il les revêt d'images et de comparaisons plus sensibles; ou bien il remonte aux principes d'où dépendent les vérités qu'il veut persuader, ou bien il tâche de guérir les passions qui empêchent ces vérités de faire impression. Voilà le véritable art d'instruire et de persuader; sans ces moyens, on ne fait que des déclamations vagues et infructueuses (1). »

Ce beau passage de Fénelon n'est pas seulement un plaidoyer victorieux, irrésistible, en faveur de l'improvisation, il en est une description féconde, et à retenir.

Un esprit méticuleux observera que le fait de s'en tenir à son cahier pour le fond seulement, et de s'abandonner, pour les mots, à l'habitude ordinaire de parler, expose le prédicateur à porter en chaire des expressions triviales, des phrases incorrectes, des fautes même de langage. Fénelon répond à cette objection.

« Si l'orateur, dit-il, a écrit son discours avec un

---

(1) *Dialogues sur l'éloquence.*

soin modéré, s'il le possède en substance, c'est-à-dire par raison et par jugement, et plutôt par le fond et les choses que par les mots ; alors il parlera avec bien plus de force, ses idées seront mieux ordonnées, et il aura beaucoup plus de sécurité et d'assurance dans le débit. Les périodes n'amuseront pas tant l'oreille ; tant mieux, il n'en sera que meilleur orateur ; ses transitions ne seront pas si fines ; n'importe, ces négligences lui seront communes avec les plus grands orateurs de l'antiquité, qui ont cru qu'il fallait par là imiter souvent la nature et ne pas montrer une trop grande préparation.

« Que lui manquera-t-il donc ? il fera quelque petite répétition : mais elle ne sera pas inutile ; non seulement l'auditeur de bon goût prendra plaisir à y reconnaître la nature, qui reprend souvent ce qui la frappe davantage dans un sujet, mais cette répétition imprimera plus fortement les vérités ; c'est la véritable manière d'instruire.

« Tout au plus trouvera-t-on dans son discours quelque construction peu exacte, quelque terme impropre ou censuré par l'Académie, quelque chose d'irrégulier ou, si vous voulez, de faible et de mal placé, qui lui aura échappé dans la chaleur de l'action. Il faudrait avoir l'esprit bien petit pour croire que ces fautes-là fussent grandes : on en trouvera de cette nature dans les plus excellents originaux. Les plus habiles dans les anciens les ont méprisées. Si nous avions d'aussi grandes vues qu'eux, nous ne serions guère occupés de ces minuties. Il n'y a que les gens qui ne sont pas propres à discerner les grandes choses, qui s'amusent à celles-là. »

Enfin, ajouterons-nous, si quelqu'un d'excessivement jaloux du renom d'orateur persiste à dire que l'improvisation expose à des humiliations, nous répondrons qu'il vaut mieux être humilié quelquefois, mais être néanmoins puissant et apostolique, que de passer pour impeccable et de n'être que cela. D'autant plus qu'un orateur jamais humilié est bien près de tomber dans une vanité plus méprisable cent fois que les pires défauts d'éloquence. Mais il est temps d'en venir à la pratique.

L'improvisation bien préparée, nous venons de le voir, est la condition la plus favorable à la vraie éloquence. Qu'est-ce donc qu'une improvisation bien préparée? Ou quels sont les moyens généraux à employer pour pouvoir improviser heureusement un sermon? Notre méthode en donne trois : 1º Soigner le travail de composition auquel nous avons consacré toute la deuxième partie de ce traité ; 2º le munir de points de repère, afin d'aider la mémoire ; 3º essayer de débiter seul et librement.

DEUX REMARQUES

Avant d'expliquer l'emploi de ces moyens, faisons deux remarques, l'une sur l'aptitude ou facilité de parole, l'autre sur la culture qu'un prédicateur doit donner à son langage habituel.

Sans prétendre que tout homme soit capable d'improviser, nous pensons que tout prêtre engagé dans le saint ministère peut et doit aspirer à cette façon de prêcher. S'il nous était permis de citer ici notre humble expérience, nous dirions que la persuasion où nous sommes de cette vérité nous a fait pousser plus d'un confrère, qui se disait réfractaire à l'improvisation, à prêcher quand même sur un simple canevas bien fait et quelque peu médité. Le résultat n'a déçu personne et il désillusionna ou délia ces trop timides prêcheurs.

Commençons par donner de simples avis, par faire quelques annonces. Essayons de conter une histoire sans l'avoir étudiée ; profitons, pour ces essais, des jours de prône, où l'auditoire est moins imposant, rappelons-nous que les fidèles sont nos frères, et ne nous laissons jamais aller à l'erreur funeste de nous croire incapables d'improviser la diction d'un sermon bien préparé.

Certains esprits sont peu féconds, mais d'une grande mémoire. Il y a là un avantage : c'est qu'au lieu de présumer de leur fonds, ils puisent dans les auteurs, lisent, retiennent et reproduisent beaucoup. Par là de vraies richesses oubliées sont remises en circulation. On peut se demander si une infécondité qui aboutit à des résultats aussi heureux, n'est pas plus utile aux âmes que cette sorte de génie qui se suffit, mais dans le médiocre et l'incomplète originalité.

Conclusion : Quand on ne se sent pas de génie inventif, il faut lire, analyser, retenir, vulgariser les bons auteurs et se croire utile par le fait.

Autre remarque : Pour des raisons diverses et toutes regrettables, plusieurs d'entre nous se laissent aller dans l'intimité de leurs conversations à un genre de parler vulgaire, abandonné. Rien de pire pour un prédicateur.

Un grand séminaire où la tenue et la conversation rigoureusement dignes ne seraient pas efficacement enseignées et exigées mériterait, à ce seul titre, une réforme sévère.

Habituons-nous à un langage simple mais correct, digne, sacerdotal, et ne nous permettons jamais un mot, une parole, dont nous rougirions dans la bonne société. C'est le moins que l'on puisse attendre d'un prêtre ; c'est, en même temps, le meilleur apprentissage de la parole improvisée.

Passons aux moyens à prendre pour réussir dans l'improvisation.

Première règle pour improviser : Soigner la composition du sermon.

Faire ce travail avec une grande attention et application, et conformément aux règles données par la méthode. C'est astreignant, parfois même rebutant, mais c'est indispensable à la bonne improvisation des plus humbles discours.

« Il y a quelque cinquante ans, écrit le P. Monsabré, j'assistais, dans un collège de province, à une distribution de prix. Le discours d'usage devait être prononcé par le professeur de rhétorique, homme distingué, dont la parole était fort goûtée. Malheureusement, il fut pris, au dernier instant, d'une extinction de voix qui le mit dans l'impuissance de se faire entendre. Sous le coup de cette surprise, le proviseur, qui devait réglementairement le remplacer, se trouva fort embarrassé. Au lieu d'essayer un discours, il se contenta d'adresser à l'auditoire quelques mots d'excuse qu'il termina, avec une touchante bonhomie, par cet aveu : « Mesdames, Messieurs, « j'en suis bien fâché, mais je ne peux pas improvi- « ser, quand je ne suis pas préparé. » On rit beaucoup de cet aveu comme d'une grosse naïveté ; et cependant l'excellent homme était d'accord avec tous les maîtres de la parole. »

Deuxième règle pour improviser : Repérer son ébauche ou son plan.

On a raison de le croire : au cours d'une improvisation, l'esprit fait parfois des prodiges, mais c'est à la condition d'être soutenu par la souvenance exacte et vive des choses à dire, de l'ordre des preuves, et des grandes lignes à suivre. Plus la mémoire est sûre et plus l'esprit est libre, par conséquent puissant, et *vice versa*. Et parce qu'il importe d'être absolument convaincu de ce principe, on nous permettra de le faire sentir à l'aide d'une comparaison.

Supposez-vous excellent patineur. Si vous constatez que la glace où vous glissez est ferme, lisse, exempte de tout écueil, vous vous lancerez sans crainte, vous abandonnant à votre activité et suivant vos moindres poussées, jusqu'à étonner par l'agileté et la hardiesse de vos mouvements quiconque vous verra évoluer. Mais si la glace, tout à coup, vient à céder sous vos pieds, si elle craque ?... Comme aussitôt votre course est suspendue, paralysée, anéantie ! Eh bien ! c'est là ce qui se passera pour vous dans vos improvisations, selon que votre mémoire vous fournira, ou non, matière à développement.

« Soli, qui memoriâ vigent, sciunt quid et quatenus et quomodo dicturi sint... Quare confiteor hujus boni naturam esse principem... Verumtamen neque tam acri memoriâ ferè quisquam est, ut non, dispositis notatisque rebus, ordinem verborum aut sententiarum complectatur; neque vero tam hebeti, ut nihil hâc consuetudine et exercitatione adjuvetur. » (*De Orat.*, l. II, n° 87.)

Ce n'est donc pas un avis quelconque que nous donnons ici, c'est une règle à observer.

Que notre méthode, employée à composer votre sermon, vous puisse guider sûrement, c'est une chose certaine. Mais il ne faudrait pas vous borner aux grandes lignes : imagination, intelligence, cœur, volonté. Notez dans chaque partie les idées principales, leur suite, leur enchaînement, et fixez-vous bien ces notes dans l'esprit, de manière à ne les oublier ni confondre, mais à les voir se présenter l'une après l'autre, au fur et à mesure que votre sermon se déroulera. Saint Alphonse de Liguori conseille à cet effet quelques moyens pratiques : souligner ou marquer d'un signe particulier certains morceaux que l'enchaînement logique des idées

amènerait moins bien, ou leur donner un sous-titre.
— Nous ajoutons : lire à haute voix et entendre soi-même le sermon. Ne méprisez pas ces petites industries.

Vous pourrez alors, au cours de votre improvisation, et d'après le sentiment qu'un orateur appelle si bien le *tact de l'auditoire* (1), ajouter, retrancher, insister ou passer plus rapidement.

Toutefois, méfiez-vous de votre imagination. Elle pourrait vous entraîner hors de la voie : dans des digressions sans discernement, qui vous feraient perdre le fil de vos idées. Soyez donc plutôt trop prudent que trop hardi. Tenez-vous à votre plan, comme, dans un escalier dangereux, on se tient à la rampe.

Troisième règle pour improviser : Essayer de débiter librement.

C'est-à-dire, dérouler son plan chez soi, tout haut, en exposant le sujet sans s'astreindre au mot à mot, mais seulement aux pensées. Ceux qui ont moins de facilité peuvent s'en tenir aux phrases et chercher à n'en omettre ni ajouter aucune, mais seulement à dire chacune d'elles comme elle leur vient.

On dit de Lacordaire qu'il essayait de reproduire ses phrases de huit manières différentes. Si c'est huit, ou quatre, ou trois qu'il faut croire, peu importe : le moyen serait excellent, et vous assure-

---

(1) Mgr Dupanloup, *La Prédication populaire*.

rait de grands progrès dans l'art de parler éloquemment.

Une fois en chaire, la règle à suivre est de ne pas courir après le mot comme un élève qui se reprend, mais de suivre la pensée, sacrifiant l'habit pour le corps, la forme pour le fond.

Nous l'avons dit, et nous aimons à le répéter, celui qui s'astreint au mot à mot parlera peut être *comme un livre*, mais il n'aura pas l'heureuse vivacité de celui qui se livre discrètement à l'impression du moment. L'esprit de l'orateur en action, stimulé par les circonstances, se déploie et s'applique avec une intensité que rien n'égale ni ne supplée. Echauffée par le désir de soulever l'auditoire, l'imagination fait alors des prouesses qu'elle ne fait que là, et qui, seules, à vrai dire, donnent au prédicateur toute la plénitude de son éloquence.

CHAPITRE III

Improvisation écrite ou rédaction du Sermon.

Sommaire : Travail de la plume. — Style ordinaire du sermon. — Règle pour écrire le discours. — Correction du discours.

Les gens primesautiers et à la parole facile se demanderont pourquoi, après avoir traité de la préparation du discours, de son élaboration, de son improvisation, nous allons parler de sa rédaction ? Parmi eux, il s'en rencontrera plus d'un pour se contenter de ce qui précède et juger superflu ce qui suit. Même il semble que nos propres enseignements leur donnent raison. N'avons-nous pas dit qu'une improvisation bien préparée constitue le meilleur moyen de parler éloquemment ? C'est vrai. Or, que manque-t-il à l'élève qui possède les leçons précédentes ? Il sait préparer, ébaucher, improviser son sermon. A quoi bon s'occuper d'autre chose ? Serait-ce que, malgré nos dires, nous estimions plus sage le mot à mot, le débit servile et la phrase stéréotypée ? A nous voir entreprendre un chapitre sur l'art de rédiger, d'écrire, de corriger un discours, ne peut-on pas croire que l'improvisation reste une sorte de saut périlleux ? Oui, tout cela semble fondé, mais tout cela ne l'est pas.

1. — TRAVAIL DE LA PLUME

Avoir sous les yeux un choix de matériaux bien disposés et étiquetés, c'est le minimum que, pour improviser, requiert un orateur exercé. Ce n'est pas suffisant pour un prédicateur moins fort. Il lui faut une improvisation sur papier, ou, si vous aimez mieux, une rédaction adroite, faite en vue d'une improvisation parlée.

Avant d'étudier cette sorte de rédaction, méditons les lignes suivantes empruntées à un maître d'éloquence et citées par un maître de la chaire. « C'est avec raison que l'abbé Bautain appelle la plume un scalpel qui dissèque les pensées, une filière, un laminoir qui étend merveilleusement les idées et exploite toute leur ductilité. C'est seulement quand on écrit ce qu'on voit intérieurement qu'on parvient à distinguer nettement tout ce qu'il y a dans une conception, et à s'en donner la claire objectivité. Alors on se comprend soi-même et on peut se faire comprendre des autres (1). »

Cicéron avait dit la même chose en termes plus concis : *Stylus optimus et præstantissimus dicendi effector ac magister*. (*De Orat.*, I, 33.)

Le P. Longhaye regarde le travail de la plume comme à peu près indispensable à la préparation d'une vraie improvisation.

---

(1) Monsabré : *La Prédication.*

Mais il nous semble plus nécessaire d'insister sur une nuance de cet enseignement que sur cet enseignement lui-même.

Sauf meilleur avis, nous trouvons que, *pratiquement*, il y a un réel danger à écrire *pour écrire*, c'est-à-dire en style à lire et non en style parlé. Le P. Longhaye s'efforce bien de nous faire écrire comme l'on doit parler, mais voilà ! cette manière d'écrire n'est peut-être pas assez facile pour être pratique.

En fait, se fier trop à sa plume ou trop à sa langue est chose également périlleuse, et nous voudrions pousser les élèves à écrire de telle façon que le prédicateur n'ait pas à souffrir de l'écrivain. C'est pourquoi, sans nous écarter des maîtres que nous venons de citer, nous chercherons à insister, après eux et encore, sur une *manière d'écrire plus utile à la prédication évangélique*.

Pour écrire et rédiger en vue de l'improvisation, il faut imiter les artistes peintres faisant une *étude*. Les grandes lignes sont vérifiées et arrêtées, les masses d'ombre confinent aux grands plans de lumière. Il s'agit d'animer ce croquis, de faire passer de la vie dans cette lumière et dans cette ombre, et d'y incarner le sentiment, la pensée, l'amour du compositeur. Deux manières de dessiner sont alors en présence : l'une qui emploie tous les moyens, l'autre qui s'en tient aux règles du métier. Dans la première manière, on voit l'artiste se servir de pastels, de couleurs à l'huile, de mine de plomb, de craie, etc., employer ici le couteau à palette, là un vieux pinceau, plus loin une estompe ou même le pouce. Il résulte de cet « horrible mélange » une *chose* qui sans doute ne serait pas admise au Salon, mais qui sera peut-être une œuvre de vigueur et de sentiment. Dans la seconde manière, le même artiste se bornera, je le suppose, à copier, selon les règles du métier, sa propre composition. Il sortira de là une toile correcte, élégante, *admissible*, mais probablement froide et sans vie. Et les amateurs et les artistes vrais, comme tout le vrai peuple, aimeront mieux l'œuvre vivante, quoique rugueuse, que le tableau brossé, fini et... mort comme un linoléum. Pourquoi dans ces deux tableaux d'un même artiste une telle différence ? Pour la bonne raison que dans la première manière l'artiste a *improvisé* sa peinture et achevé sa composition, au lieu que dans la seconde il a lâché sa composition pour exécuter un morceau en couleurs. Nous entendons bien. Les maîtres font ceci sans omettre cela. Mais les maîtres sont les maîtres.

Quelque chose d'analogue se produit pour le discours. Si vous rédigez votre sermon dans un style quelconque, ne songeant qu'à achever de le penser ; si, tout aux sentiments qui vous animent, vous écrivez n'importe comment, si en un mot vous improvisez sur papier, vous avez chance d'obtenir un discours éloquent. Mais si, attentif à vos phrases et préoccupé d'arrondir des périodes, vous écrivez sans feu, avec ce que beaucoup appellent de l'art, une œuvre indigeste ou creuse est à prévoir.

Quand donc nous disons avec nos maîtres qu'il nous

faut écrire nos sermons, les rédiger, nous voulons dire qu'il faut les penser avec la plume et les improviser sur le papier.

C'est surtout quand on pense avec la plume que l'imagination fait voir ce qu'elle peut, l'intelligence ce qu'elle sait, le cœur ce qu'il sent, la volonté ce qu'elle veut. C'est surtout par l'improvisation de la forme que l'on achève la création du fond. C'est surtout en laissant son âme se coucher sur le papier que l'on apprend à l'étendre sur un auditoire. Alors, en effet, on se produit à ses propres yeux tel que l'on est, possesseur d'une pièce oratoire vraie ou fausse, complète ou tronquée, forte ou impuissante. Et donc, on se corrige, on s'agrandit, on s'échauffe, on se met à la mesure de l'auditeur, on *compose* véritablement un sermon. Jusque-là, tout restait sujet à caution. Tel tableau, dont nous nous promettions merveille, pouvait nous trahir par son étroitesse ou nous accabler par sa grandeur ; cette doctrine, qui nous semblait facile, pouvait nous dérouter dans ses profondeurs ; ce sentiment, que nous pensions juste, pouvait se trouver faux ; et cette conclusion, que nous estimions pratique, pouvait être illusoire. Mais la plume ayant parlé, l'esprit s'étant étalé sur la page blanche, plus d'illusion possible. Le sermon sera ce qu'il apparaît dans ce premier jet. Vous polirez ce bronze, vous ne le rendrez ni plus ni moins sonore : la coulée est faite.

2. — STYLE ORDINAIRE DU SERMON

Voilà pour le fond de la rédaction ; mais le style, la grande question du style ? — Comment ! répondrons-nous, et cette improvisation écrite n'est-elle donc pas le meilleur moyen d'avoir du style et du bon ? En seriez-vous à croire que le fond du style puisse venir d'ailleurs que de la pensée ardente écrite toute chaude ? Gardons-nous de confondre le fond du style parlé avec les ornements du style écrit.

Vous avez peut-être lu certains théoriciens de la langue qui enseignent gravement les lois du style, les genres de style, le style sublime surtout, et qui vous ont démontré le mécanisme de tous les styles. Et vous avez conclu de ces études, exquisement affinées, que seul un écrivain de race peut arriver à parler éloquemment ? Cette erreur tend de plus en plus à nous envahir. Et pourtant saint Paul, sans littérature, a surpassé Bossuet ; et pourtant avec sa parfaite littérature Louis Veuillot n'aurait pas su parler, et pourtant l'on voit tous les jours des littérateurs sans éloquence et des bouches éloquentes quoique illettrées. Cette erreur vient, disons-nous, de la confusion faite par la plupart des élèves entre le fond du style parlé et les grâces du style écrit. Cette confusion est un malheur. Hélas ! et ce malheur n'est pas pour peu de chose dans la désolante pénurie où nous sommes, d'orateurs sacrés, de vrais prédicateurs ! Si les tropes et les figures de mots ou de pensée, si toute cette anatomie du discours humain, ce désossement des grandes œuvres oratoires vous ont paru l'arsenal divin de l'éloquence, détrompez-vous. Ni la synecdoche, ni l'antonomase, ni même la catachrèse, n'ont besoin, pour venir sous votre plume, d'être connues de vous. La nature et aussi la lecture assidue de nos Saints Livres vous feront employer la complexion et la gradation, l'antithèse et l'antimétabole à votre insu. Mon Dieu ! où en serions-nous, si, pour prêcher éloquemment votre Evangile et parler la langue des apôtres, il nous fallait descendre dans ce raffinement ?

« L'éloquence des Pères et des missionnaires, écrit un sage auteur, est simple, pathétique, inspirée ; les ornements de la parole ne sont pour rien dans l'effet qu'elle produit, et il n'y a d'éloquence enfin que parce qu'il y a un sentiment profond d'humilité » (1).

« Quelquefois, écrit saint Augustin, une vigilance attentive sur la clarté à donner au discours nous fait oublier le choix et l'arrangement des mots, et il arrive que, tout entiers appliqués à bien marquer et à bien déclarer ce que nous voulons faire voir, nous négligeons le tour et l'harmonie de la période... eh ! de quoi sert la pureté d'un terme, quand il reste incompris de celui qui l'entend ?... Il est naturel aux bons esprits d'aimer non les mots, mais ce que les mots contiennent de vérité. Et de quoi nous sert une

---

(1) Em. Lefranc, *Traité de littérature*.

clé d'or, si elle ne peut ouvrir l'endroit où nous voulons entrer ? d'autre part, quel dommage serait-ce que cette clé fût en bois, si elle ouvrait la salle où nous voulons aller ? » (*De doctr. chr.* l. IV).

Chose remarquable, un contemporain, non moins littérateur, parle plus fort encore dans le sens de saint Augustin, et surtout il donne la raison pour laquelle un prédicateur doit s'inspirer de plus haut que Cicéron.

« Ni on ne prêche, a écrit M. Brunetière (1), ni on ne plaide, ni on ne prononce un discours politique à dessein de faire de la « littérature ». La préoccupation d'art est là tout à fait secondaire, accessoire même, et le grand reproche qu'avec et après Nisard on fait chez nous à Massillon, c'est précisément qu'elle se voit trop dans ses *sermons*, et les gâte. Fléchier, chez lequel elle est tout à fait apparente, n'est absolument qu'un rhéteur. C'est qu'aussi bien le souci de plaire, qui est inséparable du dessein littéraire, serait déplacé dans la chaire chrétienne, inconvenant et profane. »

Malgré son énergie de style, M. Brunetière ne fait ici qu'indiquer la vérité dont nous traitons ; il faut lire Bossuet :

« N'attendez pas de l'apôtre, ni qu'il vienne flatter les oreilles par des cadences harmonieuses, ni qu'il veuille charmer les esprits par de vaines curiosités. Ecoutez ce qu'il dit lui-même : « Nous prêchons une sagesse cachée ;

(1) *Un siècle*, p. 600.

nous prêchons un Dieu crucifié. » Ne cherchons pas de vains ornements à ce Dieu qui rejette tout l'éclat du monde. Si notre simplicité déplaît aux superbes, qu'ils sachent que nous voulons leur déplaire, que Jésus-Christ dédaigne leur faste insolent, et qu'il ne veut être connu que des humbles. Abaissons-nous donc à ces humbles, faisons-leur des prédications dont la bassesse tienne quelque chose de l'humiliation de la croix, et qui soient dignes de ce Dieu qui ne veut vaincre que par la faiblesse.

« C'est pour ces solides raisons que saint Paul rejette tous les artifices de la rhétorique. Son discours, bien loin de couler avec cette douceur agréable, avec cette égalité tempérée que nous admirons dans les orateurs, paraît inégal et sans suite à ceux qui ne l'ont pas assez pénétré ; et les délicats de la terre, qui ont, disent-ils, les oreilles fines, sont offensés de la dureté de son style irrégulier. Mais, mes frères, n'en rougissons pas.

« Le discours de l'apôtre est simple ; mais ses pensées sont toutes divines. S'il ignore la rhétorique, s'il méprise la philosophie, Jésus-Christ lui tient lieu de tout ; et son nom qu'il a toujours à la bouche, ses mystères qu'il traite si divinement, rendront sa simplicité toute-puissante.

« Il ira, cet ignorant dans l'art de bien dire, avec cette locution rude, avec cette phrase qui sent l'étranger, il ira en cette Grèce polie, la mère des philosophes et des orateurs ; et, malgré la résistance du monde, il y établira plus d'églises, que Platon n'y a gagné de disciples par cette éloquence qu'on a crue divine. Il prêchera Jésus dans Athènes, et le plus savant de ses sénateurs passera de l'Aréopage en l'école de ce Barbare. Il poussera encore plus loin ses conquêtes, il abattra aux pieds du Sauveur la majesté des faisceaux romains en la personne d'un proconsul, et il fera trembler dans leurs tribunaux les juges devant lesquels on le cite.

Rome même entendra sa voix ; et un jour, cette ville maîtresse se tiendra bien plus honorée d'une lettre du style de Paul, adressée à ses concitoyens, que de tant de fameuses harangues qu'elle a entendues de son Cicéron » (1).

3. — RÈGLE POUR ÉCRIRE LE DISCOURS

De ce qu'on vient de voir, faudra-t-il s'autoriser pour parler sans art, sans goût, et surtout sans figures ? Faudra-t-il même penser qu'un aspirant orateur puisse négliger de lire et de lire toujours les meilleurs écrivains de sa langue ? Nous serions désolé d'avoir pu occasionner chez le lecteur une aussi lourde méprise. Nous dirons donc, avec Quintilien : « Pour conclusion, je veux qu'on ait un fort grand soin de l'élocution, pourvu qu'on sache qu'il ne faut rien faire pour l'amour des mots, les mots eux-mêmes ayant été inventés pour l'amour des choses. D'où il suit que les plus propres à exprimer nos pensées et à produire dans l'esprit de nos auditeurs l'effet que nous cherchons, sont aussi les meilleurs (2). » Et pour préciser tout à fait notre pensée, nous ajouterons qu'il faut, par une fréquentation assidue des maîtres de la langue, se meubler l'esprit, *s'ensemencer la mémoire*, d'expressions figurées, et puis, quand vient l'heure de la composition, laisser là toute préoccupation de littérature et commencer d'écrire au cou-

---

(1) V. *Panégyr. de saint Paul.*
(2) *De Inst. orat.*, 1. VIII.

rant de la plume, sans chercher à se faire un style littéraire.

Ce conseil semble répondre au désir du moraliste La Bruyère. « Jusqu'à ce qu'il revienne un homme qui, avec un style nourri des saintes Ecritures, explique au peuple la parole divine *uniment* et *familièrement*, les orateurs et les déclamateurs seront suivis. »

Supposant l'élève prédicateur *lecteur assidu et infatigable de nos saints Livres*, nous revenons à notre conseil d'improviser avec la plume, et nous lui disons : N'imitez pas les infirmiers étourdis qui vont dire à leur malade : que désire monsieur ? que veut monsieur ? Règle générale : un malade peut-il savoir ce dont il a besoin ? Faites comme les bons médecins : voyez l'état de votre peuple, les dangers qui menacent sa foi, les fièvres qui travaillent son cœur, les écarts de sa conduite ; et, après avoir réfléchi, présentez-lui en paroles vos remèdes spirituels, comme vous lui présenteriez en réalité des remèdes corporels. Figurez-vous être devant votre auditoire. Rendez-vous compte de ce qu'il est, essayez de lui parler. Vous semble-t-il entendre quelqu'un de vos auditeurs répondre à l'un de vos arguments, ou se récrier sur quelqu'une de vos observations, tenez compte de cette pensée, entrez en relation d'esprit avec cet auditeur. C'est le secret de l'improvisation écrite. Commencez par écrire comme vous pensez, sans vous demander à chaque phrase si vos mots sont figurés ou distingués, vos tournures élégantes, vos périodes bien en équilibre, vos finales sonores, etc. Une phrase est-elle debout, à peu près correcte ? écrivez aussitôt la suivante, et ne vous occupez pas encore de corriger votre style, ni de l'orner.

Expliquez votre pensée, revenez sur le trait que vous voulez creuser, attardez-vous au besoin, et s'il s'agit d'enfoncer un clou, insistez opportunément, mais que tout ce travail soit consacré à mieux dire, à plus complètement exprimer votre doctrine ou vos sentiments.

Et marchez ainsi, courez même, jusqu'au bout de votre sermon. Bien plus, si vous êtes en verve, écrivez deux et trois instructions consécutives plutôt que d'en corriger une seule aussitôt rédigée.

4. — RÈGLES POUR LA CORRECTION DU DISCOURS

La correction d'un écrit est un travail bien différent de sa rédaction. Vouloir mener de front ces deux opérations, sera toujours une témérité dont souffriront également le fond et la forme.

Une fois le moment venu de revoir votre improvisation écrite, ou l'ébauche de votre sermon, commencez par la lire en gros, de manière à voir si les quatre parties du discours sont de proportion convenable et bien en harmonie. Sinon, rectifiez sévèrement, ajoutez ou retranchez ou déplacez sans pitié, selon les quatre règles fondamentales de la méthode. Et lorsque votre ensemble dira bien votre pensée à tout l'homme, à ses quatre facultés, ce sera le moment de polir les détails.

Abordez ce travail de correction et d'ornementation des phrases avec le malin plaisir que les critiques prennent, dit-on, à chercher des fautes dans les écrits de leurs voisins.

Une phrase vous paraît-elle obscure, ambiguë ? Essayez d'en tourner le sens, et si vous y parvenez sans peine, corrigez-la de telle façon que seul un pédant soit assez borné pour se méprendre sur votre pensée. Vos épithètes sont-elles outrées ? ramenez-les à la juste mesure. Rencontrez-vous un hiatus par trop anguleux, aplanissez la liaison :

« Il est un heureux choix de mots harmonieux. »

Tombez-vous sur un mot trivial ou inusité (je ne sais pas lequel vaut moins), remplacez-le par le mot simple, usité et convenable, ce dernier dût-il vous paraître terne et banal.

Est-ce une répétition qui, à trois lignes de distance ramène le même mot, voyez s'il n'y a pas lieu d'employer un synonyme.

Vous éprouvez de la monotonie à lire des phrases qui se suivent trop nombreuses sur le même ton ; variez la construction de l'une ou l'autre ; faites, s'il le faut, usage de l'inversion, employez le présent au lieu de l'imparfait.

Que s'il vous était arrivé de commencer un développement à l'aide d'une comparaison, et de le finir par une autre, sacrifiez la première ou la seconde, mais sachez vous interdire absolument cette monstruosité d'un portrait à deux têtes.

Enfin, s'il s'agit d'un panégyrique ou d'un discours qui demande une correction plus grande, vous relirez ces vers d'Horace :

> Vir bonus et prudens versus reprehendet inertes,
> Culpabit duros, incomptis allinet atrum
> Transverso calamo signum, ambitiosa recidet
> Ornamenta, parum claris lucem dare coget,
> Arguet ambigue dictum, mutanda notabit :
> Fiet Aristarchus...
>
> *(De Arte poetica.)*

Voilà qui suffit, pensons-nous, pour le but que nous poursuivons dans ce livre. Les cours d'éloquence et de littérature où l'élève peut revoir ces préceptes élémentaires sont trop répandus pour que nous ayons à les reproduire ici (1).

Au demeurant, si votre phrase est latine, sent la Vulgate, s'émaille (ou se hérisse) de *qui* et de *que*, de *car* et de *donc*, ne vous en désolez qu'à demi. Le grand siècle est le grand siècle, et il a, sous la plume des Pascal, des La Bruyère et des Bossuet, payé son large tribut à ces faiblesses. Soyons *nature*, quitte à être rocailleux. Et puisque le style, c'est l'homme, vous ne devez pas plus prétendre à avoir le style d'un autre qu'à n'être plus vous-même.

Ce qu'il faut, c'est dire des choses, de les dire intelligiblement, avec charme, solidité, chaleur et sens pratique ; ce n'est pas du tout d'écrire sans *qui* ni *que* de longues pages où tout soit plat.

---

(1) Cfr. Abbé F. Montagnon, *Leçons de composition et de style.*

CHAPITRE IV

De l'action dans le discours sacré.

Sommaire : Importance de ce dernier chapitre. — Ce que c'est que l'action oratoire. — Etude du naturel. — Articulation des mots. — Tenue, débit et gestes du prédicateur.

Quelle que soit la concision avec laquelle je me suis proposé de traiter de la Rhétorique sacrée, je ne saurais, sans commettre une lourde et impardonnable faute, négliger le sujet que nous abordons ici. De son côté, l'élève serait tout à fait inexcusable de n'accorder à ce dernier sujet qu'une attention médiocre : tellement il importe à l'orateur et aux auditeurs, qu'un discours soit donné ou prononcé avec la plus grande perfection possible.

A quoi bon s'ingénier à choisir des vérités frappantes et justes, si on les dénature par une prononciation malheureuse ? Et de quoi sert-il d'assembler harmonieusement les quatre parties du discours, si, en les débitant, on brise toute cette harmonie ? Mettez un an à construire une belle tour, où les proportions et les ornements le disputeront en grâces et en avantages, puis affublez cette tour d'un toit gauche et difforme : vous aurez gâté tout votre ouvrage. Une belle flèche, au contraire, en aurait fait ressortir les plus humbles qualités. Ainsi de la prononciation d'un sermon : heureuse, elle en double le mérite et l'efficacité ; malheureuse, elle en détruit presque tout l'effet.

« La prononciation est, au discours, d'une force merveilleuse ; car il importe moins à ce que nous avons écrit ou médité d'être bien que d'être prononcé comme il faut ; par la raison qu'un discours n'impressionne l'auditeur que d'après la manière dont on le lui fait entendre.

« Que la prononciation (le débit et le geste) ait des charmes si puissants, nous en avons une preuve dans les comédiens eux-mêmes. Ils ajoutent tant de grâce aux pièces les plus belles que nous aimons mieux les leur entendre réciter que de les lire nous-mêmes, et ils savent attirer l'attention sur les plus mauvaises et sur des sujets de néant. C'est ainsi que telle pièce réussit au théâtre, dont nous ne voudrions pas pour notre bibliothèque.

« Mais si l'action (ou la prononciation), même en des sujets purement imaginaires, peut nous intéresser au point de nous troubler, de nous arracher des larmes ou d'enflammer notre passion, que ne pourra-t-elle point dans des sujets non seulement vrais et réels, mais auxquels nous ajoutons foi ?

« Pour moi, j'avance sans difficulté qu'un discours médiocre, s'il est rehaussé par tous les attraits d'une action parfaite, fera plus d'effet que le meilleur discours qui en serait dénué (1). »

Nous pourrions ajouter à cette page de Quintilien ce mot de Démosthène : trois qualités principales distinguent un vrai orateur : la première, c'est l'action ; la deuxième, encore l'action ; la troisième,

(1) Quintilien.

toujours l'action (1). Nous préférons la maxime du saint évêque de Genève : « Dites merveille et ne le dites pas bien, ce n'est rien ; dites peu et bien, c'est beaucoup (2). » Appliquons-nous donc à saisir au moins l'essentiel de ce sujet.

CE QUE C'EST QUE L'ACTION ORATOIRE

Commençons par nous faire une idée nette de l'élément oratoire communément appelé prononciation du discours et action de l'orateur ; nous aviserons ensuite aux moyens de perfectionner notre action oratoire et de débiter avec art nos sermons.

« *Est enim actio quasi sermo corporis.* » (Cicéron, *de Orat.*, 1. III, 59.)

Que faut-il pour prononcer un discours? Il faut un orateur qui se présente, qui parle, et qui anime de gestes sa parole. De même, pour entendre un discours, il faut un auditoire qui écoute, regarde et se prête à l'action de l'orateur. Ainsi se produit l'action oratoire : vivante combinaison des sentiments de l'orateur avec ceux des auditeurs ; sensible compénétration d'âmes dans une doctrine servie, reçue et goûtée. « La vie, voilà ce qui personnifie la prédication. » (Lacordaire.)

Que l'orateur soit froid et l'auditoire insensible, on aura entendu un sermon, mais sans action oratoire,

---

(1) Cicéron, *De Oratore.*
(2) Lettre à Mgr Frémiot.

sans influence extérieure du prédicateur sur les fidèles, ni de ceux-ci sur celui-là. C'est sans doute à propos de tels sermons que Pascal a pu faire cette boutade : « Il y a beaucoup de gens qui entendent le sermon de la même manière qu'ils entendent les vêpres. » (*Pensées*.) Rien n'est moins naturel. Supposons un homme placé derrière une haie, et que cet homme s'avise d'interpeller les passants. On s'attroupera, on écoutera, puis on cherchera à voir qui parle, quelle attitude il a, quelle physionomie, quels gestes. Tant il est vrai que l'action oratoire consiste pour l'orateur dans tout ce qui extériorise sa pensée, et, pour l'auditeur, dans cet ensemble de circonstances qui lui livrent l'orateur tout entier. C'est pour cela qu'il faut aux orateurs une estrade d'où ils puissent voir la foule et être vus par elle. On a coutume, pour la même raison, d'éclairer la chaire, afin de mettre en pleine lumière le prédicateur, sa physionomie, ses gestes, son attitude, le jeu de son regard et jusqu'aux moindres expressions de son visage. Il ne faut rien moins, en effet, pour avoir une parole tout entière.

Quand donc nous cherchons à perfectionner notre action oratoire, nous cherchons le moyen de faire une impression physique sur les auditeurs, de transmettre nos pensées pleinement, de prononcer notre discours avec grâce et vigueur, d'imprimer enfin notre parole dans l'âme de nos frères de si sensible manière qu'elle y produise tout son effet. C'est ce qu'on appelle *agir par la parole* : Est enim actio quasi corporis quædam eloquentia, quum constet e voce atque motu (1). Voyons maintenant les règles principales de cette action.

Première règle pour bien prononcer un discours : Etudier et suivre les indications de la nature.

Je l'avoue, j'aimerais mieux ne rien dire de l'action oratoire que de ne pas insister sur ce premier principe (le seul bon), tant il me semble difficile d'enseigner cette partie de l'éloquence à des prédicateurs de l'Evangile. Comment apprendre d'un autre maître que de la nature à bien prononcer un discours sincère? Et le moyen ici de ne pas tomber dans le genre convenu ou comédien? Un tel me dit de prononcer mon exorde gravement, de m'animer par degrés et de finir avec chaleur : voilà qui doit être comme il faut. Un autre me conseille de faire peu de gestes, d'agir beaucoup par le regard et les inflexions de la voix... Cela ne peut être que vrai. Mais comment toucher juste en des points aussi délicats? Heureusement la bonne nature me dit à son tour : Ecoute-moi, laisse-moi t'inspirer, te guider... je me charge du succès.

« Toute cette grande diversité de préceptes et de règles, que les rhéteurs ont données sur la manière de bien prononcer, se rapporte à une seule fin, qui est de dire les choses comme la nature elle-même nous l'en-

(1) Cicéron, *Orator*, x.

seigne et selon la manière commune et naturelle de parler. » (Louis de Grenade.)

« L'action doit être naturelle. Rien n'est plus beau que la nature ; elle laisse loin derrière elle l'action la plus étudiée ; elle a des grâces que la science ne peut donner, et elle seule a le secret de ces beaux mouvements, de ces mouvements qui vous enlèvent. Les gestes qu'on fait par art ne valent jamais ceux que commande une passion qui nous émeut. Un homme pénétré de douleur ou saisi par la surprise fait des gestes sans y penser ; ils sont parfaits ; c'est la nature qui meut ses mains et sa voix, ses yeux et tout son corps ; on ne peut mieux faire. » (Hamon.)

« Pour bien déclamer, vous aurez soin, avant tout, de consulter la nature et de suivre son impulsion. » (Verniolles.)

« Les tons du discours public doivent se former sur ceux d'une conversation raisonnable et vive. Tout homme, dans l'entretien ordinaire, lorsqu'il parle sur quelque objet qui le touche et lui tient au cœur, a naturellement une manière de parler persuasive. Pourquoi donc les orateurs sont-ils souvent si froids dans le discours soutenu, si ce n'est parce qu'ils quittent le ton naturel pour y substituer une façon de parler affectée et artificielle ? C'est donc à la nature qu'il faut revenir, c'est d'elle seule qu'on peut apprendre la manière de rendre, par la parole, les sentiments, les émotions du cœur, et le moyen d'être vrai, agréable, persuasif. » (Lefranc.)

Si quelqu'un était tenté de voir, en cette apologie de la nature, une manière de couvrir l'ignorance des règles de l'art, il faudrait lui faire sentir que les règles de l'art ne sauraient suppléer la nature, et que, presque toujours, si l'on enseigne la déclamation d'après ces règles seules, on n'obtient, des élèves, qu'un ton faux et chantant. — A propos d'un livre qui a du bon : *l'Art de dire*, voici la réflexion, mordante et juste à son point de vue, du critique Georges Polti :

« Je ne puis m'empêcher de rire en lisant les exercices par lesquels M. Blaize pense initier l'orateur et le comédien à l'art du geste : « Tendez le bras droit, le bras gauche, en avant, en arrière... » Savez-vous de combien de façons on peut tendre le bras droit « en avant, de côté, en arrière »? J'ai compté : de 16.000 ! Encore ai-je tenu pour nul tout déplacement parcourant moins de 30 degrés. Rien que la main peut faire près de *cinq millions* de signes. » (*Mercure de France*.)

Le mal est donc que nous n'écoutons jamais assez notre bonne nature. D'abord, au lieu d'improviser, on compose de convention, puis au lieu de parler, on prêche d'après de prétendues règles de l'art.

Apprenons à *étudier* le genre nature. Regardons, voyons, notons et imitons la tenue, le débit, les gestes du bon peuple en train de causer de ses affaires ou de conter ses histoires : ne dédaignons ni la halle, ni la rue, ni l'intimité du foyer domestique. Examinons jusqu'aux enfants. Et puis sentons-nous nous-mêmes. Interrogeons notre nature et fions-nous à son inspiration. La nature ne livre ses secrets qu'aux hommes assez judicieux pour la consulter et assez dociles pour la suivre.

Voit-on un père de famille, qui parle à ses enfants,

débuter par des airs inspirés, les yeux fixés au ciel, puis tousser, poser un mouchoir sur le bord de la table, promener un regard hautain sur les têtes, prendre un ton chantant ou pleurard, gesticuler enfin dans les formes géométriques du dessin ? Non, n'est-ce pas ? Cet homme regarde sa famille avec bonté, parle simplement, s'anime ou se ralentit suivant le sens des choses qu'il dit, épuise, selon la variété de ses sentiments, la multiplicité de tons ou d'intonations qui y correspondent ; et, sans y songer le moins du monde, se livre aux gestes qui lui viennent de la vivacité même de ses sentiments. Pourquoi ne pas imiter cet homme, autant que le permet la parole publique?

Vous répondez : je ne demande pas mieux, mais je ne sais comment y parvenir ? — Conformez-vous aux principes donnés dans ce chapitre, — renoncez au désir d'être applaudi, — sachez bien ce que vous voulez dire, — portez en chaire une âme convaincue du rôle surnaturel qu'elle remplit et... lancez-vous sans plus penser ni à votre voix, ni à vos gestes, ni à l'expression de votre visage. La nature alors fera son œuvre. Et votre voix deviendra sourde si vous tremblez, aiguë si vous pleurez, entrecoupée si vous sanglotez, grave si vous jugez, douce si vous encouragez, éclatante si vous triomphez, larmoyante si vous compatissez :

Format enim natura prius nos intus ad omnem
Fortunarum habitum...
       (Horat., *De Arte poet.*)

Deuxième règle pour prononcer un discours :
Bien prononcer, articuler, grouper et souligner les mots.

Il est des auteurs qui nous ont donné, sur l'art de la déclamation, des ouvrages tellement *savants*, que c'est à se demander si, poussée à ce point, l'érudition garde assez de bon sens pour être pratique (1). Toutefois, chacun s'accorde à exiger de l'orateur une prononciation correcte, une articulation suffisante, une accentuation et un groupement intelligents des mots. Nous avons donc en cela un *minimum* qui s'impose et dont il faut se faire une règle inviolable.

1° Avant tout, nous devons nous rendre compte de *nos trois tons* de voix : le grave, le moyen, l'aigu. Comme on devient facilement monotone ou chantant, le fait de connaître sa voix est essentiel. Commencez alors votre sermon sur le ton moyen, et puis variez à propos : passez au grave ou à l'aigu, et revenez au ton moyen. Rien n'endort comme l'uniformité constante.

2° Le prédicateur doit avoir une prononciation correcte. J'entendais, voilà trente ans, un orateur du Midi terminer un bon et beau discours par cette phrase : *Et tousse ceusse qui mannegetent du Pape anne crèvetent !* Avouez que l'aphorisme du grand de Maistre n'aurait rien perdu à être prononcé

---

(1) Voir la *Pratique de l'art oratoire*, par l'abbé Delsarte. Paris, Aubanel.

moins mal. Beaucoup prononcent *mo-ien*, *vo-iage*, *cito-ien*, etc., sans prendre garde que, l'y placé entre deux voyelles valant deux i, l'on doit dire : *moi-ien*, *voi-iage*, *citoi-ien*. D'autres appuient trop sur l'a dans les mots : consolation, jubilation, etc. A les entendre, on croirait que ces mots s'écrivent avec un accent circonflexe sur l'a. Certains prononcent des mots comme ceux-ci : le *tieur*, les *jempires*, le *solèl*, les *fouats*, un *souffleur*, etc., pour le cœur, les empires, le soleil, les fouets, un chou-fleur, etc.

De telles fautes ne se bornent pas à faire rire, elles empêchent parfois de comprendre ; et cela ressemble à du français écrit en lettres allemandes. On ne saurait donc trop recommander aux directeurs de séminaires de rectifier, à la lecture publique, les moindres fautes de prononciation non plus qu'aux élèves de surveiller leur langue à cet égard.

3° Le prédicateur doit bien articuler ses mots. C'est-à-dire que vous devez donner sa vraie valeur à chaque syllabe de chaque mot.

« Le rôle de l'articulation, écrit le P. Monsabré, est souverainement important dans la parole publique. Elle donne au discours la clarté, l'énergie, la véhémence, la passion. Tel est son pouvoir, qu'elle peut suppléer à la faiblesse de la voix et la faire entendre même à un grand auditoire (1). »

Il y a plus de différence entre un discours bien ou mal articulé qu'entre une page bien ou mal imprimée.

---

(1) *La Prédication.*

L'œil qui lit, a le temps de suppléer l'impression, l'oreille qui entend, n'a pas celui de suppléer l'audition. Et puis on se lasse vite de tendre l'oreille pour deviner des mots que l'on n'entend qu'à moitié : au lieu d'écouter ces sortes de discours, on s'impatiente à désirer qu'ils finissent.

Deux excès sont à bannir de toute articulation : le trop et le trop peu. Legouvé a écrit : « Pour les hommes sérieux il n'y a qu'une manière d'articuler, c'est de prononcer assez pour être entendu, pas assez pour être remarqué » (1). Pour obtenir ce juste milieu, il faut : 1° proportionner sa voix au nombre des auditeurs plus encore qu'à la capacité du local ; 2° parler en face de la chaire, sans se tourner d'un côté ou d'un autre ; frapper vigoureusement la consonne initiale et la syllabe finale de chaque mot, et avoir soin de scander les syllabes plutôt que de les accumuler en les précipitant ; 4° éviter à tout prix les éclats de voix ; 5° ne pas s'imaginer, si nous nous entendons peu, que l'auditoire ne nous entend pas.

Observons qu'il y a des fautes d'articulation particulièrement malheureuses. Si, sans frapper la consonne initiale v, vous dites : j'entends une voix divine, on pourra comprendre : j'entends une *oie* divine. Dites plutôt le *pe-saume* que le *sôm*, etc. ; d'autant plus que, dans une grande assemblée, les syllabes muettes se perdent facilement en chemin. Plus d'un praticien de la chaire sont d'avis que, pour

---

(1) *L'Art de la lecture.*

bien articuler dans la chaire, il faut le faire de façon à se paraître excessif à soi-même.

D'ailleurs, l'exercice devant un professeur judicieux vous renseignera seul complètement sur ces différents points.

4° Le prédicateur doit grouper, souligner et accentuer ses mots avec intelligence.

Ne dites pas :

> Celui qui met un frein — à la fureur des flots
> Sait aussi des méchants — arrêter les complots.

Dites :

> Celui qui met un frein à la fureur des flots
> Sait aussi — des méchants — arrêter les complots.

Pour arriver à grouper intelligemment les mots, les règles de la ponctuation sont très utiles, parce qu'elles sont établies tour à tour sur le sens de la phrase et sur les coupures demandées par l'oreille ou par la respiration.

Ayant groupé vos mots logiquement, vous devrez encore souligner ceux d'entre eux qui portent plus spécialement la pensée.

Ne prononcez pas *recto tono* les vers suivants :

> Que faisiez-vous au temps chaud ?
> Dit-elle à cette emprunteuse.

Marquez l'interrogation, soulignez ce temps chaud et le terme cruel d'emprunteuse.

J'ai dit *soulignez*, c'est-à-dire prononcez avec

l'accentuation qui convient, le ton naturel, un tantinet forcé. Quelle raillerie ou quel mépris on peut mettre à dire ce mot *emprunteuse*, et comme il serait possible de prononcer toute la fable, de manière à inspirer ou la pitié pour la cigale ou la sévérité pour la fourmi!

S'il est vrai que le peuple est plus sensible à l'action qu'au fond même du discours, vous ne sauriez négliger ces règles de diction : ce serait compromettre pour peu de chose de très grands intérêts.

Troisième règle pour prononcer un discours : Se présenter, se tenir et se mouvoir, avec une aisance modeste.

Entre la tenue d'un comédien, celle d'un tribun et celle d'un prédicateur, il doit y avoir des différences de fond. C'est pourquoi, s'adresser aux acteurs pour apprendre la tenue d'une chaire sera toujours une sottise. Gardons-nous de tomber dans cet excès. *Modestia vestra nota sit omnibus.*

« La déclamation la plus vraie est, sans doute, celle de l'acteur comique ; il s'oublie entièrement lui-même, pour ne laisser voir que le personnage dont il remplit le rôle et dont il imite l'action. La déclamation tragique est fondée sur le même principe d'imitation rigoureuse.

« Il n'en est pas de même de l'orateur : son premier soin doit être de conserver, soit dans la tribune, soit dans la chaire, soit au barreau, son caractère de dignité, de bienséance, d'organe de la vérité, d'homme qui ne vient pas seulement émouvoir ou son auditoire ou son juge, mais l'instruire et lui présenter l'honnête, l'utile ou le juste. Il faut que, dans les mouvements même les plus vifs et les plus pathétiques, on s'aperçoive qu'il se possède dans toute son intégrité. » (Lefranc.)

Vous pourrez être tenté d'admirer le succès de ces prédicateurs, qui excellent par l'action proprement dite, la beauté et la variété des inflexions de voix, les attitudes, les gestes, etc. Ne vous laissez pas séduire pour si peu. Il y a succès et succès. Un simple mime en obtient souvent d'extraordinaires, si nous prenons pour de vrais succès le nombre, la curiosité, la flatterie des auditeurs. Mais quel fruit d'enseignement ou d'édification retire-t-on de ces discours trop extérieurs? On dit : c'est superbe ! et puis? Et puis on pense que l'orateur ferait un bon comédien.

Un succès digne de votre envie, ce serait de prêcher avec tant de pénétration et de piété que vos mains jointes, vos bras et vos yeux levés au ciel, votre tête abattue sur votre poitrine, vos sanglots et vos supplications jetassent l'auditoire dans la componction et l'amour ardent du Crucifié. Telle était *l'action* des saints. Mais de tels gestes ne s'enseignent point ; pas plus qu'on ne forge des étincelles. Il faut que ce beau feu parte tout seul d'une âme réellement et divinement enflammée. Et voilà pourquoi, tout en estimant à sa juste valeur le rôle oratoire du *geste*, nous hésitons à en traiter positivement.

Imaginez un curé d'Ars en chaire : dites, si vous le pouvez, l'expression de son regard, de sa tête, de ses épaules courbées, de ses bras amaigris par la pénitence, de tout ce corps martyr achevant de s'exténuer pour enseigner ou convertir les pécheurs ! Vous ne le sauriez faire ? Moi non plus. C'est pourquoi c'est à l'émotion, plus qu'à l'art du théâtre, que chacun de nous demandera les vrais gestes de l'éloquence chrétienne.

Veut-on notre pensée entière sur l'action oratoire ? Nous ne craindrons pas de dire que seul un professeur d'éloquence peut y former les élèves. Les traités sont pour lui, non pour ceux-ci. Vous aurez beau me définir les gestes *indicatifs*, *imitatifs*, *affectifs*, beau même me les montrer en photographie, si je n'apprends à les faire devant un maître intelligent, je suis à peu près certain de tomber dans le faux, sinon dans le ridicule. C'est pourquoi les supérieurs ecclésiastiques soucieux de bonne formation oratoire confient à des professeurs spéciaux, non seulement le soin d'enseigner les principes de l'éloquence, mais encore, et surtout, le soin de reprendre les élèves dans la lecture publique et de former chacun d'eux à dire ses essais de sermons.

Nous terminerons cette étude sur l'action par quelques avis pratiques destinés aux débutants :

Arrivé dans la chaire, on s'agenouille, tourné vers l'autel, et l'on attend que l'auditoire soit prêt. Alors on se présente, la barrette à la main gauche, la main droite appuyée sur le bord de la chaire, et, d'un regard modeste, on fait le tour de l'assistance comme pour la saluer. Puis on commence par le signe de la croix religieusement tracé, et toujours dans la même attitude, sans presque aucun geste, d'une voix moyenne, on se met à débiter l'exorde. Arrivé à la proposition, il faut un ton déjà plus décidé. On se couvre, et, les deux mains sur le bord de la chaire, on engage le premier point.

Les gestes plus ordinaires sont : 1° la tête droite, et, l'intérieur des mains tourné en dedans, écarter un peu les avant-bras ; 2° la main gauche restant sur la chaire, élever légèrement l'avant-bras droit et se servir de la main droite ; 3° rapprocher les deux mains vers la poitrine, pendant que la tête s'abaisse légèrement sur l'auditoire ; 4° élever les deux mains et la tête vers le crucifix ; 5° joindre les mains comme pour prier, ou les séparer de toute l'étendue des bras ; 6° s'asseoir pendant la première moitié du discours, et se lever à propos du *mouvement*.

Le jeune prédicateur qui saura bien prendre ces attitudes, et les tenir assez longtemps (car il faut peu de gestes) et conformément aux choses qu'il prononcera, pourra se présenter en toute confiance. Le reste viendra tout seul, pourvu qu'il continue à s'observer.

> Surtout n'imitez point cet homme ridicule
> Dont le bras nonchalant fait toujours le pendule.
> Au travers de vos doigts ne vous faites point voir,
> Et ne nous prêchez point comme on cause au parloir.
> Chez les nouveaux acteurs, c'est un geste à la mode
> Que de nager au bout de chaque période.
> Chez d'autres apprentis, tout passe pour galant
> Lorsqu'on écrit en l'air et qu'on peint en parlant.
>
> (Sanlèque, *Déclamation*.)

Se tenir d'aplomb sans mollesse ni raideur, du reste assis ou debout, voilà qui est bien ; se pencher en avant ou en arrière, à gauche ou à droite, à la façon d'un balancier d'horloge, frapper du pied ou de la main, voilà qui, règle générale, ne rappelle assurément pas Notre-Seigneur prêchant. « Le peuple le plus peuple, dit Mgr Dupanloup, veut qu'on parle mieux que lui » ; nous pouvons dire aussi : l'auditeur le plus familier veut qu'on se tienne mieux que lui.

Quant au mouvement des yeux et de la tête, même règle : pas d'air fulminant, ni mièvre : une douce et ferme assurance, le genre digne sans apprêt, ni fierté.

Regardez votre auditoire en général, ne vous laissez prendre à aucun visage, tout au plus aimez à revoir plus fréquemment ces belles têtes d'hommes, trop rares à nos sermons.

Arrêtons ici des avis et des détails qui paraîtront sans doute un peu trop terre à terre à certains lettrés. Nous avons cru devoir être simple jusque-là parce que nous voulons être utile.

Voir au besoin HAMON, *Traité de la prédication*. — Abbé GONDAL, *Parlons ainsi* — CHAMPEAUX, *la Déc.amation*. — MONSABRÉ. — HARMANT-DAMMIEN, *Du geste artistique*, etc.

CONCLUSION DE L'OUVRAGE

Et maintenant on pourrait se demander ce que va devenir en France et dans le monde la grande prédication. Dirons-nous avec des critiques naturalistes que le temps des triomphes de la chaire est à jamais écoulé, que, Bossuet, Bourdaloue et Massillon disparus, l'ère des grands prédicateurs semble close ? Rien ne serait plus contraire à notre sentiment.

Dans une conférence où Lacordaire paraît avoir enfermé toute sa pensée sur l'éloquence chrétienne, on lit cette réflexion qui nous rassure : « Tandis que la parole humaine s'en va mourir au premier sillon que creuse le temps, et ne rend plus à l'oreille des générations qu'un écho dédaigné de ceux qui croient l'entendre encore, la parole divine sème son immortalité dans les ruines du monde. Elle est féconde après mille ans comme au jour où elle fut dite ; elle inspire la même foi, suscite les mêmes œuvres, se reconnaît aux mêmes signes, et les efface tous par celui de sa vie (1). »

La grande prédication ne disparaîtra donc pas. Sous la poussée du siècle et de la Providence elle se démocratisera, si l'on veut ce mot, c'est-à-dire qu'elle redeviendra populaire, simple et pratique, à la façon

---

(1) Confér. LVIe, *de la Prophétie.*

de l'Evangile : C'est en cela que consiste sa grandeur. Bornée aux questions vitales de la foi catholique, elle saura réveiller l'intérêt de la foule, en un langage digne, mais que les petits eux-mêmes pourront comprendre ; et, si la magnificence de Bossuet doit lui faire défaut, ce sera pour aller plus haut encore à la suite de Celui qui a dit : *les pauvres sont évangélisés*.

Loin de remplacer la courtoisie française par une façon de parler inculte et grossière, la prédication moderne demandera aux maîtres de la langue leurs meilleurs enseignements, mais à quelle fin ? Pour offrir aux lettrés des régals académiques auxquels le peuple ne saurait rien goûter ? Non, certes. Préoccupée du peuple avant tout, et sans manquer à l'aristocratie des auditeurs, elle parlera de manière à satisfaire tout à la fois les savants et les humbles.

Telle fut la prédication de saint François Régis. Ses discours, nous dit son biographe, étaient simples : il ne voulait qu'instruire le peuple ; pourtant, Nobles, Ecclésiastiques, toute la ville du Puy courait à ses catéchismes. Voilà, pensons-nous, le genre de mérite auquel seront décernées toujours l'estime et la louange des littérateurs et des fidèles.

En vain entendrions-nous quelques illusionnés porter en chaire, dans un style de roman ou de journal, les questions critiques ou dites sociales, le bon sens populaire gardera ses suffrages pour le sermon digne, pratique et foncièrement chrétien.

Tel est, du moins, l'espoir qui nous anime en fermant ce livre ; telle surtout la conviction qui nous fait publier ci-après, et comme parachèvement de notre méthode, la *Lettre de saint Alphonse de Liguori* sur la Prédication populaire ; lettre peu connue encore, mais, à coup sûr, lettre digne d'un apôtre, d'un docteur et d'un saint.

APPENDICE

Lettre de Saint Alphonse à un religieux de ses amis sur la manière de prêcher avec la simplicité apostolique, en évitant le style élevé et fleuri.

Vivent Jésus, Marie et Joseph !

J'ai reçu la lettre que vous m'avez fait l'honneur de m'écrire au sujet d'une proposition avancée par moi dans mon *Selva* ou *Recueil de matériaux pour retraites ecclésiastiques*. J'y affirme que tous les sermons qui s'adressent à un auditoire composé de gens instruits et d'ignorants doivent être faits d'une manière simple et populaire. Cette proposition, m'écrivez-vous, a provoqué les critiques d'un savant littérateur. D'après lui, l'orateur sacré doit, il est vrai, prêcher avec clarté et netteté, mais il ne saurait s'abaisser à parler dans le genre populaire, parce que ce serait méconnaître la dignité de la chaire et avilir la parole de Dieu. Ce sentiment m'a causé de l'étonnement, mais j'ai été plus que surpris, et pour parler avec la franchise d'un ami, j'ai même été scandalisé de voir Votre Révérence ajouter : « Cette critique me paraît quelque peu fondée, car le sermon doit revêtir toutes les qualités du discours, et, bien certainement, l'une des principales est de charmer les auditeurs ; par conséquent, s'adressant à un auditoire mélangé d'ignorants et de savants, (ces derniers étant d'ailleurs la partie la plus respectable) on doit parler de façon que les personnes instruites écoutent le sermon avec plaisir, et n'en soient pas dégoûtées par ce langage commun qui constitue le genre populaire. »

Pour bien expliquer ma pensée sur ce point, ou plutôt, la pensée de tous les hommes doctes et pieux, comme je le montrerai, et pour répondre à toutes les objections qu'on peut y opposer, je devrai reprendre et répéter plusieurs choses déjà exposées dans mon *Selva*.

Remontons aux principes. Sans aucun doute, c'est bien

par la prédication que le monde s'est converti du paganisme à la foi chrétienne. *Quomodo autem*, écrit l'Apôtre, *audient sine prædicante ? Ergo fides ex auditu, auditus autem per verbum Christi* (1). Or, de même que la foi s'est propagée par la prédication, c'est encore par la prédication qu'elle se conserve et que les chrétiens sont amenés à vivre selon les maximes de la foi. Il ne suffit pas, en effet, aux fidèles, de savoir ce qu'ils doivent faire pour se sauver, il faut encore que, par l'audition de la divine parole, ils méditent les vérités éternelles, se rappellent leurs devoirs, et se décident à prendre les moyens opportuns pour assurer leur salut éternel. C'est pourquoi saint Paul recommandait à Timothée d'instruire et d'exhorter sans cesse son troupeau par la prédication : *Prædica verbum, insta opportune, importune, argue, obsecra, increpa in omni patientia et doctrina* (2). Bien auparavant, Dieu avait intimé le même ordre au prophète Isaïe : *Clama, ne cesses, quasi tuba exalta vocem tuam et annuntia populo meo scelera eorum* (3). De même il avait dit à Jérémie : *Ecce dedi verba mea in ore tuo, ecce constitui te hodie super gentes et super regna, ut evellas, et destruas, et disperdas, et dissipes, et ædifices et plantes* (4). Telle est aussi l'obligation que Notre-Seigneur imposa aux apôtres et, dans leur personne, à tous les prêtres appelés au ministère de la prédication : *Euntes ergo, docete omnes gentes... servare omnia quæcumque mandavi vobis* (5). Et si un pécheur vient à se damner, faute d'avoir eu un prédicateur pour lui rompre le pain de la divine parole, Dieu en demande compte aux prêtres qui pouvaient la lui annoncer et qui ne l'ont point fait : *Si, dicente me ad impium : Morte morieris ; non annuntiaveris ei... ipse impius in iniquitate sua morietur, sanguinem autem ejus de manu tua requiram* (6).

Mais venons à la question. Voici ma proposition : quand l'auditoire se compose de gens instruits et d'ignorants, le sermon (il ne s'agit pas ici des oraisons funèbres ni des panégyriques dont je parlerai plus loin) le sermon, dis-je, doit être d'un genre simple et populaire. Ce n'est point là un sentiment qui m'est particulier, c'est également celui du célèbre Louis Muratori qui a été, de l'avis de tous, un des premiers littérateurs de notre temps. Certes, on ne peut pas dire de lui que s'il réprouvait dans le style l'élévation et la recherche, c'est que peut-être il s'y entendait peu ; car tout

1. Rom., x, 14, 17. — 2. II Tim., iv, 12. — 3. Is., lviii, 1. — 4. Jer., i, 9, 10. — 5. Matth., xxviii., 9. — 6. Ezech., iii, 18.

le monde sait et ses ouvrages prouvent de quel sublime talent il était doué, et combien aussi il était versé dans la culture de la langue toscane. Or, Muratori lui-même, dans son livre d'or de l'*Éloquence populaire* qui se trouve déjà entre toutes les mains, affirme la proposition avancée plus haut et la prouve savamment.

Cependant, pour confirmer cette thèse, il importe d'ajouter plusieurs réflexions et excellentes pensées émises par d'autres auteurs, et spécialement par les Saints Pères. Je prie Votre Révérence et tous ceux à qui parviendra ma lettre de la lire entièrement, car elle renferme beaucoup de choses spéciales qui sont d'une très grande utilité pour quiconque s'adonne à la prédication et désire gagner des âmes à Jésus-Christ.

On lit dans saint Basile : *Sacra schola præcepta rhetorum non sequitur* (1). Par ces paroles, le saint auteur n'a point voulu dire que le prédicateur doit négliger dans ses sermons l'art oratoire, mais qu'il ne doit pas imiter la vaine éloquence des anciens rhéteurs, lesquels, dans leurs discours, ambitionnaient uniquement leur propre gloire. Sans nul doute, dans tous nos sermons, nous devons nous servir de la rhétorique, mais quelle est, je le demande, la fin principale que nous devons avoir en faisant usage dans notre prédication de l'art oratoire ? Elle n'est autre, assurément, que de persuader le peuple et de le déterminer à mettre en pratique les vérités par nous annoncées. C'est précisément ce que le docte marquis Orsi écrivait dans sa Lettre au Père Platina, à propos d'un livre que ce dernier avait publié sur l'art oratoire : « La vertu de l'éloquence consiste plus à émouvoir qu'à plaire, car l'action d'émouvoir a plus de connexité, bien plus, elle s'identifie avec celle de persuader : ce qui est l'unique objet de l'art oratoire. » Muratori tient le même langage dans son livre de l'*Éloquence populaire* mentionné plus haut, et auquel, à l'occasion, je ferai quelques emprunts, car on ne saurait faire des paroles de ce grand homme le peu de cas que l'on ferait des miennes. « On a besoin de la rhétorique, dit-il, non pas certes pour charger le sermon de vains ornements, mais pour apprendre la manière de persuader et d'émouvoir. » Et dans sa Vie du Père Segneri, il s'exprime en ces termes : « La vraie rhétorique n'est autre chose que l'art d'imiter, autant que faire se peut, la manière naturelle et populaire qu'on emploie pour raisonner avec quelqu'un afin de le persuader, en négligeant tout ce qui est

---

1. In Gordium mart.

superflu. Plus le prédicateur reproduit ce genre naturel, en se faisant parfaitement comprendre du peuple auquel il parle, et non pas seulement de quelques savants, plus il excelle dans l'art oratoire. » Saint Augustin parlant du genre propre à l'orateur sacré, dit également : *Aget quantum potest, ut intelligatur et obedienter audiatur* (1). Il faut prêcher de manière non seulement à se faire comprendre de ses auditeurs, mais encore de façon à leur faire mettre en pratique les vérités prêchées. Selon saint Thomas d'Aquin, le prédicateur qui se préoccupe surtout de faire paraître son éloquence a moins en vue d'exhorter le peuple à faire ce qu'il dit, que de s'offrir lui-même à l'imitation des autres dans l'art de bien dire. *Qui eloquentiæ principaliter studet, homines non intendit inducere ad imitationem eorum quæ dicit, sed dicentis.*

Ainsi, lorsqu'on s'adresse à un auditoire composé de savants et d'ignorants, il faut parler de manière à ce que les auditeurs comprennent parfaitement tout ce qu'on leur dit et se déterminent à le mettre en pratique. Or, pour cela le prédicateur doit éviter deux choses : LA SUBLIMITÉ DES PENSÉES et LA VAINE ÉLÉGANCE DES EXPRESSIONS.

I. — Pour ce qui est de la première, plût à Dieu que tous les supérieurs imitassent ce trait qui est rapporté dans la vie de saint Philippe de Néri : « Il ordonna aux prédicateurs de son ordre de ne pas aborder les matières scolastiques, et de ne pas rechercher des idées trop relevées, mais de dire des choses utiles et populaires. Aussi, lorsqu'il entendait traiter des sujets trop subtils ou curieux, il faisait descendre de chaire le prédicateur, fût-ce même en plein sermon. Finalement, il recommandait à tous de s'appliquer à dépeindre la beauté de la vertu et la laideur du vice, mais dans un style simple et facile. »

Il est certains prédicateurs qu'on peut comparer aux nuages qui volent dans les hauteurs, selon l'expression d'Isaïe : « *Qui sunt isti, qui ut nubes volant ?* » (2). Mais, comme le disait fort bien un jour un villageois, quand les nuages passent si haut, l'on ne peut espérer la pluie. Ainsi en est-il des prédicateurs qui planent trop haut dans leurs discours, il n'y a pas lieu de croire qu'ils répandront des eaux de salut. C'est pourquoi le saint Concile de Trente a ordonné aux curés de mettre leur prédication à la portée de leurs auditeurs : « *Archipresbyteri... per se vel alios idoneos, plebes sibi*

---

1. De doct. Christ., l, IV, c. 5, n, 32. — 2. Is., LX, 8.

commissas, pro earum capacitate pascent salutaribus verbis (1) ». De là ce sage avis de Muratori : « Le prédicateur doit parler au peuple comme ferait un savant qui chercherait à persuader en particulier un homme du peuple, et alors il fera impression aussi bien sur le savant que sur l'ignorant.

L'apôtre a écrit : *Nisi manifestum sermonem dederitis, quomodo scietur id quod dicitur ? Eritis enim in aera loquentes* (2). D'après saint Paul, il prêche donc en l'air, celui qui parle et ne se fait pas comprendre du peuple. Hélas ! que de prédicateurs s'épuisent à remplir leurs sermons de considérations sublimes et de fines pensées qu'on saisit à peine, et s'en vont ensuite les déclamer comme un rôle de théâtre, pour recueillir quelques misérables louanges des auditeurs. C'est la ruine du monde, dit le père Louis de Grenade, que la plupart des prédicateurs cherchent plutôt à se faire une réputation qu'à procurer la gloire de Dieu et à lui gagner des âmes : *Maxima concionatorum turba* (plût à Dieu que cela ne fût pas vrai) *majorem nominis sui celebrandi, quam divinæ gloriæ et salutis humanæ procurandæ, curam habet* (3). Et le vénérable Jean d'Avila, décrivant dans une de ses lettres le misérable état du monde tout rempli d'iniquités, s'exprime en ces termes : « On ne voit pas de remède à un si grand mal, et c'est en grande partie la faute des prédicateurs : ils pourraient guérir ces plaies, mais ce n'est point avec de suaves lénitifs ou des phrases mélodieusement cadencées, qu'on peut guérir des maux si pernicieux ; le fer rouge est nécessaire. »

Parmi ces beaux parleurs, quelques-uns, dirait-on, s'ingénient vraiment à ne pas se faire comprendre, ou, selon l'expression de Muratori, il semble qu'ils rougiraient de dire des choses à la portée de tous leurs auditeurs. Et cependant Jérémie exhale cette plainte : « *Parvuli petierunt panem et non erat qui frangeret eis !* » (4). Sur ce texte du prophète, saint Bonaventure fait la remarque suivante : « *Panis frangendus, non curiose scindendus.* » On ne doit pas diviser le pain de la divine parole en curieux fragments, il faut le rompre en petites bouchées dont puissent se nourrir les plus faibles esprits. Quel fruit ces pauvres ignorants retirent-ils de ces sublimes conceptions, de cette rare érudition étalée fort mal à propos, de cette longue description d'une tempête sur mer ou d'un jardin délicieux, description qui aura coûté au prédicateur toute une semaine de travail, et

---

1. Sess. 5, de Ref. c. 2. — 2. I Cor., xiv, 9. — 3. Eccl. Rhet. l. i, c. 6. — 4. Thren., iv, 4.

qui ne prendra pas moins d'un quart d'heure de débit dans son discours.

Autre remarque : les pensées sublimes, les réflexions ingénieuses, les traits curieux et intéressants, plaisent sans doute aux auditeurs intelligents, mais à ceux-là mêmes, ils sont nuisibles dans le sermon. En effet, comme l'observe judicieusement Muratori, lorsque le prédicateur parle de choses sublimes et curieuses, ceux qui le comprennent s'amusent à goûter la finesse de son esprit ou à considérer l'étrangeté du fait raconté, sans plus se soucier de leur profit spirituel. Ainsi, durant une grande partie du sermon, l'esprit restera occupé à se repaître de vaines pensées, et partant la volonté sera privée de nourriture et ne retirera aucun fruit.

Telle n'était point la manière de faire de saint Paul dans ses prédications, comme lui-même le rappelle dans une lettre aux Corinthiens : *Et ego cum venissem ad vos, fratres, veni non in sublimitate sermonis aut sapientiæ, annuntians vobis testimonium Christi. Non enim judicavi me scire aliquid inter vos, nisi Jesum Christum, et hunc crucifixum* (1). En vous adressant la parole de Dieu, disait-il, j'ai refusé d'employer les discours sublimes et les inventions de la sagesse humaine, je n'ai voulu savoir autre chose que Jésus crucifié ; c'est-à-dire, que toute notre espérance et notre salut consistent à l'imiter dans ses douleurs et ses ignominies. Voici sur ce texte de l'Apôtre les réflexions bien remarquables que nous lisons dans les écrits du savant Père Noël Alexandre : *Quid mirum, si nullum fructum faciant plerique, qui prædicationem in eloquentiæ sæcularis artificio, in periodorum commensuratione, in verborum lenociniis, humanæque rationis excursibus, totam collocant ? Evangelium non docent, sed inventa sua. Jesum crucifixum nesciunt ; academicos oratores lubentius sibi proponunt imitandos, quam apostolos et apostolicos viros. Simplicitatem sermonis, non penitus christiana destitutam eloquentia, naturali decore ornatam, non fucatam, comitetur humilitas concionatoris. Timeat ne superbia sua, gloriæ humanæ plaususque captatione, ac ostentatione eloquentiæ, Dei opus impediat. Quo major ejus humilitas, quo minor in mediis humanis fiducia, minor eloquentiæ sæcularis affectatio, eò major spiritui et virtuti Dei ad conversionem animarum locus datur.*
Il n'est donc pas étonnant, dit cet auteur, que les sermons

---

1. 1 Cor., II, 1, 2.

de ceux qui s'appliquent à les orner de périodes sonores et de pensées subtiles restent stériles ; car agir ainsi, c'est mettre de côté Jésus-Christ et se ranger parmi les orateurs d'académies. C'est pourquoi, ajoute-t-il, moins on a recours aux ornements de l'éloquence du siècle, moins on met de confiance dans les moyens humains, et plus on travaille efficacement à la conversion des pécheurs.

Le Père Jérôme Sparano, docte et illustre missionnaire de la Congrégation des Pieux Ouvriers, parlant de ces prédicateurs qui s'expriment dans un style élevé et fleuri, les comparait à des feux d'artifice, lesquels, tant qu'ils durent, font grand bruit, mais ne laissent ensuite qu'un peu de fumée et quelques débris de papier brûlé.

Sainte Thérèse avait donc raison de dire que les orateurs de la chaire qui se prêchent eux-mêmes portent un grave préjudice à l'Eglise. Les apôtres, disait-elle, malgré leur petit nombre, mais grâce à leur prédication simple et vraiment animée de l'esprit de Dieu, ont opéré la conversion du monde ; et maintenant qu'il y a tant de prédicateurs, on voit se produire si peu de fruits ! D'où vient ce phénomène ? « C'est que ceux qui prêchent cèdent trop à la prudence de la chair (ce sont ses propres expressions) et du respect humain : voilà pourquoi on voit si peu d'auditeurs rompre avec le vice » (1). Saint Thomas de Villeneuve confirme en ces termes la pensée de la sainte : *Multi prædicatores, et pauci qui prædicent ut oportet* (2). Saint Philippe de Néri avait coutume de dire : « Donnez-moi dix prêtres vraiment zélés, et je me charge de convertir le monde entier. »

Pourquoi, demande le Seigneur dans Jérémie, pourquoi la plaie de la fille de mon peuple ne se guérit-elle point, et reste-t-elle toujours béante ? *Quare igitur non est abducta cicatrix filiæ populi mei ?* (3). Saint Jérôme répond, en commentant ce texte : C'est qu'il n'y a pas de prêtres qui y appliquent les remèdes convenables. « *Eo quod non sint sacerdotes, quorum debeant curari medicamine.* » Le Seigneur dit ailleurs, en parlant des prêtres qui corrompent sa parole : *Si stetissent in consilio meo et nota fecissent verba mea populo meo, avertissem utique eos a via sua mala* (4). Texte que le cardinal Hugues commente ainsi : *Nota fecissent verba mea, non sua.* Les prédicateurs qui n'usent pas d'un langage simple ne prêchent pas la parole de Dieu, mais

---

1. Vie, ch. 16. — 2. In die Pentec. conc. 2. — 3. Jér., VIII, 22. — 4. Jér., XXIII, 22.

la leur propre, d'où il arrive, dit le Seigneur, que les pécheurs restent abandonnés dans la fange de leurs vices.

Mon Dieu, quelle surprise et quelle horreur n'éprouve-t-on pas à voir parfois monter en chaire certains religieux appartenant même à des Ordres réformés! Avec leur habit austère et leur extérieur mortifié, ils paraissent ne respirer que zèle et sainteté, aussi leurs auditeurs en attendent-ils des exhortations et des paroles tout enflammées de l'amour divin. Et voici que le prédicateur ne fait entendre qu'une foule d'arguties, de descriptions d'antithèses et d'autres futilités semblables, proférées en termes ampoulés et en périodes ronflantes, si bien que la majeure partie de l'auditoire ne comprend guère le sermon et n'en tire nul profit. Quelle pitié n'est-ce pas de voir tant de pauvres ignorants qui s'en vont écouter le sermon pour apprendre ce qu'ils ont à faire pour se sauver, et qui, après avoir pendant une heure et plus, prêté une oreille attentive au prédicateur, n'ont presque rien compris! Ils s'en retournent donc chez eux plus affamés qu'auparavant, regrettant même de s'être fatigués si longtemps à écouter le sermon sans avoir pu saisir ce que disait le prédicateur!

Parfois, ces orateurs qui se prêchent eux-mêmes et ne se font pas comprendre de tous leurs auditeurs ne laissent pas de dire : « Mais tout le monde était cependant bien attentif. » C'est vrai, leur répliquerai-je, on était attentif, afin de vous comprendre, mais vous a-t-on compris? Muratori rapporte avoir vu des paysans écouter, bouche béante, des panégyriques, mais il était évident que ces pauvres ignorants n'en saisissaient pas la moindre phrase. Or, que résulte-t-il de là ? Il arrive que ces malheureux, se sachant par expérience incapables de comprendre les sermons qui se font à l'Eglise, en conçoivent une certaine aversion et finissent par n'y plus venir ; ainsi demeurent-ils plus que jamais enfoncés dans leurs vices. Le Père Gaspard Sanchez avait donc raison, lorsque, parlant de ces prédicateurs qui ne prêchent pas simplement, il les appelait les plus grands persécuteurs de l'Eglise, car, de fait, on ne saurait infliger de plus funeste persécution ni causer de plus grave préjudice aux peuples, que d'altérer la parole de Dieu ; ces fleurs et ces feuilles dont on la surcharge l'énervent et l'obscurcissent, et les âmes restent ainsi privées de la lumière et du secours qu'elles pouvaient en recevoir.

II. — En second lieu, pour ce qui est des expressions, il faut que le prédicateur emploie les termes usuels et évite, comme dit Muratori, les mots étrangers au dialecte ou au langage des gens peu instruits. Cette règle doit être observée surtout par les prédicateurs plus anciens et plus renommés ; sinon les jeunes gens, qui sont plus avides d'applaudissements et de louanges, entendant faire l'éloge de ces orateurs au langage toujours cultivé et poli, s'étudient, eux aussi, et s'habituent à ce genre de prédication. Ainsi l'abus des sermons fleuris gagne de plus en plus, et le pauvre peuple reste privé des fruits de la parole de Dieu.

D'après Origène, les prédicateurs vaniteux dont les sermons ne sont qu'un tissu d'expressions sonores et brillantes ressemblent à ces femmes qui, par leurs vaines parures, savent plaire aux hommes, mais ne peuvent plaire à Dieu. *Effeminatæ quippe sunt eorum magistrorum animæ qui semper sonantia componunt et nihil virile, nihil Deo dignum est in iis* (1).

Toutefois un professeur, le Père Bandiera, dans la préface de son ouvrage intitulé *Hierotricameròn*, s'attaque à ceux qui prétendent que la recherche des expressions et le soin de les disposer en périodes harmonieuses n'édifient nullement les auditeurs, mais enlèvent la simplicité de style qui convient aux sujets spirituels, et contraignent en outre les prédicateurs à gaspiller leur temps dans une vaine étude de mots. Ce sentiment, ainsi exposé par le Père Bandiera lui-même, ne concorde pas avec sa manière de voir : il soutient que les ornements du discours présentent sous un jour brillant les matières spirituelles, les maximes de la foi, le mérite de la vertu et la difformité du vice ; et il affirme que les Saints Pères les ont employés dans leurs écrits. C'est du reste, ajoute-t-il, ce qu'exige la dignité des choses divines que l'on traite en chaire, et si quelques prédicateurs prétendent éliminer de leurs discours une plus grande distinction de langage, comme inutile et même nuisible à la dévotion, cela vient de ce qu'ils sont inhabiles dans l'art de bien dire. Ainsi parle cet auteur, lequel, entre les écrivains ecclésiastiques, est certainement le seul à soutenir cette thèse, car aucun autre, à ma connaissance, n'a rien avancé de semblable. Il faut donc le réfuter pour préserver ses lecteurs du préjudice qu'il pourrait leur causer.

D'abord, je ne comprends pas comment le Père Bandiera a pu écrire dans sa préface des assertions si déraisonnables, puisque lui-même déclare ensuite dans ce même livre que si l'auditoire est composé en majeure partie de gens sans ins-

---

1. In Ezech. hom. 3.

truction, on doit prêcher dans un style simple et facile, sans craindre de descendre parfois au langage le plus vulgaire, selon que le demande le bien des auditeurs. Autre, dit-il encore, est le style des discours académiques, autre, celui des sermons. Il ajoute même qu'on ferait mal si l'on voulait employer pour des sermons le style de son livre. En ceci donc, son sentiment concorde avec le nôtre, à savoir : que devant un auditoire composé en majeure partie d'ignorants, il faut que le sermon, si on le veut rendre profitable, soit d'un style simple et même vulgaire, suivant la capacité des auditeurs. Cela étant, comment l'auteur a-t-il pu dire que la dignité de l'enseignement divin donné du haut de la chaire exige un style pompeux, qui manifeste sous un jour brillant les choses spirituelles ? Comment a-t-il pu dire que, si d'autres conseillent d'éviter les expressions trop recherchées comme nuisibles à la piété, ils ne s'inspirent que de leur médiocrité en fait d'éloquence ?

Mais, répondons à la proposition du Père Bandiera, lequel du reste est suspect en cette matière. En effet, en sa qualité de professeur et de grand maître de langue toscane, peut-être n'a-t-il cédé, en écrivant ces lignes, qu'à son excessif amour de la belle diction. Il prétend donc que les choses spirituelles requièrent une exposition brillante. Mais saint Ambroise dit au contraire : La prédication chrétienne n'a que faire de la pompe et de l'élégance des expressions : c'est pour cela que le Seigneur choisit pour annoncer l'Evangile des pêcheurs ignorants, afin que la parole de Dieu fût semée pure et sans mélange : *Prædicatio christiana non indiget pompa et cultu sermonis; ideoquè piscatores, homines imperiti, electi sunt, qui evangelizarent* (1).

Le savant Père Noël Alexandre répond de même au Père Bandiera : La divine parole n'a nul besoin d'ornements factices ni de fleurs, car elle est naturellement ornée de cette beauté particulière qu'elle contient en elle-même, et par conséquent, plus on l'expose simplement, plus aussi elle apparaît (pour nous servir des expressions de Bandiera) sous un jour brillant. Voici de nouveau les paroles déjà citées du Père Noël, car elles viennent ici fort à propos : *Simplicitatem sermonis, non penitus christiana destitutam eloquentia naturali decore ornatam, non fucatam, comitetur humilitas concionatoris... Quo minor in mediis humanis fiducia, minor eloquentiæ sæcularis affectatio, eo major spi-*

---

1. In. I Cor., i.

ritui et virtuti Dei ad conversionem animarum locus datur. Ainsi, plus la parole de Dieu est exposée dans toute sa pureté, plus elle touche les cœurs des auditeurs, car, comme le dit l'Apôtre, elle est tellement vive et efficace par elle-même qu'elle pénètre plus avant que tout glaive à deux tranchants. « *Vivus est sermo Dei, et efficax. et penetrabilior omni gladio ancipiti* (1). Auparavant, Dieu lui-même, par la bouche de Jérémie, avait déclaré que sa parole est un feu qui communique sa flamme par sa seule vertu, et un marteau qui brise les pierres, c'est-à-dire, les cœurs les plus durs : « *Numquid non verba mea sunt quasi ignis, dicit Dominus, et quasi malleus conterens petram ?* (2) ».

Ecoutons encore ce que dit, à ce sujet, l'auteur de l'*Ouvrage imparfait* : « *Omnia verba divina, quamvis rustica sint et incomposita, viva sunt, quoniam intus habent veritatem Dei, et ideo vivificant audientem. Omnia autem verba sæcularia, quoniam non habent in se virtutem Dei, quamvis sint composita et ingeniosa, mortua sunt ; propterea nec audientem salvant* (3). Ainsi la parole de Dieu, bien que simple et populaire, est par elle même vivante et communique la vie à celui qui l'écoute, car elle porte en soi la vertu de Dieu qui persuade et touche les cœurs. Toutes les autres paroles du siècle, si élégantes et si exquises soient-elles, se trouvant dépourvues de la vertu divine. parce que Dieu n'y prête point son concours, ne sont que des paroles mortes et par conséquent stériles. D'après un autre savant auteur, si l'on présente la parole de Dieu dans sa simplicité et sans ornements, elle transperce les cœurs, mais au contraire, si on la couvre de fleurs, elle devient impuissante comme une épée dans le fourreau : *Gladius ferire nequit, nisi sit nudus ; nam intra vaginam constitutus, quantumvis sit acutus, non vulnerabit ; ita verbum Dei, ut impiorum corda vulneret, nudum esse debet, sine figurarum ornamento. aut vanæ eloquentiæ floribus* (4).

Le Père Bandiera affirme en outre que les Saints Pères ont employé un style fleuri. — Je réponds que nous n'avons pas entendu les sermons de ces Pères, ni constaté le genre adopté par eux dans leurs prédications. Ce que nous lisons n'est autre chose que leurs sermons écrits ; or, les discours ainsi rédigés par écrit comportent généralement une certaine élégance, même de la part de ceux qui les ont prêchés auparavant de la manière la plus simple et la plus populaire.

---

1. Heb., iv, 12. — 2. Jér., xxiii, 29. — 3 Hom., 46. — 4. Mansi, Biblioth. mor. tr., 83, disc. ii.

C'est précisément ce que fait remarquer Muratori au sujet de saint Ambroise, « Il est vrai, dit-il, que saint Ambroise s'exprime bien souvent d'une manière peu populaire, mais nous n'avons pas ses sermons tels qu'il les adressait au peuple. Il a réduit en traités ou en livres les enseignements qu'il avait donnés du haut de la chaire, et il y a ajouté divers ornements, en sorte qu'on ne peut plus y voir la forme primitive de ses discours populaires. » Du reste, poursuit Muratori, les plus illustres Pères de l'Eglise, tels que saint Basile, saint Augustin, saint Jean Chrysostome, saint Grégoire de Nysse, saint Grégoire le Grand, saint Maxime et saint Gaudence, employaient, dans leurs prédications au peuple, le langage populaire de préférence à l'éloquence sublime. En fait, c'est ce qui ressort clairement de la lecture de leurs sermons proprement dits, et de ce qu'ils ont écrit dans leurs autres ouvrages. Ecoutons comment saint Jean Chrysostome parle des prédications ornées d'expressions pompeuses, et de périodes bien arrondies : « *Hæc nos patimur, verborum fucos, conquærentes et compositiones elegantum, ut delectemus, non prosimus. Consideramus quomodo videamur admirabiles, non quomodo mores componamus* » (1). Et il ajoute que celui qui agit de la sorte mérite d'être appelé : *Miser et infelix proditor*. Saint Augustin dit également : « *Non nos tonantia et poetica verba proferimus, nec eloquentia utimur sæculari sermone fucata ; sed prædicamus Christum cucifixum.* »

Le vénérable Jean d'Avila disait : « Le prédicateur doit monter en chaire avec une telle soif du salut des âmes, qu'il veuille et espère, avec le concours du ciel, gagner à Dieu toutes les personnes venues pour entendre son sermon. » A cette même fin, selon saint Grégoire, l'orateur doit s'abaisser et se faire petit, de manière à se mettre complètement à la portée des faibles intelligences qui l'écoutent : *Debet ad infirmitatem audientium semetipsum contrahendo, descendere, ne, dum parvis sublimia, et idcirco non profutura, loquitur, se magis curet ostendere, quam auditoribus prodesse* (2).

Tel est aussi le langage de Muratori : « Lorsque le prédicateur, dit-il, s'adresse à des ignorants, il doit s'imaginer qu'il est comme l'un d'entre eux, et qu'il s'agit de leur enseigner ou de leur persuader quelque chose ; il est donc tenu de choisir les expressions les plus populaires et les plus sim-

---

1. Hom., 38, ad pop. Ant. — 2. Mor. l. 20, c. 2.

ples, afin de proportionner son langage à la grossière intelligence de son auditoire. Ses raisonnements doivent être familiers ; sa manière, concise, et il doit procéder parfois par demandes et par réponses. Pour de tels sermons, conclut notre auteur, l'art consiste à trouver les formes et les figures qui font ordinairement plus d'impression dans le langage usuel. »

Nous lisons dans saint Grégoire qu'il estimait indigne d'un orateur sacré de s'astreindre aux règles de la grammaire (nous dirions aujourd'hui de l'Académie), et que pour lui, dans ses prédications, il n'avait cure d'encourir la note d'ignorant à cause de sa diction entachée même de barbarismes. *Non barbarismi confusionem devito ; situs modusque præpositionum casusque servare contemno ; quia indignum vehementer existimo, ut verba cœlestis oraculi restringam sub regulis Donati* (1).

Saint Augustin, commentant le texte de David : « *Non est occultatum os meum a te, quod fecisti in occulto* », et réfléchissant que l'expression *os* pouvait signifier ou la bouche ou un os, alors que le Prophète a voulu seulement l'employer dans ce second sens, n'hésita pas d'écrire *ossum*, aimant mieux, dit-il, être censuré par les grammairiens, que de n'être pas compris du peuple. *Habeo in abscondito quoddam* ossum. *Sic potius loquamur : melius est ut reprehendant nos grammatici, quam non intelligant populi* (2). C'est ainsi que les saints ont tenu compte de l'élégance du style, lorsqu'ils parlaient au peuple. Ailleurs, saint Augustin nous recommande en général de donner dans nos prédications des choses et non des mots : *In ipso sermone, malit rebus placere, quam verbis ; nec doctor verbis serviat, sed verba doctori* (3) Excellent avis ! Nous ne devons certes pas être esclaves des mots, au risque de ne pas être compris, mais ce sont les mots qui doivent nous servir à faire comprendre facilement notre pensée, et à toucher les cœurs de ceux qui nous écoutent. Voilà ce que c'est que rompre le pain aux petits, comme parle le prophète : *Parvuli petierunt panem, et non erat qui frangeret eis* (4). Et c'est la raison pour laquelle les sermons de mission et de retraite produisent tant de fruits, car alors on rompt vraiment en morceaux le pain de la parole de Dieu.

III. — Mais, dira quelqu'un, voudriez-vous donc que toutes les prédications fussent des sermons de mission ? — Je demanderai d'abord ce que l'on entend par sermons de mission ?

---

1. Ep. ad Leand., in expos. Job. — 2. In ps. 138, n. 20. — 3. De doctr. chr. l. 4, c. 28, n. 64. — 5. Thren., IV, 4.

composé de gens instruits et d'ignorants, tous les sermons doivent être *simples* et *populaires*, si l'on veut en retirer, non un succès frivole, mais un fruit réel, je veux dire, amener les auditeurs, de la chaire au tribunal de la pénitence. Je me souviens qu'à Naples, un grand missionnaire prêchant dans ce genre simple, on voyait non seulement l'église remplie de monde, mais encore les confessionnaux assiégés d'une foule de pénitents qui, après le sermon, couraient se confesser. Parlant des églises où se rend le peuple, soit dans les campagnes, soit dans les villes, le même Muratori affirme que c'est une obligation pour le prédicateur de choisir le style le plus populaire, et même le plus commun, afin de se proportionner à la faible intelligence de ces pauvres gens. Je connais des populations entières, sanctifiées par des sermons de carême ainsi prêchés, dans le genre simple et populaire.

Mais quelle pitié de voir qu'il se fait chaque année, dans les campagnes, tant de sermons de carême, et tout cela en pure perte. En effet, au début les pauvres villageois viennent au sermon, mais après avoir écouté le prédicateur réciter sa leçon, inintelligible pour eux, voyant qu'ils n'en retirent aucune utilité ils finissent par ne plus venir, disant, selon leur coutume, que le prédicateur parle latin. Si ces prédicateurs qui parcourent les campagnes ne veulent pas modifier les sermons qu'ils ont rédigés dans un style élevé, je les prierai de vouloir au moins, vers les dernières semaines du carême, donner au peuple des exercices spirituels en forme de mission, et cela, sur le soir, quand on rentre des champs ; car le matin, spécialement les jours de travail, les pauvres ouvriers sont dans l'impossibilité de se rendre à l'église à l'heure habituelle du sermon. J'affirme que ces exercices, prêchés dans le genre simple, produiront plus de fruits que ne le feraient cent carêmes ordinaires.

Mais ici, il en est qui vont s'excuser, en disant qu'ils sont des prédicateurs et non des missionnaires. Peut-être même se refuseront-ils à donner ces exercices, dans la crainte de nuire à leur réputation, ou de passer pour des prédicateurs de bas étage, car, à n'en pas douter, dans ces exercices il faut absolument employer un style tout à fait populaire et commun, autrement on prêcherait en pure perte. Mais j'ai été consolé, en apprenant que non seulement des prêtres, mais encore des religieux, ont l'habitude de donner ces exercices au peuple pendant le carême, et cela au grand profit des âmes.

Pour parler maintenant des sermons du dimanche, quel bien ne produiraient-ils pas généralement, si on les prêchait toujours à l'apostolique ! Je vais plus loin. A Naples, chaque jour le Saint-Sacrement est exposé dans diverses églises, spécialement dans celles où se font les prières des Quarante-Heures, et, à cette occasion, accourent quantité de personnes appartenant pour la plupart à la basse classe ; or, quel bien ne résulterait-il pas des sermons qui se font alors, si l'on prêchait d'une manière populaire, en enseignant aux fidèles la manière de faire la préparation et l'action de grâces pour la Communion, de visiter le Saint-Sacrement, de s'adonner à l'oraison mentale, d'assister à la messe en méditant la Passion de Jésus-Christ, de pratiquer la vertu, et autres choses semblables ! Mais est-ce là ce qui se fait ? Le plus souvent on ne prêche que des sermons relevés et de style fleuri, qui échappent à la plupart des auditeurs. Un jour, un prédicateur priait le vénérable Jean d'Avila de lui indiquer une bonne règle pour la prédication. La meilleure règle pour bien prêcher, lui fut-il répondu, c'est d'aimer beaucoup Jésus-Christ. Cette réponse était pleine de sagesse, car celui qui aime beaucoup Jésus-Christ monte en chaire non pour s'attirer des louanges, mais uniquement pour gagner des âmes à Dieu. Saint Thomas de Villeneuve disait que pour convertir les pécheurs, il faut les frapper au cœur avec des traits embrasés d'amour divin. Mais quels traits embrasés peuvent bien sortir d'un cœur de glace, comme est celui d'un prédicateur qui parle pour acquérir de la réputation ?

Est-ce à dire que celui qui prêche avec élégance n'aime point Jésus-Christ ? Je ne veux point l'affirmer, mais, ce que je sais, c'est que les saints n'ont point prêché de la sorte. J'ai lu la vie de beaucoup de saints prédicateurs, or je n'ai jamais vu qu'on en loue un seul pour avoir parlé d'une manière élevée et fleurie ; j'ai au contraire remarqué qu'il en est plusieurs dont on fait particulièrement l'éloge pour avoir prêché dans le genre simple et populaire. Telle est, en effet, la manière de prêcher que l'apôtre saint Paul recommandait par son propre exemple, comme il l'a déclaré lui-même : *Et sermo meus, et prædicatio mea, non in persuasibilibus humanæ sapientiæ verbis, sed in ostensione spiritus et virtutis* (1). Dans mes discours, voulait-il dire, je n'ai point cherché à étaler les ornements de l'éloquence humaine, comme le font les orateurs profanes ; j'ai voulu faire comprendre clairement aux peuples les vérités de la foi. *Hæc fuit demonstratio Apostolorum*, fait remarquer Cornelius à Lapide sur ce texte de l'Apôtre, *ostendere Spiritum eructantem*

1. Cor., ii, 4.

arcana divina, ita ut cernerent auditores Spiritum Sanctum per os eorum loqui.

Il est écrit dans la vie de saint Thomas d'Aquin : « Dans ses discours, il se mettait à la portée de ses auditeurs, abaissant pour cela le vol de son génie, et leur proposant des sujets plus propres à enflammer les cœurs qu'à nourrir l'esprit. Dans ce but, il n'employait que les expressions les plus communes et les plus usitées, et il avait coutume de dire : « *Tam apertus debet esse sermo docentis, ut ab intelligentia sua nullos, quamvis imperitos, excludat.* »

Saint Vincent Ferrier, comme le rapporte l'auteur de sa vie, composait ses sermons, non sur des livres écrits avec art, mais au pied du crucifix ; c'est là qu'il puisait son éloquence.

Le Père Bartoli, auteur de la vie de saint Ignace de Loyola, s'exprime ainsi au sujet de ce dernier : « Là où les autres entouraient d'ornements la parole de Dieu, lui, en la dépouillant, la faisait apparaître grande et belle ; en effet, il avait cela de particulier, qu'il réduisait comme à nu les vérités et les montrait en elles mêmes, telles qu'elles sont réellement. » Aussi, comme le rapporte le Père Bartoli, les savants qui entendaient ses discours avaient coutume de dire que, dans sa bouche, la parole de Dieu avait son véritable poids. Telle était aussi la manière de prêcher de saint Philippe de Néri, et comme je l'ai déjà fait remarquer plus haut, ce saint enjoignit aux membres de sa congrégation de ne traiter dans leurs sermons que des sujets faciles et populaires, et lorsqu'il les entendait parler de choses relevées ou curieuses, il les faisait descendre de chaire.

On a écrit également de saint François de Sales, qu'il proportionnait ses sermons à l'intelligence de ses auditeurs les plus grossiers. On connaît ce qui advint un jour à l'évêque de Belley. Ce prélat, ayant été invité par le saint à prêcher, prononça un discours très élégant et fort fleuri. Les auditeurs lui prodiguaient force louanges, mais saint François se taisait. Le prélat, étonné de ce silence, demanda enfin au saint comment il avait goûté son sermon, et il en reçut cette réponse : « *Vous avez plu à tous vos auditeurs, excepté à un seul.* » Quelque temps après, l'évêque de Belley fut de nouveau invité à prêcher. Mais ayant parfaitement compris que son premier discours, à cause de son style trop fleuri, n'avait pas été du goût du saint, il prêcha cette seconde fois d'une manière toute simple et toute pratique. Alors saint François lui déclara que ce second discours l'avait complètement satisfait. Dans une autre circonstance, le saint lui adressa ces paroles : « Un sermon est excellent, quand les auditeurs, après l'avoir entendu, se retirent muets en se regardant sans échanger un mot, et qu'au lieu de louer le prédicateur, ils pensent à la nécessité où ils sont de changer de vie. » Ce qu'il enseignait, il le mettait aussi en pratique. Parlant à Paris, devant un auditoire composé de princes, d'évêques et de cardinaux, le saint, dit son historien, prêchait cependant toujours avec fermeté et simplicité, ne cherchant pas à se faire la réputation d'un orateur éloquent, mais bien à gagner des âmes à Dieu. Aussi, saint François de Sales pouvait-il écrire lui-même de Paris à une religieuse de son ordre : « La veille de Noël, j'ai prêché devant la reine, dans l'église des Capucines, mais je vous assure que devant tant de princes et de princesses, je n'ai pas prêché avec plus de distinction que je ne le fais dans notre pauvre et humble Visitation d'Annecy. » Mais, comme il prêchait du fond de son cœur, pour attirer les âmes à Dieu, ses discours, alors même qu'ils manquaient de tout ornement, produisaient un bien immense, comme le déclarait Madame de Montpensier : « Les autres prédicateurs, dans leurs sermons, semblent planer dans les airs, mais Monseigneur de Genève fond sur sa proie ; orateur du saint amour, il assiège aussitôt le cœur et s'en rend maître. » Je citerai plus loin ce que le saint a écrit dans une lettre touchant la manière de prêcher, et ce qu'il pensait des prédicateurs qui chargent leurs sermons de vains ornements.

Saint Vincent de Paul, lisons-nous dans sa Vie, non seulement prêchait d'une manière simple, mais de plus, il exigeait de ses sujets, avant toute autre chose, qu'ils fissent aux ordinands des sermons et des discours dans un style simple et familier ; car, disait-il, ce n'est point par le faste des expressions qu'on travaille efficacement au salut des âmes, mais bien par la simplicité et l'humilité, lesquelles disposent les cœurs à la grâce de Dieu. A ce sujet, il avait coutume de rappeler l'exemple de Jésus-Christ, lequel, pouvant expliquer les mystères divins d'une manière proportionnée à leur sublimité, puisqu'il était la sagesse du Père Eternel, s'était néanmoins servi d'expressions et de similitudes très vulgaires, pour se mettre à la portée du peuple, et nous laisser le vrai modèle à suivre dans l'explication de la parole de Dieu.

On rapporte également de saint François Régis, qu'il exposait les vérités de la foi avec une telle clarté et une si grande simplicité, qu'il les rendait accessibles aux esprits les plus bornés. Nous donnerons plus loin certains détails sur sa manière de prêcher.

Pour parler d'autres saints prédicateurs, tout le monde connaît, relativement au point qui nous occupe, l'histoire du Père Tauler, dominicain. Au début, il ne faisait que des sermons d'un genre fort relevé, mais, dans la suite, ramené à une vie plus parfaite par le mendiant que Dieu lui envoya pour directeur, il s'abstint de prêcher pendant plusieurs années. Lorsque, sur l'ordre du mendiant, il reparut en chaire, il abandonna complètement le style sublime, pour embrasser le genre populaire. On raconte que, lors du premier discours qu'il prêcha de la sorte, l'auditoire éprouva une telle impression, que plusieurs personnes s'évanouirent dans l'église.

Le vénérable Jean d'Avila s'exprimait si simplement dans ses sermons que quelques personnes le regardaient comme un ignorant ; si bien qu'un jour, où le saint devait prêcher, un savant dont la conscience était en mauvais état dit à quelqu'un : « Allons entendre cet ignorant. » Cependant la grâce de Dieu le toucha dans ce sermon et lui fit changer de vie. Ecoutons maintenant quel était, au témoignage de l'auteur de sa Vie, le sentiment de ce grand serviteur de Dieu : « Si le prédicateur, disait-il, ne fait pas son devoir, s'il vise à flatter les oreilles de ses auditeurs plutôt qu'à toucher leurs cœurs, s'il se met plus en quête de belles paroles que de résultats sérieux, si enfin, par une recherche excessive dans ses conceptions, il se prêche lui même plutôt qu'il ne prêche Jésus Christ, il est évident qu'il marche à sa perte, agit en traître, et fait preuve d'une prodigieuse perversité. »

Le Père Louis Lanusa, le Père Paul Segneri le jeune et bien d'autres serviteurs de Dieu, pensaient et agissaient de même, comme on peut le voir dans leur Vie, mais, pour abréger, je les passe sous silence.

On voit par là quel compte auront à rendre à Dieu ces prédicateurs qui se prêchent eux-mêmes au lieu de prêcher Jésus-Christ, et aussi quelle responsabilité encourent les supérieurs qui les autorisent à prêcher. Pour moi, entendant un jour une jeune prêtre de notre congrégation prêcher dant un style élevé, je le fis descendre de chaire en plein sermon. Mais que ces prédicateurs frivoles en soient bien convaincus, si leurs supérieurs ne les mortifient point, Dieu ne laissera pas de les châtier ; car le ministre de la parole de Dieu est tenu de procurer le bien de chacun de ses auditeurs, puisque, dans la chaire, il remplit l'office d'ambassadeur de Jésus-Christ, ainsi que le déclare l'apôtre en parlant de tous les prêtres : *Dedit nobis ministerium reconciliationis... et posuit in nobis verbum reconciliationis. Pro Christo ergo*

legatione fungimur, tamquam Deo exhortante per nos (1).
Ainsi, en chaire, le prédicateur tient la place de Jésus-Christ, et c'est de la part de Jésus Christ qu'il s'adresse aux pécheurs, pour les inviter à rentrer en grâce avec Dieu. Or, comme le remarque Jean d'Avila, dans une de ses lettres, si un roi chargeait un de ses vassaux de demander pour sa royale personne la main d'une jeune fille, et que l'ambassadeur la demandât pour lui même, ne serait-il pas un traître ? Telle est précisément, ajoute le vénérable, la conduite de ce prédicateur qui, au lieu de s'occuper de la conversion des pécheurs pour laquelle Dieu l'a envoyé, ne recherche que sa propre gloire, et rend ainsi inutile la parole de Dieu, l'altérant à tel point qu'elle ne produit plus de fruits de salut. Et saint Jean Chrysostome ne s'élève-t-il pas aussi contre celui qui prêche avec vanité, lorsqu'il l'appelle : *Miser et infelix proditor* (2).

Orner un sermon de pensées relevées et de locutions choisies, pour s'en faire gloire, au détriment de la simplicité évangélique, c'est là précisément corrompre la parole de Dieu, abus dont se gardait l'apôtre, comme il l'écrivait aux Corinthiens : *Non enim sumus, sicut plurimi, adulterantes verbum Dei ; sed ex sinceritate, sed sicut ex Deo, coram Deo, in Christo loquimur* (3). Sur quoi saint Grégoire fait la remarque suivante : *Adulterari verbum Dei est ex eo, non spirituales fructus, sed adulterinos fœtus quærere laudis humanæ* (4) Les adultères ne se soucient nullement d'avoir des enfants, bien plus, ils redoutent d'en avoir ; ce qu'ils cherchent uniquement, c'est leur propre satisfaction. Ainsi en est-il de ces beaux diseurs qui, dans leurs prédications, ne se proposent pas comme but principal de gagner des âmes à Dieu, mais visent surtout à se faire un nom et à s'attirer l'estime des hommes.

Ces prédicateurs doivent craindre que Dieu les chasse loin de lui, selon la menace qu'il profère par la bouche de Jérémie : *Propterea, ecce ego ad prophetas, ait Dominus, qui furantur verba mea... Projiciam quippe vos* (5). Qui sont ceux qui dérobent la parole de Dieu ? Ce sont précisément ceux qui s'en servent pour se faire une réputation de grand orateur, et ravissent à Dieu sa gloire pour l'attribuer à eux-mêmes Saint François de Sales disait que le prédicateur qui abonde en feuilles, c'est-à-dire en belles paroles et en pensées ingénieuses, court risque d'être taillé et jeté au feu,

1. II Cor., v, 18. — 2. Hom. 33, ad popul. — 3. II Cor., II, 17. — 4. Mor., l. 22, c. 17. — 5. Jér., XXIII, 30, 33.

comme l'arbre stérile dont parle l'Evangile ; car le Seigneur a déclaré à ses disciples, et par eux à tous les prêtres, qu'il les avait choisis pour qu'ils portassent des fruits et des fruits durables. En conséquence, Cornélius à Lapide ne craint point d'affirmer que de tels prédicateurs pèchent mortellement, soit parce qu'ils abusent du ministère de la parole de Dieu pour flatter leur propre vanité, soit parce qu'en prêchant d'une manière relevée et fleurie, ils s'opposent au salut de tant d'âmes qui leur sont confiées, et qui se convertiraient s'ils leur faisaient entendre un langage apostolique : *Prædicator qui sibi plausum quærit, non conversionem populi, hic damnabitur, tum quia prædicationis officio ad laudem non Dei, sed suam abusus est, tum quia salutem tot animarum sibi creditam impedivit et avertit* (1). Le vénérable Jean d'Avila tenait le même langage. Voici ses paroles déjà citées plus haut : « Si le prédicateur ne fait pas son devoir, s'il vise à flatter les oreilles de ses auditeurs plutôt qu'à toucher leurs cœurs, s'il se met plus en quête de belles paroles que de résultats sérieux, si enfin, par une recherche excessive dans ses conceptions, il se prêche lui-même plutôt qu'il ne prêche Jésus-Christ, il est évident qu'il marche à sa perte, agit en traître, et fait preuve d'une prodigieuse perversité. »

C'est en vain qu'on dirait : « Mais j'ai principalement en vue la gloire de Dieu. » — Celui qui prêche d'une manière relevée et emploie des expressions recherchées, de sorte qu'il n'est point à la portée de tous, s'oppose à la gloire de Dieu, en empêchant la conversion de plusieurs de ses auditeurs ; car, dit fort judicieusement Muratori, le prédicateur est tenu de travailler au salut de chaque particulier, ignorant ou savant, comme s'il n'y en avait pas d'autres pour l'écouter. Par conséquent, si quelque auditeur, pour n'avoir pas compris le sermon, ne se convertit pas, le prédicateur en devra compte à Dieu, comme le Seigneur lui-même le déclare par la bouche d'Ezéchiel : *Si dicente me ad impium : morte morieris ; non annuntiaveris ei... ipse impius in iniquitate sua morietur, sanguinem autem ejus de manu tua requiram* (2). Tous les prédicateurs connaissent ce texte, mais j'ai tenu à le répéter ici, car il en est peu qui s'en inspirent en pratique. A n'en pas douter, ne pas prêcher la parole de Dieu, ou la prêcher tellement défigurée par un style poli, qu'elle ne puisse plus porter les fruits qu'elle eût produits si on l'avait

---

1. In Luc., VI, 26. — 2. Ezech., III, 18.

exposée dans toute sa pureté et sa simplicité, c'est absolument la même chose. Saint Bernard dit qu'au jour du jugement, les pauvres ignorants se lèveront pour accuser les prédicateurs qui, nourris de leurs aumônes, n'auront point, selon leur devoir, procuré à leurs âmes les remèdes opportuns : *Venient, venient ante tribunal Christi ; audietur populorum accusatio, quorum vixere stipendiis, nec diluere peccata* (1).

Il faut bien se persuader que la parole de Dieu altérée par l'élégance étudiée du langage perd son nerf et sa force, en sorte qu'elle ne profite plus ni aux ignorants ni aux savants. Ce n'est pas moi qui parle ainsi, mais saint Prosper, ou si l'on veut, un autre ancien auteur auquel on a donné son nom : *Sententiarum vivacitatem sermo ex industria cultus enervat* (2) Il ne fait du reste qu'emprunter cette pensée à saint Paul qui a dit : *Misit me Christus evangelizare, non in sapientia verbi, ut non evacuetur crux Christi* (3). Texte que saint Jean Chrysostome commente ainsi : *Alii externæ sapientiæ operam dabant ; ostendit (Apostolus) eam, non solum cruci non opem ferre, sed etiam eam exinanire.* Ainsi, l'élévation des pensées et la recherche des expressions dans les sermons, empêchent et réduisent en quelque sorte à néant le bien des âmes, fruit de la rédemption de Jésus-Christ. C'est ce qui faisait dire à saint Augustin : *Non præsumam unquam in sapientia verbi, ne evacuetur crux Christi ; sed Scripturarum auctoritate contentus, simplicitati obedire potius studeo, quam tumori* (4).

Saint Thomas de Villeneuve, apostrophant quelqu'un de ces auditeurs qui sont en état de péché mortel et qui vont à la recherche de sermons fleuris, s'écrie : *O stulte ! ardet domus tua, et tu exspectas compositam orationem ?* Mais ce reproche s'adresse mieux encore aux prédicateurs qui font de pareils sermons devant un auditoire parmi lequel, vraisemblablement, il y a plusieurs personnes en état de péché. A ces âmes infortunées, il faudrait des coups de tonnerre pour les réveiller de leur léthargie, et des traits de feu pour les transpercer, et on devrait employer pour cela non des paroles empruntées à l'académie, mais des paroles venant du cœur, des paroles inspirées par un véritable désir de les délivrer des mains de Lucifer. Et c'est alors que nous voulons les charmer par de belles phrases et des périodes sonores !

1. *De vita et Mor. cler.*, c. 7. — 2. *De Vita contempl.*, l. 3, c. 34. — 3. I Cor., i, 17. — 4. *Contra Felician*, c. 2.

Quand le feu dévore une maison, quelle folie ne serait-ce pas, dit le Père Mansi, de vouloir l'éteindre avec un peu d'eau de rose achetée à la pharmacie ? Lorsque j'entends faire l'éloge de quelqu'un qui prêche avec élégance et qu'on m'assure qu'il a fait beaucoup de bien, je ne puis qu'en rire, en disant que c'est chose impossible. Pourquoi cela ? Parce que je sais que Dieu refuse son concours à une semblable prédication. *Prædicatio mea*, disait l'Apôtre, *non in persuasilibus humanæ sapientiæ verbis, sed in ostensione spiritus et virtutis* (1). Or, à quoi servent toutes nos paroles, si elles ne sont point vivifiées par l'esprit et la vertu de la grâce divine ? *Hæc verba Apostoli*, dit Origène sur le texte cité, *quid aliud sibi volunt, quam non satis esse quod dicimus, ut animas moveat hominum, nisi doctori divinitus adsit cœlestis gratiæ energia, juxta illud* (Ps. LXVII, 12) : *Dominus dabit verbum evangelizantibus, virtute multa ?* Volontiers, le Seigneur prête son concours à celui qui, rejetant toute vanité, annonce sa parole dans sa nudité et sa simplicité ; et il communique à ses discours force et vertu pour toucher les cœurs de ses auditeurs. Mais, cette vertu, il la refuse aux discours étudiés et recherchés. Le langage poli et cultivé de la sagesse humaine, dit l'Apôtre dans le texte cité plus haut, énerve la force de la divine parole et dissipe le bien qu'on en pouvait espérer.

Oh ! quel compte redoutable devront rendre à Dieu, au moment de la mort, les prêtres qui prêchent avec vanité ! Dans une de ses révélations, sainte Brigitte rapporte qu'elle vit l'âme d'un religieux condamnée à l'enfer pour avoir prêché de la sorte ; et le Seigneur déclara ensuite à la sainte que ce n'est pas lui qui parle par la bouche de ces prédicateurs vaniteux, mais bien le démon.

S'entretenant un jour avec moi, le Père Sparano, ce grand missionnaire dont j'ai déjà parlé, me rapporta un fait terrible. Un prêtre qui s'était adonné à la prédication élégante, se trouvant sur le point de mourir, et éprouvant beaucoup de peine à concevoir quelque douleurs de ses péchés, désespérait presque de son salut. Alors le Seigneur animant les lèvres d'un crucifix qui se trouvait près du moribond, lui adressa, d'une manière sensible pour tous les assistants, les paroles suivantes : « Je te donne le même repentir que tu donnais aux autres quand tu prêchais. »

Mais voici un trait plus terrible encore. On peut le lire dans

---

1. I. Cor., II, 4.

l'ouvrage du Père Gaëtan-Marie de Bergame, capucin, ouvrage intitulé : *L'Homme apostolique en chaire*. Cet auteur rapporte tenir d'un prédicateur de son ordre le fait suivant, comme lui étant arrivé à lui-même peu d'années auparavant. Jeune encore et amateur des belles lettres, il avait prêché, dans la cathédrale de Brescia, un premier sermon tout chargé de vaines fleurs d'éloquence. Quelques années plus tard, il prêcha une seconde fois, mais alors, d'une manière tout apostolique. Comme on lui demandait pourquoi il avait ainsi changé son style, il répondit en ces termes : « J'ai connu un religieux, prédicateur célèbre, que je comptais au nombre de mes amis, et qui, comme moi, cultivait la vaine éloquence. Comme il était sur le point de mourir, on ne pouvait l'amener à se confesser. Moi-même, je me rendis près de lui, je l'exhortai avec force, mais le moribond fixa ses regards sur moi sans rien me répondre. Le supérieur eut alors la pensée de porter le saint ciboire dans la cellule de ce religieux, pour le décider ainsi à recevoir les sacrements. A l'arrivée de la sainte Eucharistie, les assistants dirent au malade : « Voici Jésus-Christ qui vient vous offrir le pardon. » Mais lui, de s'écrier aussitôt avec l'accent du désespoir : « C'est là ce Dieu dont j'ai trahi la sainte parole. » Tous alors, nous nous mettons, les uns à supplier le Seigneur d'user de miséricorde, les autres à exhorter le malheureux à se confier en la divine bonté. Mais celui-ci ne fit que répéter plus fort cette exclamation : « C'est là ce Dieu dont j'ai trahi la sainte parole », puis il ajouta : « Il n'y a plus pour moi de miséricorde. » Nous continuons à exciter sa confiance, mais le malade s'écria pour la troisième fois : « C'est là ce Dieu dont j'ai trahi la sainte parole », et termina en disant : « Par un juste jugement de Dieu, je suis damné. » Aussitôt après il expira. Voilà, conclut le prédicateur, voilà le fait qui m'a porté à corriger ma manière de prêcher.

Quelqu'un rira peut-être de ces faits et de tout ce que j'écris ici, mais je l'attends devant le tribunal de Jésus-Christ. Du reste, je comprends parfaitement qu'il ne faut pas toujours, ni devant toutes espèces d'auditoires, prêcher de la même manière. Là où l'auditoire est composé uniquement de prêtres ou d'hommes instruits, le prédicateur doit employer un langage assurément plus cultivé ; néanmoins, son discours ne peut cesser d'être simple et familier, comme s'il s'agissait d'un entretien intime avec des savants, et, par conséquent, sans aucun décor de pensées relevées ou d'expressions recherchées. Autrement, plus le sermon sera fleuri, moins il fera de bien. *Quod luxuriat in flore sermonis*, dit saint

Ambroise, *tenuatur et hebetatur in fructu* (1). La pompe et le luxe que donnent au sermon les fleurs de la rhétorique l'empêchent de produire aucun fruit. Selon saint Augustin, le prédicateur qui cherche à plaire à ses auditeurs par son style sublime n'est pas un apôtre qui convertit, mais un orateur qui trompe. On peut donc appliquer à ses auditeurs ce que le saint Docteur dit des Juifs qui, écoutant Jésus-Christ, admiraient sa doctrine, maie ne se convertissaient pas : « *Mirabantur et non convertebantur* » (2). — Très bien, très bien, diront-ils, le sermon était vraiment admirable ! » — mais quant à en retirer leur profit spirituel, ils n'en feront rien. Aussi, saint Jérôme écrivait-il à son cher Népotien de chercher dans ses sermons à provoquer les larmes plutôt que les applaudissements de ses auditeurs : *Docente te in ecclesia, non clamor populi, sed gemitus suscicetur. Lacrymæ auditorum laudes tuæ sint* (3). Saint François de Sales exprime la même pensée, d'une manière plus frappante, dans une de ses lettres à un ecclésiastique : « Au sortir du sermon, je ne voudrais pas qu'on dit : Oh! quel grand orateur ! quelle mémoire il possède ! quelle science profonde ! quelle belle élocution ! Mais je voudrais entendre dire : Oh que la pénitence est belle et nécessaire ! Mon Dieu, que vous êtes bon et juste ! et autres choses semblables ; ou que l'auditeur ayant le cœur saisi, ne pût témoigner de la suffisance du prédicateur, que par l'amendement de sa vie (4). »

Du reste, le prédicateur qui cultive la belle littérature espère-t-il peut-être, à force de travail, enlever les applaudissements de tous ses auditeurs ? Qu'il chasse cette illusion de son esprit. Plusieurs le loueront, plusieurs aussi le critiqueront ; celui-ci censurera telle chose, celui-là, telle autre. Telle est la folie de ces orateurs qui se prêchent eux-mêmes au lieu de prêcher Jésus-Christ ; malgré toutes les fatigues qu'ils s'imposent, pour obtenir de vains applaudissements, ils ne les obtiendront pas même de tous ceux qui les écoutent. Au contraire, lorsqu'on prêche Jésus crucifié, le succès accompagne toujours le sermon ; car, en prêchant de la sorte, on fait plaisir à Dieu, ce qui doit être l'unique fin de toutes nos actions. Ainsi, règle générale, la prédication simple et familière est de nature, comme le déclare Muratori, à profiter et à plaire même aux esprits cultivés. Car, lorsque le prédicateur s'exprime dans un style élevé et fleuri, ceux qui le

---

1. In Ps. cxviii, §. 12. — 2. In Jo. Tract. 29, n. 2. — 3. Epist. ad Nep. — 4. Lettre sur la manière de prêcher, ch. ii, a 3.

comprennent se contentent de goûter et d'admirer son génie, mais ils ne pensent nullement, ou du moins très peu, à leur profit spirituel. Au contraire, si le prédicateur, dans le but d'être utile à tout le monde, distribue simplement la parole de Dieu, les savants eux-mêmes le comblent d'éloges. Ils ne loueront point son talent, mais ils applaudiront au zèle avec lequel, dédaignant toute ostentation de son esprit, il cherche uniquement à faire du bien aux âmes. Voilà la véritable gloire à laquelle doit aspirer l'orateur sacré. Lorsque les personnes instruites désirent tirer quelque profit spirituel d'un sermon, elles recherchent non pas un orateur qui charme leur esprit, mais un prédicateur qui guérisse leur cœur. Aussi quand on prêche des sermons populaires, on voit généralement accourir ignorants et savants, parce que chacun y trouve l'aliment dont il a besoin.

Sénèque disait que le malade va à la recherche non du médecin qui a un beau parler, mais de celui qui est capable de le guérir. A quoi bon, dirait le malade, me charmer par tes belles paroles, quand il faut employer le fer et le feu pour me rendre la santé. *Non quærit æger medicum eloquentem, sed sanantem ? Quid oblectas ? Aliud agitur : urendus, secandus sum ; ad hæc adhibitus es* (1). Aussi saint Bernard disait-il : *Illius doctoris libenter vocem audio, qui non sibi plausum, sed mihi planctum moveat* (2).

Je me souviens d'un homme fort lettré, le célèbre Nicolas Capasso, qui allait tous les jours entendre le chanoine Gizzio, quand ce dernier prêchait la retraite aux membres de la Congrégation du Saint-Esprit. J'y allais, disait-il, parce que ce serviteur de Dieu annonçait la divine parole avec une simplicité apostolique, autrement, ajoutait-il, si le prédicateur avait employé un langage fleuri, j'y aurais tant trouvé à redire que, pour ne point perdre mon temps, je me serais abstenu d'aller l'entendre.

Du reste, que de charme la parole de Dieu toute pure et toute simple n'offre-t-elle pas aux savants ! Muratori, dans sa vie du Père Segneri le jeune, rapporte que ce prédicateur, tout en s'exprimant de la manière la plus populaire et la plus commune, plaisait tellement à tous, qu'il enlevait les cœurs des gens les plus instruits. On lit de même dans la vie de saint François Régis : « Ses discours étaient simples. Bien qu'il n'eût en vue que d'instruire le bas peuple, les per-

1. Ep. 75. — 2. Serm. 59, in Cant.

sonnes de qualité ainsi que les ecclésiastiques et les religieux de la ville du Puy accouraient avec empressement pour l'entendre, à tel point que, deux ou trois heures avant l'instruction, toutes les places étaient prises. Dans la ville, on entendait dire partout qu'on préférait la sainte simplicité de cet apôtre à l'élégance étudiée des plus habiles prédicateurs. Celui-ci, disait-on, prêche vraiment Jésus-Christ, et annonce la parole de Dieu telle qu'elle est en elle-même, tandis que les autres se prêchent eux-mêmes et substituent à la divine parole la leur propre, c'est-à-dire une parole toute humaine. » Bien remarquable est le fait suivant rapporté aussi dans la vie du saint. Pendant que celui ci prêchait la mission au Puy, un autre prédicateur prêchait le carême dans la cathédrale. Ce dernier trouvait fort étrange qu'on le laissât pour courir en foule entendre un homme qui, près de lui, pensait il, n'était qu'un ignorant. Il alla trouver le Provincial des Jésuites qui faisait alors sa visite dans le collège, et lui représenta que le Père Régis, qu'il estimait du reste comme un saint, avait néanmoins une manière de prêcher peu convenable à la dignité de la chaire, et que son style par trop bas et ses réflexions triviales déshonoraient son ministère. Avant de le condamner, répondit le Provincial, si vous voulez, allons tous deux l'entendre. Or, le Provincial fut tellement touché de l'onction avec laquelle le saint expliquait les vérités évangéliques, qu'il ne fit que pleurer durant tout le sermon. En sortant de l'église, il se tourna vers son compagnon et lui dit : « Ah ! plût à Dieu, mon père, que tous les orateurs sacrés prêchassent de la sorte ! Laissons-le prêcher avec sa simplicité apostolique. Là, est le doigt de Dieu. » Le prédicateur lui-même fut tellement touché de ce sermon, qu'au lieu des critiques qu'il avait préméditées, il décerna au saint les plus justes éloges.

V. — Disons maintenant quelque chose touchant les panégyriques, ainsi que je l'ai promis. Pourquoi, demanderai-je, les panégyriques que l'on fait de nos jours ne produisent-ils aucun fruit ? Que de bien cependant ne procureraient-ils pas, si on les prêchait avec simplicité : en exposant les vertus des saints avec de pieuses réflexions, et si l'on cherchait ainsi à engager les fidèles à marcher sur leurs traces ! Telle est bien assurément la raison d'être des panégyriques, tel est le but que poursuivent les maîtres de la vie spirituelle, quand ils recommandent avec tant d'instance la lecture de la vie des saints. A cette même fin, saint Philippe de Néri, comme le rapporte son historien, exhortait vivement ses disciples à raconter la vie, ou un trait de la vie, de quelque saint, de manière que le fond du sermon restât plus profondément gravé dans l'esprit des auditeurs. Il voulait toutefois que l'on choisît des traits plus propres à inspirer la componction que l'admiration.

Le Père Jean Diélégis, auteur d'un traité sur la manière de composer les panégyriques, dit que si ces panégyriques restent stériles, il faut s'en prendre aux auditeurs, car ceux-ci vont les écouter nullement pour en faire leur profit, mais pour se repaitre de pensées curieuses et goûter un langage fleuri. Il eût été plus juste de dire que les plus grands coupables sont les orateurs qui remplissent leurs sermons de subtilités et d'expressions recherchées, afin de s'attirer de vaines louanges, alors que leur unique but devrait être, comme dit le même auteur, de porter les auditeurs à imiter les vertus du saint dont il font l'éloge. Mais, écoutons ce que Muratori, dans son ouvrage de l'*Eloquence populaire*, dit des panégyriques modernes. Voici ses paroles : « Oh ! c'est ici surtout que les orateurs sacrés prodiguent les perles et les fleurs, et étalent la pompe de leur éloquence. Les panégyriques ont pour but de conduire les auditeurs, par la force des exemples, à la pratique des vertus, mais il est peu d'orateurs qui aient ce souci. Mon Dieu ! que de révoltantes exagérations ! que de réflexions étranges ! en un mot que de sottises ! »

Quel avantage, en effet, recueille-t-on de ces panégyriques que certains littérateurs surchargent de fleurs, de subtilités, de pensées ingénieuses, de piquantes descriptions, d'expressions ronflantes et inintelligibles à la plupart des auditeurs, de périodes contournées et si longues que, pour en saisir la conclusion, un savant lui-même doit y apporter toute l'application de son esprit ? Toutes ces choses sont à peine séantes dans un discours académique, où l'orateur ne se propose que sa propre gloire. O Dieu ! qu'il est déplorable de voir un ministre de Jésus-Christ perdre plusieurs mois de temps et de travail (un de ces orateurs, il est maintenant dans l'éternité, déclarait que, pour composer un panégyrique, il ne lui fallait pas moins de six mois) et cela pourquoi ? Pour tourner des périodes et assembler des fleurs et des feuilles ! Et puis, quel avantage en revient-il à l'orateur lui-même et à ses auditeurs ? Le premier ne recueille qu'un peu de fumée. Quant aux auditeurs, ils n'en retirent rien ou presque rien, parce qu'ils ne comprennent pas le discours ; ou bien, s'ils le comprennent, ils perdent leur temps à goûter la vaine harmonie des mots ainsi que la subtilité des pensées ingénieuses. Plusieurs personnes dignes de foi m'ont certifié que l'orateur dont nous venons de parler, et qui mettait, selon ses propres paroles, plus de six mois à la composition d'un panégyrique, se trouvant sur le point de mourir, donna l'ordre de brûler tous ses écrits. On m'a dit encore que, de son vivant, ce prédicateur entendant un jour faire l'éloge de ses panégyriques, répondit tout effrayé : « Hélas, ce sont ces discours-là qui, un jour, me feront condamner ! »

Dans un autre de ses ouvrages, *De la charité chrétienne*, Muratori s'exprime ainsi : « A quoi bon tant de panégyriques qui se réduisent trop souvent à une vaine parade d'esprit et à des subtilités enfantines par des cervelles creuses, et inintelligibles à la majeure partie du peuple. » Il ajoute ensuite : « Si l'on veut que le panégyrique soit profitable, qu'on le fasse avec cette éloquence simple et populaire qui instruit et touche autant les savants que les ignorants ; mais parfois, ce genre d'éloquence n'est pas assez connu de celui qui pense en savoir plus que les autres. » Plaise à Dieu qu'on abolisse dans l'Eglise ces panégyriques pleins de vent, et qu'on leur en substitue d'autres, faits dans le genre familier et simple que recommande cet auteur, homme tout à la fois éminent et par sa piété et par sa science.

Avant de terminer, il me faut répondre au sentiment exprimé par Votre Révérence, à savoir que, l'une des principales qualités du discours, c'est de plaire, et que par conséquent, devant un auditoire où se trouvent des hommes instruits, il convient alors, pour les tenir sous le charme, de parler en termes choisis.

Je ne veux point, mon Père, vous répondre moi-même, mais saint François de Sales, dans sa *Lettre*, déjà citée, *sur la manière de prêcher*, vous répond pour moi. Voici d'abord comment il confirme tout ce que nous avons dit plus haut : « Les longues périodes, les expressions soignées, les gestes affectés et choses semblables sont la peste de la prédication. L'artifice le plus utile et le plus beau est de n'avoir aucun artifice. Il faut que nos paroles soient enflammées du véritable amour et qu'elles partent plus du cœur que de la bouche. Le cœur parle au cœur, la langue ne parle qu'aux oreilles. La composition du discours doit être naturelle, sans vains ornements ni paroles affectées. Nos anciens Pères et tous ceux qui ont fait du bien aux âmes, se sont abstenus d'employer un langage trop élégant ou chargé d'ornements mondains. C'est qu'ils parlaient cœur à cœur, comme de bons pères à leurs enfants. Le but du prédicateur est de convertir les pécheurs et de perfectionner les justes. Aussi, quand il se trouve en chaire, doit-il se dire intérieurement : « *Ego*

veni ut isti vitam habeant et abundantius habeant » (1).
Parlant ensuite de l'art de plaire qui nous occupe, le saint s'exprime en ces termes : « Beaucoup prétendent, je le sais, que le prédicateur doit plaire ; mais, quant à moi, je distingue, et je dis : il y a une délectation qui est la conséquence des vérités que l'on prêche et de l'émotion que ressent l'auditoire. Car, quelle est l'âme assez insensible pour n'entendre pas avec un extrême plaisir comment on se dirige vers le ciel, comment on parvient au paradis, et combien Dieu nous aime ? Pour procurer cette délectation on doit mettre tous ses soins à instruire et à émouvoir. Mais il y a une autre sorte de délectation qui, bien souvent, est un obstacle à l'enseignement et à l'émotion : c'est un certain charme et un certain chatouillement de l'oreille, lequel provient d'une certaine élégance profane, de quelques traits piquants, d'une disposition de mots toute artificielle. Quant à cette manière de plaire, je le dis avec conviction, un prédicateur ne doit pas en user, car elle est le propre des orateurs du monde, des charlatans et des courtisans qui la cultivent. Celui qui prêche de la sorte ne prêche pas Jésus crucifié, mais il se prêche lui même. Saint Paul abhorre les prédicateurs *prurientes auribus*, c'est-à dire ceux qui veulent plaire à leurs auditeurs (2). » Tel est le langage de saint François de Sales. Or, il est à remarquer que ses enseignements ont été loués et approuvés d'une manière particulière par la sainte Eglise, laquelle, dans l'oraison de l'office du saint, nous fait prier, afin que, les prenant pour règle de notre conduite, nous méritions d'obtenir la vie éternelle :
« *Concede propitius ut, ejus dirigentibus monitis... æterna gaudia consequamur* (*).

Le savant théologien Habert, parlant aussi de la manière dont les ministres de l'Evangile doivent prêcher, dit également : « *Evangelii minister delectabit, si sit sermonis apti, facilis ac perspicui.* » Le prédicateur doit donc s'efforcer de plaire par un langage clair, simple et intelligible à chacun de ceux qui l'écoutent. Alors, comme le dit saint

---

1. Manière de prêcher, ch. 5, a 1-4, ch. 2, a 2. — 2. *Ibid.*, ch. ii, a 3.
(*) Nous sommes heureux de pouvoir faire la même remarque au sujet des enseignements de saint Alphonse lui-même, puisque dans l'oraison de l'office de ce saint docteur, l'Eglise nous fait également prier : *ut ejus salutaribus monitis edocti, et exemplis roborati ad te (Deum) pervenire feliciter valeamus.*

François de Sales, les auditeurs trouveront du plaisir à entendre les vérités éternelles et les maximes de l'Evangile ; ils apprendront volontiers ce qu'ils doivent faire, ou éviter, pour se sauver ; enfin ils se réjouiront de se sentir pénétrés de componction, animés de confiance et enflammés de l'amour de Dieu. D'après saint Augustin, si les plaisirs des sens sont agréables, il est bien plus doux de connaître la vérité ; voilà pourquoi, ajoute-t-il, l'âme ne désire rien tant que de connaître le vrai : « *Quid enim fortius desiderat anima, quam veritatem ?* (1) » Ce que saint François de Sales confirme en ces termes : « La vérité est l'objet de notre entendement, qui a par conséquent tout son contentement à connaître la vérité des choses ; et, selon que les vérités sont plus excellentes, notre entendement s'y applique plus délicieusement. Voilà pourquoi les anciens philosophes quittèrent les richesses, les honneurs et les plaisirs, pour contempler les vérités de la nature. Et Aristote proclame que la félicité de l'homme consiste dans la sagesse, qui est la connaissance des vérités éminentes (2). » Le saint en conclut que l'âme ne peut avoir de plus grande jouissance que de connaître les vérités de la foi ; d'autant plus que cette connaissance ne nous est pas seulement agréable, mais encore souverainement utile, puisque c'est d'elle que dépend tout notre bonheur, dans le temps et dans l'éternité. Oui, dit encore saint Antonin, le prédicateur doit plaire à ses auditeurs, mais dans quel but ? Afin que ceux-ci, entraînés par le sermon, se décident à mettre en pratique ce qu'ils ont entendu : « *Ut sic moveat affectum ut flectat ; scilicet, ut auditor, amando quæ dicta sunt, velit ea implere* (3). » La ruine de l'Eglise, dit de son côté saint Jean Chrysostome, c'est que les prédicateurs se préoccupent non pas d'exciter leurs auditeurs à la componction, mais de les charmer par une belle diction, comme si les fidèles venaient pour entendre un grand artiste exécuter en chaire un ravissant morceau de musique : « *Subvertit ecclesias, quod et vos non quæritis sermonem qui compungere possit, sed qui oblectet, quasi cantores audientes. Et idem sit ac si pater, videns puerum ægrotum, illi quæcumque oblectent porrigat ; talem non dixerim patrem. Hoc etiam nobis accidit : flosculos verborum sectamur, ut oblectemus, non ut compungamus, et laudibus obtentis abeamus* (4). » Ces paroles sont claires, et Votre Révérence entend parfaitement le latin ; il n'est donc pas

---

1. In Joan. Tract., 26, n. 5. — 2. Amour de Dieu, L. 3, ch. 9. — 3. P. tit. 18, c. 3, § 4. — 4. In Act. hom., 30.

nécessaire que je les explique. Oui, mon Révérend Père, on compte plusieurs prédicateurs qui charment par l'élégance et la pompe de leur parole, et qui ne manquent pas d'attirer de nombreux auditeurs ; mais je voudrais bien savoir combien parmi ces derniers, après avoir savouré ces sermons tout ornés de fleurs, sortent de l'église, la contrition au cœur, et changent ensuite de vie. Telle est précisément la question que posait saint François de Sales, lorsqu'il entendait parler de certains prédicateurs fort en vogue : « De grâce, demandait-il, dites-moi combien de personnes se sont converties par leurs sermons ? » Cette maudite envie de paraître qu'on remarque chez beaucoup de prédicateurs, gâte leurs sermons en les rendant stériles pour bien des auditeurs. De là cette exclamation de saint Vincent de Paul : « O maudit orgueil ! que de bien tu empêches et que de mal tu causes ! Tu fais qu'au lieu de prêcher Jésus-Christ on se prêche soi-même, et qu'au lieu d'édifier, on détruit. »

Il en est d'autres qui, pour charmer leur auditoire, ornent, ou plutôt, salissent leurs sermons de facéties ou de contes ridicules. Ils ne craignent même pas de dire que cela est nécessaire, spécialement dans les instructions ou dans les catéchismes qu'on fait au peuple, pour l'attirer, soutenir son attention et chasser l'ennui. Pour moi, tout ce que je sais, c'est que les saints, dans leurs sermons, faisaient non pas rire, mais pleurer. Lorsque saint François Régis prêchait, et il ne prêchait que des instructions. le peuple ne faisait que pleurer du commencement à la fin. Qu'on se permette de dire quelque mot plaisant, inspiré naturellement par le sujet dont on parle, soit, mais vouloir transformer l'instruction en une scène de comédie, comme le font quelques-uns. en racontant des historiettes ridicules, des fables curieuses, avec des bons mots et des gestes maniérés, pour exciter le rire dans l'auditoire, je ne comprends pas comment cela peut s'accorder avec le respect dû à l'église où l'on se trouve, ni avec la dignité de la chaire d'où s'annonce la parole de Dieu, et du haut de laquelle le prédicateur remplit l'office d'ambassadeur de Jésus-Christ. Assurément, l'auditoire rira, il restera bien éveillé, mais avec le rire se seront envolées son attention et sa dévotion, et, souvent, lorsque notre jovial orateur, pour ne pas paraître jouer en chaire le rôle d'un véritable charlatan, s'efforcera de tirer péniblement et comme par violence quelque moralité de toutes ses plaisanteries, les auditeurs, au lieu de l'écouter, ne feront que repasser dans leur esprit telle facétie ou telle histoire ridicule qu'ils ont entendues. Voilà ce que fera le bas peuple ; quant aux hommes sensés, tous éprouveront du dégoût pour de semblables niaiseries. On aime naturellement à voir danser, mais si quelqu'un s'avançait dans une rue de la ville en dansant, tous ceux qui le verraient en concevraient du dégoût et de l'aversion. Il en est de même des facéties ; on les écoute volontiers, mais si elles se débitent du haut de la chaire et dans le lieu saint, réservé à la prédication de la divine parole, elles n'inspirent plus que de la répugnance, du moins aux gens de bien. De plus, c'est une erreur de croire que, si l'on s'abstient de ces plaisanteries, le peuple ne viendra pas ou ne sera pas attentif à l'instruction. Je dis, moi, qu'on le verra au contraire accourir alors plus nombreux et redoubler d'attention, quand il constatera qu'en se rendant à l'instruction il ne vient ni perdre son temps ni se dissiper, mais trouver le bien de son âme.

Mais en voilà assez. Par tout ce que je viens de vous écrire, Votre Révérence pourra comprendre l'étonnement que m'a causé la proposition contenue dans votre lettre, à savoir, que le prédicateur doit charmer l'auditoire par un style poli et fleuri. J'espère que le Seigneur vous ôtera de l'esprit ce préjugé et cette grave erreur également funeste à votre âme et à tous ceux qui entendent vos sermons.

VI. — Puisque Votre Révérence, à la fin de sa lettre, pousse l'humilité jusqu'à me demander, à moi pauvre ignorant, quelques conseils sur les matières à traiter afin de prêcher avec fruit, je vous recommande de prendre le plus souvent, pour sujets de vos sermons, les fins dernières : la mort, le jugement, l'enfer, l'éternité, etc., car ce sont ces vérités éternelles qui produisent la plus vive impression sur les cœurs et les portent à mener une vie chrétienne. Je vous prie, en outre, de dépeindre souvent dans vos sermons la paix que goûte l'âme en état de grâce. C'est ainsi que saint François de Sales opéra de nombreuses conversions. Aussi, Henri IV, roi de France, en faisait-il un grand éloge, tandis qu'il blâmait les autres prédicateurs de montrer le chemin de la vertu si difficile, qu'ils ôtaient aux âmes le courage d'y entrer. Je vous recommande encore de parler souvent de l'amour que Jésus-Christ nous a porté dans sa Passion ainsi que dans l'institution du très saint Sacrement, et de l'amour que nous devons porter en retour à notre bien-aimé Rédempteur, en nous rappelant souvent ces deux grands mystères d'amour. Je dis cela, parce que, généralement parlant, peu de prédicateurs parlent de l'amour de Jésus-Christ ou qu'on en parle trop peu. Or, cela est certain, tout ce qui se fait par la seule crainte des châtiments, et n'est point inspiré par l'amour, n'offre qu'une durée éphémère. Un grand serviteur de Dieu, qui fut aussi un zélé prédicateur, le Père Janvier Sarnelli, disait : « Je voudrais ne plus faire autre chose que d'aller répétant partout : Aimez Jésus-Christ, aimez Jésus-Christ, car il le mérite. »

Je prie également Votre Révérence de recommander toujours dans ses sermons la dévotion envers la très sainte Vierge, par l'entremise de laquelle nous arrivent toutes les grâces. Avant de descendre de la chaire, faites donc invoquer cette divine Mère par tout le peuple, afin d'obtenir quelque grâce importante, comme le pardon des péchés, la sainte persévérance et l'amour de Jésus-Christ.

Par dessus tout, je vous exhorte à donner des conseils pratiques à vos auditeurs, en leur indiquant les moyens de se conserver dans la grâce de Dieu, comme sont par exemple les moyens suivants : Veiller sur ses yeux pour ne point les porter sur des sujets dangereux ; fuir les mauvaises occasions, telles que les conversations avec des personnes de différent sexe, ou avec des compagnons dissolus ; fréquenter les sacrements ; assister tous les jours à la messe ; s'enrôler dans quelque confrérie ; s'adonner à l'oraison mentale (enseigner à ce propos la manière pratique de faire cet exercice) ; lire des livres spirituels ; faire la visite au très saint Sacrement et à la sainte Vierge ; pratiquer l'examen de conscience ; réciter le chapelet.

Recommandez souvent la conformité à la volonté de Dieu dans les contrariétés, car là est tout notre salut, toute notre sainteté. Exhortez spécialement vos auditeurs à recourir chaque jour à Jésus et à Marie pour obtenir la sainte persévérance, surtout au moment des tentations. N'omettez jamais (j'appuie particulièrement sur ce point), d'inculquer au peuple le grand moyen de la prière. A ce que je vois, les prédicateurs en parlent trop peu et beaucoup trop rarement ; et pourtant, c'est de la prière que dépendent notre salut éternel et tout notre bien.

Il est vrai que parler de ces choses pratiques sourit très peu aux prédicateurs de haute volée, car cela leur paraît trivial, et ne leur fournit point un thème favorable pour étaler leur subtilité et faire résonner leurs périodes. C'est ainsi cependant que prêchait saint François de Sales ; aussi, opéra-t-il par ses sermons d'innombrables conversions. Chaque fois qu'il le pouvait, il inculquait les pratiques de la vie chrétienne, si bien que, dans une localité, les auditeurs le prièrent de leur laisser par écrit les conseils pratiques qu'il leur avait donnés du haut de la chaire, afin qu'ils pussent mieux les observer.

Oh ! si tous les prédicateurs imitaient cet exemple ; si, ne pensant qu'à plaire à Dieu, ils adoptaient pour leurs sermons ce genre simple et populaire ; s'ils prêchaient les vérités éternelles, et exposaient les maximes de l'Evangile, dans toute leur pureté et sans aucun ornement, s'ils enseignaient pratiquement les remèdes contre le péché et les moyens de persévérer et d'avancer dans l'amour divin, le monde changerait de face, et Dieu ne serait plus offensé, comme nous le voyons tous les jours. Il est à remarquer que, si une population possède un prêtre fervent qui prêche vraiment Jésus crucifié, cette population se sanctifie. Bien plus, si dans une église il se donne un sermon pieux et simple, on voit les auditeurs pénétrés de componction, et, si tous ne se convertissent pas, ceux-là mêmes qui résistent restent du moins ébranlés. Si donc on adoptait généralement ce genre de prédication, quel bien ne verrait-on pas se produire partout dans les âmes !

Je ne veux pas fatiguer davantage Votre Révérence. Mais, puisque vous avez eu la patience de lire cette lettre si longue, je vous prie de vouloir bien adresser avec moi la prière suivante à Jésus-Christ :

O Sauveur du monde, que le monde connaît à peine et n'aime presque pas, spécialement par la faute de vos ministres, ô vous, qui pour sauver les âmes, avez donné votre vie, de grâce, par les mérites de votre Passion, accordez lumière et zèle à tant de prêtres qui pourraient convertir les pécheurs et sanctifier tout l'univers, s'ils annonçaient votre parole sans vanité et avec simplicité, comme vous l'avez prêchée vous-même et comme l'ont prêchée vos disciples. Mais ils n'agissent pas ainsi : ce n'est pas vous, mais eux-mêmes, qu'ils prêchent ; aussi, bien que le monde soit rempli de prédicateurs, les âmes ne cessent pas néanmoins de se précipiter en foule dans l'enfer. Seigneur, portez vous-même remède à ce grand mal qui afflige l'Eglise par la faute des prédicateurs, et, s'il en est besoin pour l'exemple des autres, humiliez d'une manière visible, je vous prie, ces prêtres qui, par souci de leur propre gloire, altèrent votre sainte parole, humiliez-les, afin qu'ils se corrigent et ne mettent plus d'obstacle au bien des peuples. Ainsi j'espère ; ainsi soit-il.

Je me recommande à vos prières, et je vous prie de me croire toujours de Votre Révérence, le très dévoué et très obligé serviteur.

ALPHONSE DE LIGUORI,
Evêque de Sainte-Agathe, etc.

TABLE DES MATIÈRES

INTRODUCTION... 1

PREMIÈRE PARTIE
Préparation du discours.

CHAPITRE PREMIER
Préparation générale au ministère de la prédication.

SOMMAIRE ; Fonds abondant et personnel de connaissances. — Amour des âmes. — Saintes Lettres. — Analyse des chefs-d'œuvre. — Observations à faire.................. 21

CHAPITRE II
Comment on prépare un sermon éloquent.

SOMMAIRE : Parole réelle. — Etude et délimitation du sujet. — But pratique. — Exemple de Cicéron........... 30

CHAPITRE III
Préparation d'un sermon (*suite*).

SOMMAIRE : Suivre son idée. — Discernement des matériaux. — Ecriture sainte. — Préférence due en général aux sentiments des Pères. — Conseils de saint François de Sales et de saint François Xavier................... 42

CHAPITRE IV

Classification des matériaux selon notre méthode.

SOMMAIRE : Confection d'un plan. — Conseil pratique pour mettre en ordre les matériaux. — Etude amoureuse du sujet. — Nécessité de se donner de la peine............ 58

DEUXIÈME PARTIE

Composition du discours.

CHAPITRE PREMIER

Comment on choisit un exorde.

SOMMAIRE : Eloquence profane et éloquence chrétienne. — Qualités premières d'un bon exorde. — Modèles..... 67

CHAPITRE II

Nécessité de présenter son exorde avec art.

SOMMAIRE : Relation profonde que doit avoir l'exorde avec le sujet du discours. — Comment il faut s'y appliquer à disposer les auditeurs. — Pourquoi nous recommandons surtout les exordes allégoriques...................... 79

CHAPITRE III

Développement, ornement, achèvement de l'exorde.

SOMMAIRE : Nécessité d'examiner les moindres détails. — Conseils pour narrer et décrire éloquemment. — La note personnelle. — Division du sermon et son énoncé. 89

CHAPITRE IV

Nécessité et moyen de bien nourrir l'intelligence des auditeurs.

Sommaire : Doctrine qui convient à la chaire. — Science théologique. — Mot de l'abbé Combalot. — Sentiment de Bossuet. — Nécessité d'instruire et de se faire comprendre... 103

CHAPITRE V

Moyens pour instruire oratoirement.

Sommaire : Style oratoire. — Amplification. — Comparaisons. — Moyens pour développer un sujet........... 115

CHAPITRE VI

Avis complémentaires sur le sujet précédent.

Sommaire : Nouvel aperçu touchant la méthode. — Demandes et réponses oratoires. — Définitions expliquées. — Preuves. — Réfutation des objections. — Transitions. 129

CHAPITRE VII

Nécessité d'exciter les passions.

Sommaire : Encore la méthode. — Raisons et autorités qui prescrivent l'appel aux passions oratoires............ 142

CHAPITRE VIII

Etude et jeu des principales passions.

Sommaire : Nature des passions. — Saint Cyprien et les renégats. — Genèse des passions. — Les principales passions. — Moyen de les exciter. — Exemples......... 152

CHAPITRE IX

Moyens généraux pour exciter les passions.

Sommaire : Précautions oratoires. — Emotion personnelle du prédicateur. — Style qui convient aux passions. — Peinture des mœurs de l'auditoire. — La grâce du sermon. — Usage des histoires. — Mot sur les missionnaires 166

CHAPITRE X

Règles particulières propres à exciter habilement les passions.

Sommaire : Relation qui doit exister entre les sentiments et la conclusion du discours. — S'appuyer sur un texte de la sainte Ecriture ou des Pères. — Le Verbe fait chair et le vrai pathétique. — Modération du zèle. — Modèle tiré de saint Alphonse de Liguori.............. 183

CHAPITRE XI

Du style propre aux passions.

Sommaire : Principales figures de mots capables d'émouvoir. — Usage des textes de l'Ecriture. — Un mot du Dante. — Modèle tiré de Bossuet...................... 200

CHAPITRE XII

De la volonté, dernière et capitale faculté à saisir.

Sommaire : Puissance de la parole. — Nature de la volonté. — Qu'il faut préciser ce qu'on lui demande et montrer que son bonheur y est attaché indissolublement. — Avis pratiques de Louis de Grenade........................ 215